JUSQU'À LA FIN DES TEMPS

Danielle Steel

JUSQU'À LA FIN DES TEMPS

Roman

Traduit de l'anglais (Etats-Unis)
par Caroline Bouet

PRESSES
DE LA CITÉ

Titre original : *Until The End of Time*

© Danielle Steel, 2014
© Presses de la Cité, 2014 pour la traduction française
ISBN 978-2-258-10803-5

Presses
de   un département **place des éditeurs**
la Cité

place
des
éditeurs

A mes enfants formidables que j'aime tant,
Beatrix, Trevor, Todd, Nick, Sam,
Victoria, Vanessa, Maxx et Zara.
Je vous aimerai jusqu'à la fin des temps,
et au-delà.

Avec tout mon amour,
Maman

L'amour

Est une étoile filante

Qui atterrit

Dans votre cœur

Et vit

A jamais

Bill et Jenny

1975

1

L'atmosphère était électrique dans la pièce attenante à la salle de bal de l'hôtel Pierre, au cœur de Manhattan. Seins nus, quarante-cinq mannequins filiformes se faisaient coiffer et maquiller tout en essayant chaussures et robes. David Fieldston les passait au crible pour des retouches de dernière minute, tandis qu'un cameraman le filmait pour un documentaire sur la Fashion Week. Le couturier expliquait ce qui l'avait inspiré pour sa collection automne/hiver. Proche de la cinquantaine, très élégant malgré ses cheveux grisonnants, David comptait parmi les noms importants de la mode depuis une vingtaine d'années. Deux ans auparavant, il avait pourtant frôlé la faillite. Les journalistes de mode avaient décrié son travail, lequel, à leur sens, manquait d'énergie et d'originalité. Ils le disaient en bout de course.

Aujourd'hui, grâce à une tornade nommée Jenny Arden, David Fieldston était revenu sur le devant de la scène. La dernière collection qu'il avait dévoilée au public l'avait révélé au sommet de son art, et avait relancé sa carrière. Depuis que la jeune femme lui prodiguait ses conseils, ses présentations étaient devenues plus vivantes, débordant d'idées nouvelles et originales. Jamais David ne s'était senti aussi bien. En privé, il attribuait sa réussite à Jenny, qu'il n'hésitait pas à décrire comme un génie à ses plus proches amis et collaborateurs. L'intéressée restait modeste. Ce n'était pas elle qui dessinait les vêtements. Mais ses recherches offraient à Fieldston de nouvelles sources d'inspiration sans lesquelles ses collections n'auraient pas été aussi cohérentes, aussi exaltantes. Entre deux saisons, David et elle se voyaient plusieurs fois par semaine. Et, lors des défilés, elle se rendait totalement disponible, attentive au moindre détail. Elle avait d'autres clients, mais David Fieldston était à ce jour son succès le plus éclatant. Et il la rétribuait généreusement pour ses services.

La passion de Jenny pour la mode l'animait depuis sa plus tendre enfance. Sa grand-mère française avait été première d'atelier dans des maisons de haute couture à Paris. Et sa mère était une bonne couturière. Toutes deux avaient ouvert une boutique, petite mais fort courue, à Philadelphie. A dix-huit ans, Jenny, qui avait passé son adolescence à les observer à la tâche, s'était inscrite à la Parsons School of Design de New York pour apprendre le métier de créatrice de mode. Mais les cours l'ennuyèrent à mourir. Elle découvrit que, contrairement à sa mère et à sa grand-mère, elle ne possédait aucun talent pour draper et manier les étoffes et n'avait pas la patience nécessaire pour y parvenir. Ce qui l'intéressait, elle, c'était l'histoire de la mode et ses évolutions.

Aujourd'hui, ses clients se plaisaient à dire qu'elle possédait une sorte de sixième sens : elle pouvait prédire ce que serait le succès d'une saison avant tout le monde. En réalité, Jenny dictait les tendances. Aucun détail, aussi infime soit-il, n'échappait à son œil. Son credo était qu'en matière de mode tout tenait à la façon de porter une tenue et ses accessoires. Concevoir une robe, un manteau ou un chapeau ne suffisait pas. Il fallait insuffler la vie aux vêtements afin qu'ils deviennent plus que de simples objets.

La magie allait-elle opérer cet après-midi, à l'hôtel Pierre ? Dans la salle, les journalistes et les acheteurs attendaient avec impatience le début du show. La collection de l'automne prochain était présentée sept mois à l'avance afin que les professionnels puissent passer leurs commandes. Dans les coulisses, tandis que David se prêtait au jeu des interviews, Jenny se frayait un chemin entre les mannequins, portait un regard expert sur leur coiffure et leur maquillage, tirait sur l'ourlet d'une robe, remontait le col d'une veste, refermait un bracelet sur un poignet ou changeait une paire de chaussures.

Elle était, quant à elle, vêtue de noir de la tête aux pieds et habillée on ne peut plus sobrement, pour passer inaperçue et effectuer ainsi son travail en toute discrétion. Ses cheveux bruns et raides, coupés au carré, lui balayaient les épaules. Sans talons, elle était presque aussi grande que les top models. Mais, malgré sa stature, sa minceur et sa beauté, elle avait choisi, dans ce monde de paillettes, de demeurer dans l'ombre, d'où elle orchestrait tout.

— Non, non, non ! s'exclama-t-elle à l'intention d'un assistant qui apprêtait une mannequin comme s'il s'agissait d'une poupée. Le collier est à l'envers, et la ceinture aussi !

Elle procéda rapidement aux changements requis, puis traversa la pièce à vive allure jusqu'à une top model sur qui on était en train de coudre une robe en dentelle transparente. Un grand classique : le temps avait manqué pour poser la fermeture à glissière. Cette tenue serait le clou du défilé. On apercevait la poitrine dénudée de la jeune fille à travers le tissu. Et presque tout son corps d'ailleurs, à l'exception de ce que cachait un string couleur chair, seule concession à la décence. David n'était pas entièrement convaincu par cette audace, mais Jenny s'était efforcée de le rassurer. On était en 1975 ; selon elle, le pays était prêt à voir des seins, en tout cas sur les podiums. Elle n'était pas la seule à le penser. Le styliste Rudi Gernreich avait émis la même hypothèse : ses créations osées avaient fait sensation. Voilà plus de dix ans que *Vogue* montrait des seins nus. Diana Vreeland, la rédactrice en chef de l'époque, les avait imposés dans le magazine dès 1963.

Diana Vreeland était une référence pour Jenny, qui la considérait comme son mentor. Onze ans auparavant, son diplôme en poche, Jenny, avait compris qu'elle ne voulait pas devenir créatrice pour les marques de la 7ᵉ Avenue, lieu incontournable de la mode new-yorkaise. Elle était entrée chez *Vogue* en qualité de stagiaire. Diana dirigeait alors la rédaction du magazine depuis quatre ans. De fil en aiguille, Jenny avait grimpé les échelons et s'était vu confier la responsabilité du « closet », le célèbre dressing du magazine. Cet endroit, où l'on pouvait voir et toucher des pièces toutes plus belles les unes que les autres, était le paradis sur terre pour la jeune femme. Jenny avait vite attiré l'attention de Diana et était devenue sa première assistante. Elle avait beaucoup appris aux côtés de ce génie de la mode, ce qui ne l'avait pas empêchée de développer son propre style.

Cinq ans après son arrivée, Jenny avait décidé de quitter *Vogue*. On la traita de folle. Pourquoi abandonner un poste en or ? Mais la jeune femme souhaitait créer son agence de consulting, elle voulait conseiller des stylistes et concevoir elle-même ses séances photo.

La seule personne à soutenir son projet fut finalement celle qui l'avait engagée, Diana. Cette dernière quitta d'ailleurs à son tour le magazine peu de temps après, pour rejoindre l'équipe du Costume Institute du Metropolitan Museum.

Diana faisait partie ce jour-là du public venu assister au défilé de David Fieldston. Sa bienveillance à l'égard de Jenny lui valait en échange une loyauté inconditionnelle de la part de sa protégée. Comme de nombreuses personnes autour d'elle, elle jeta un œil à sa montre, impatiente que le show commence. Soudain, le silence envahit la salle, et une mélodie pleine d'insouciance des Beatles s'éleva, légère comme le printemps. Personne ne se souciait qu'on fût seulement début février et que, dehors, il neigeât.

Les grands yeux bleus de Jenny ne quittaient pas les filles qui, à la queue leu leu, s'apprêtaient à défiler. Le producteur du show lui fit un signe de tête, et Jenny donna le départ.

— Go !

La mannequin vedette écarta les rideaux de velours noir puis s'élança sur le podium. Celui-ci courait d'un bout à l'autre de la salle de bal et avait nécessité deux jours de montage. Jenny avait mis les filles en garde contre le sol en cuivre, véritable patinoire. D'autant qu'elles étaient juchées sur des talons de près de quatorze centimètres ! Leurs chaussures étaient des exemplaires uniques, des prototypes fabriqués en une seule pointure qui, bien souvent, n'était pas la leur. Malgré ce handicap sérieux, elles devaient avoir une démarche fluide et croiser une jambe devant l'autre le plus naturellement du monde. Et si par malheur l'une d'elles venait à tomber, eh bien, elle ne serait pas la dernière.

Il fallait se relever sur-le-champ. Car, quoi qu'il arrive, le spectacle devait continuer.

— Go, go, lançait Jenny à chacune, tout en procédant à de menus ajustements avant d'entrouvrir le rideau.

Déjà, les premières d'entre elles revenaient en coulisse, où on les déshabillait en un tournemain avant de les rhabiller. Un peu à l'écart, David Fieldston les observait, l'air aussi angoissé qu'à l'accoutumée. Pourtant, à en juger par les applaudissements qu'on entendait crépiter, le défilé était une réussite. Fieldston avait créé une collection extraordinaire, ce qui n'avait pas empêché Jenny d'opposer son veto à certaines de ses idées et de lui en suggérer d'autres. David lui pardonnait toujours son intransigeance et ses propositions parfois saugrenues. Après tout, il la payait pour cela, et, jusque-là, ses conseils s'étaient révélés on ne peut plus pertinents.

Le show touchait à sa fin. Jenny sourit et recula d'un pas pour céder la place à David, qui, accompagné d'une jeune fille parée d'une sublime robe de soirée en velours vert, s'apprêtait à saluer son public.

— Bravo ! murmura-t-il avec un large sourire avant de disparaître derrière le rideau.

La tension de Jenny se relâcha tandis qu'un tonnerre d'applaudissements s'élevait dans la salle. Elle raffolait de son métier. Elle vivait son rêve de petite fille : contribuer à la magie de la mode. Il ne s'agissait pas uniquement de dessiner de jolies robes, mais de faire en sorte que chaque femme souhaite les posséder à son tour et se sente magnifiée par elles.

C'est à cette tâche que Jenny se dédiait chaque jour. Elle glissa dans son sac des petites trousses contenant des épingles de nourrice et du ruban double face, puis elle enfila son manteau et s'éloigna en courant. Le prochain défilé, pour un tout nouveau client, commençait deux heures plus tard. La Fashion Week était un moment de pure folie que Jenny adorait. La veille, elle avait travaillé sur un autre lancement, et deux autres l'attendaient le lendemain. Pour présenter leur œuvre, les créateurs réservaient des restaurants, des lofts, des théâtres, parfois des salles de bal, comme David Fieldston. Des lieux disséminés aux quatre coins de la ville. Pour Jenny, c'était la course. A l'heure qu'il était, son client, le jeune couturier Pablo Charles, guettait sans doute son arrivée avec impatience dans le petit théâtre d'avant-garde de Broadway loué pour l'occasion.

Alors qu'elle traversait en toute hâte le hall de l'hôtel Pierre encombrée de son gros sac, un homme à l'allure aristocratique la rattrapa et lui arracha son lourd fardeau des mains. Elle se retourna, sourit. C'était Bill, son mari et plus fervent admirateur, qui avait pris l'après-midi afin de pouvoir assister à ses deux défilés. Il tâchait de n'en rater aucun.

— Tu mets quoi, là-dedans ? Des pierres pour les journalistes ? la taquina-t-il en la suivant dehors.

Bill était aussi blond que Jenny était brune. Il était beau, très grand… et amoureux d'elle depuis leur première rencontre. Il disait que celle-ci était due au destin, et Jenny avait fini par le croire. Devant l'hôtel, une voiture avec chauffeur attendait la jeune femme. Bill se glissa à côté d'elle sur la banquette arrière.

— C'était génial, Jen. Les tenues de la fin surtout. Le public a adoré. Suzy Menkes avait un sourire jusqu'aux oreilles.

Suzy Menkes était la plus influente des journalistes de mode. Bill avait également remarqué la présence de Mme Vreeland. Avec le temps et sous l'influence de son épouse, il était devenu un véritable amateur de mode. Il aimait le travail de Jenny et l'effervescence qui en découlait. La Fashion Week était un moment de chaos organisé. Bill se délectait du battage médiatique et de l'adrénaline qui l'accompagnaient. Il avait l'impression qu'un cirque s'était installé en ville, que c'était carnaval ! Il mesurait le talent et l'expertise de sa femme à leur juste valeur, et il l'admirait d'autant plus qu'il savait combien elle avait dû travailler pour en arriver là. Avant qu'il ne partage sa vie, Jenny n'avait jamais pu compter que sur elle-même. Voilà pourquoi il tenait absolument à être présent ces jours-là. Et elle le lui rendait bien. Ils étaient mariés depuis cinq ans, et le lien qui les unissait se renforçait chaque jour davantage.

Bill avait été très impressionné quand il avait appris son histoire et fait la connaissance de sa famille, d'origine modeste. La vie de sa mère, Hélène, avait été particulièrement difficile. Elle avait émigré aux Etats-Unis en quête d'une vie meilleure que celle que la France, dans les années agitées précédant la Seconde Guerre mondiale, était en mesure de lui offrir. Au printemps 1939, âgée de dix-neuf ans et sans le sou, ne parlant pas un mot d'anglais, elle avait débarqué à New York dans l'espoir d'y trouver un emploi de couturière. La tâche se révéla plus ardue que prévu. Hélène finit par échouer dans un atelier du Lower East Side, où elle passait ses journées à coudre des perles sur des pulls en échange d'un salaire de misère qui lui permettait à peine de se nourrir et de payer son loyer.

Elle s'apprêtait à baisser les bras et à rentrer en France quand, en septembre, la guerre éclata. Sa mère lui conseilla de rester aux Etats-Unis, et Hélène s'accrocha à son travail à l'atelier. En 1942, lors d'une fête organisée pour les troupes à laquelle une amie l'avait entraînée, elle fit la connaissance de Jack Arden, un jeune et beau soldat en permission. Emportés par un coup de foudre réciproque, ils se marièrent une semaine plus tard alors qu'ils savaient tous deux que Jack devait partir au front. Jenny naquit sur une table de cuisine du Lower East Side en 1943 et Hélène passa le reste de la guerre à attendre le retour de Jack. A maintes reprises, celui-ci lui suggéra d'aller chez sa mère, à Pittston, en Pennsylvanie. Mais la jeune femme refusait de s'y rendre sans lui. Elle ne voulait pas vivre avec des gens qu'elle ne connaissait pas. Sans compter qu'elle avait des amis à New York.

Deux ans plus tard, Jack fut démobilisé. La famille alla s'installer en Pennsylvanie. Rien n'avait préparé Hélène à la vie dans la petite ville dont son mari était originaire. Jack ne lui avait pas caché que, chez les Arden, on était mineur de père en fils. Mais elle n'avait aucune idée de ce que cela signifiait réellement. Elle avait grandi à Paris au sein d'une famille cultivée de la classe moyenne. Son père, restaurateur d'œuvres d'art, travaillait au Louvre, tandis que sa mère était une couturière émérite chez Chanel. Certes, Jack était un homme gentil et aimant, et il vouait un amour sans borne à Hélène, qu'il traitait comme une princesse. Malheureusement, l'argent leur faisait cruellement défaut, et le quotidien de Jack était dur. Il travaillait à la mine avec ses quatre frères et de nombreux cousins. Des années auparavant, son oncle et son père avaient péri lors d'un coup de grisou. Et sa mère, une femme maigre et triste, passait ses journées à s'inquiéter pour ses fils et à pleurer. A chaque grève, Jack et Hélène se retrouvaient sans aucun revenu. Le climat était rude, et les jeunes époux devaient souvent se contenter de pain et de saindoux pour le dîner. La faim et le froid, voilà ce dont Hélène se souvenait le plus lorsque, des années plus tard, elle évoquait cette époque.

Sa belle-mère mourut l'année de leur installation à Pittston, et Hélène fut dans l'impossibilité de prendre un travail, ne pouvant laisser Jenny seule à la maison. Elle passait donc tout son temps à s'occuper de sa fille et à attendre le retour de son mari. Même s'ils n'avaient pas vraiment les moyens de subvenir aux besoins d'un second enfant, ils voulaient un autre bébé, mais Hélène fit plusieurs fausses couches. La jeune femme se languissait de son pays natal et de ses parents. Pourtant, elle ne se plaignait pas. Elle aimait trop Jack pour cela. Dans cette vie de misère, elle puisait du réconfort dans son amour pour lui et dans la joie que leur procurait leur petite fille. Devenue adulte, Jenny se souviendrait de son père comme d'un géant qui la portait sur ses épaules et lui racontait des histoires le soir pour l'endormir. A en juger par les photos qu'elle avait de lui, elle lui ressemblait beaucoup. Petite et blonde, sa mère était quant à elle l'archétype de la femme française.

Ils vivaient à Pittston depuis trois ans quand se produisit une explosion à la mine de charbon. Elle coûta la vie à cinq mineurs, dont Jack. C'était un homme respecté et apprécié de tous. Le directeur de la compagnie minière vint annoncer en personne l'horrible nouvelle à Hélène. On lui offrit en compensation une indemnité certes modeste mais qui, additionnée à l'assurance-vie à laquelle Jack avait eu la sagesse de souscrire malgré leurs maigres revenus, changea son existence. Les deux sommes réunies permirent à Hélène d'emménager à Philadelphie avec Jenny.

Deux mois auparavant, le père d'Hélène s'était éteint à Paris, précédant Jack de peu. Thérèse, sa mère, se retrouva seule. Accablée de tristesse, elle tenta de convaincre sa fille de rentrer. Mais les emplois étaient rares en France après la guerre, et ce fut finalement elle qui rejoignit Hélène aux Etats-Unis. Bien qu'âgée de seulement cinq ans à l'époque, Jenny se souvenait parfaitement de l'arrivée de sa grand-mère. En vraie petite Française, elle l'appelait « mamie », et apprit la langue de Molière avec elle.

Hélène et Thérèse ne tardèrent pas à ouvrir une boutique à Philadelphie. Leur commerce se portait bien. Il avait suffi qu'une femme de la banlieue chic les découvre pour que Hélène et Thérèse deviennent le « secret le mieux gardé » des dames de la haute société. On se bousculait pour leurs robes copiées des modèles parisiens. Thérèse avait énormément de talent. Hélène disait que sa mère était une artiste, contrairement à elle. Quoi qu'il en soit, elles confectionnaient ensemble de belles toilettes et gagnaient convenablement leur vie.

Des années plus tard, alors que Jenny était étudiante à Parsons, elle effectua un stage auprès d'Oleg Cassini. A cette époque, le styliste confectionnait des tenues pour la Première dame, Jackie Kennedy. Celle-ci venait parfois choisir des modèles en vue d'événements officiels, et Jenny eut la chance de la croiser à plusieurs reprises. Quand elle en parlait à sa mère et à sa grand-mère, celles-ci en étaient tout excitées. Et lorsqu'elle obtint son diplôme et trouva un emploi chez *Vogue*, les deux femmes en tirèrent une immense fierté. Leur travail acharné à la boutique et l'argent laissé par Jack avaient porté leurs fruits.

Aux yeux de Bill, Thérèse, Hélène et Jenny étaient trois femmes remarquables – surtout son épouse. Il n'avait pas vu passer leurs cinq années de mariage, et il l'aimait plus que jamais. Elle avait bouleversé sa vie pour le meilleur, et Jenny soutenait que c'était réciproque.

Elle travaillait encore pour *Vogue* lorsqu'il la vit pour la première fois. New York était sous la neige, et elle dirigeait une séance photo devant le Plaza. A la manière d'un chien de berger rassemblant son troupeau, elle s'agitait autour des mannequins pour leur indiquer où se placer. Elle était coiffée d'un imposant bonnet en fourrure – un couvre-chef de policier acheté au marché noir à Moscou lors d'un shooting, comme elle le lui raconta plus tard. Elle portait un jean, des bottes et un long manteau d'homme. A la différence des autres, elle ne semblait pas souffrir du froid, allant et venant dans tous les sens, donnant ses directives au photographe et aux mannequins, ajustant constamment vêtements et coiffures. Quoique pressé par un rendez-vous, Bill s'était néanmoins arrêté. Le destin, se plaisait-il à dire. Il resta si longtemps debout à la contempler, immobile, indifférent aux flocons de neige qui le recouvraient peu à peu, qu'elle finit par se retourner. Il lui sourit. Elle lui rendit la pareille.

Puis, profitant d'une pause, Bill se dirigea vers elle et se présenta. Plus tard, quand il se remémorerait la manière dont il l'avait abordée, il aurait envie de disparaître dans un trou de souris. Il lui avait tendu sa carte en balbutiant :

— Si jamais vous avez besoin d'un avocat un jour…

— J'espère bien que non, lui avait-elle répondu avec un grand sourire.

Quel abruti ! Pourquoi aurait-elle besoin d'un avocat ? Mais il ne pouvait quand même pas lui dire tout de go à quel point elle était belle, ni lui confier qu'elle l'avait ensorcelé. Tout en lui répondant, la jeune femme, concentrée sur son travail, avait gardé un œil sur le photographe. Puis elle avait hoché la tête et dit qu'il fallait qu'elle y retourne. Alors que Bill s'éloignait, le cœur lourd, il l'entendit s'adresser au photographe en français. Il avait la certitude qu'elle l'avait pris pour un demeuré et qu'il ne la reverrait jamais. D'autant plus qu'elle ne lui avait pas dit son nom, encore moins laissé un numéro où la joindre.

Pendant des jours, il fut hanté par elle. C'était la femme la plus belle qu'il eût jamais rencontrée. L'année précédente, il avait obtenu son diplôme en droit et il travaillait depuis pour le cabinet familial, avec son père et ses frères. Ce qu'il faisait l'ennuyait. Or Jenny débordait de vie, respirait la joie. Quand il l'avait regardée dans les yeux, il avait eu l'impression de lire dans son âme. Sa secrétaire appela plusieurs magazines afin de savoir si l'un d'entre eux avait effectué un shooting devant le Plaza ce jour-là, et c'est ainsi que Bill apprit qu'elle travaillait pour *Vogue*. Lorsqu'il téléphona à la célèbre revue, une voix très froide l'informa qu'il pouvait laisser un message, mais ne lui communiqua pas le nom de la jeune femme.

— Dites-lui que Bill Sweet lui passe le bonjour.

Il se sentit encore plus bête et maladroit que la première fois. Chassant de son esprit l'inconnue qui lui avait fait un tel effet, il se remit au travail. Une affaire de succession l'occupait. La perspective de traiter ce genre de dossiers toute sa vie ne l'enchantait pas. Mais c'était ce à quoi les hommes de sa famille se consacraient, et d'ailleurs ses deux frères aînés semblaient y trouver leur compte. Ils étaient déjà associés dans le cabinet d'avocats fondé par leur arrière-grand-père, l'un des plus respectés de la ville. Des privilégiés au service d'autres privilégiés. Il n'était jamais venu à l'esprit de Bill d'envisager une autre carrière.

Quelques semaines plus tard, il se rendit à Boston pour rencontrer un client désireux de léguer des biens à ses petits-enfants. On était en mars et l'hiver, terriblement rude, ne voulait pas finir : il neigeait encore. Il s'arrêta en chemin pour prendre de l'essence et, tandis qu'il sortait de sa voiture, un camion de location se gara à la pompe d'à côté. Une femme coiffée d'une toque en fourrure sauta du véhicule, impatiente d'être servie. Il l'observa un instant. Elle se tourna vers lui, plissant les yeux sous la neige. C'est alors qu'il la reconnut. Cette fois-ci, nul doute que le destin s'en mêlait. Quelle était la probabilité de tomber sur la même femme deux fois, à des endroits si différents ? Il s'approcha d'elle en souriant comme un gamin devant une vitrine de jouets. Elle posa sur lui un regard plein de surprise. Il décida d'agir comme s'ils se connaissaient.

— Je vous ai laissé ma carte l'autre jour, mais vous ne vous rappelez peut-être pas.

Une fois de plus, il se sentit bête. Il avait l'impression d'avoir quatorze ans, face à une fille sophistiquée et débordante d'assurance.

— Mais si ! répondit-elle en lui retournant son sourire. Vous êtes avocat, c'est ça ? Pour l'instant, je n'ai eu aucun pépin.

Jenny avait gardé sa carte, qui devait se trouver sur son bureau. Bill Sweet... Elle ne savait pas pourquoi, mais elle n'avait pas oublié son nom.

— C'est quoi, ce camion ? lui demanda-t-il. Vous prenez la fuite après avoir dévalisé une banque ? Vous aidez des amis à déménager ?

— C'est pour une séance photo dans le Massachusetts.

Elle lui parla d'un reportage sur une femme du monde. Un célèbre photographe français faisait le déplacement pour l'occasion.

— Pour *Vogue*, précisa-t-elle.

— J'ai essayé de vous contacter au magazine. La standardiste n'a pas voulu me dire votre nom. Elle a dû me prendre pour un pervers.

Ses propos, ajoutés à son regard sincère, amusèrent Jenny. Il avait l'air d'un type bien. Sa nervosité était touchante. La plupart des hommes qu'elle rencontrait étaient arrogants et blasés.

— Ils ont l'habitude des pervers à *Vogue*. Mais, normalement, ce sont les mannequins leurs cibles, pas les assistantes !

— Eh bien, ils ont tort ! répondit-il alors que le pompiste faisait le plein du camion. Quand rentrez-vous à New York ?

Bill sentait son cœur battre à se rompre. Et si elle lui rétorquait que cela ne le regardait pas ?

— Cela dépendra de la séance, dit-elle d'un ton évasif. Samedi ou dimanche. C'est moi qui m'occupe des accessoires pour le décor. Je serai donc la dernière à partir.

Il regrettait de ne pouvoir lui proposer de faire la route avec elle. Cela aurait pu être drôle. Prenant son courage à deux mains, il se lança :

— Ça vous dirait qu'on se voie la semaine prochaine ?

— Oui, mais j'enchaîne trois shootings... C'est mon métier. Je suis styliste photo, pour les pages mode du magazine.

Il hocha la tête, faisant mine de comprendre alors qu'il n'avait pas la moindre idée de ce en quoi cela consistait. A vrai dire, il avait du mal à se concentrer. Il ne voyait que son regard pétillant, son sourire et ses lèvres sensuelles. Impossible pour lui de savoir si elle était en train de se défiler ou si elle était aussi occupée qu'elle le prétendait.

— Vous n'avez pas de jour de repos ? s'enquit-il, les yeux emplis d'espoir.

— Pas très souvent. C'est un peu comme si j'étais mariée à mon travail.

Cette situation n'avait pas l'air de l'embêter et Bill en fut intrigué.

— Vous aimez votre métier ?

— J'adore ! C'est ce dont j'ai toujours rêvé.

— Conduire un camion ? Livrer des meubles ?

Elle rit.

— Oui, c'est à peu près ça ! Venez assister à un shooting, si ça vous dit. Jeudi, on en fait un dans un club de Harlem, le Small's Paradise. On l'a réservé pour la nuit. J'aurai probablement une pause vers vingt-deux heures. Vous pouvez me retrouver là-bas pour dîner. On ira chez KFC ou dans un restau chinois qui ne paie pas de mine, mais dont la nourriture est extra. Par contre, je n'aurai pas beaucoup de temps. J'aurai à m'occuper de quatre top models, des filles de Londres et de Milan.

Bill trouva l'idée géniale. De toute façon, il aurait accepté de la retrouver n'importe où, avec ou sans dîner.

Elle lui indiqua l'adresse du Small's Paradise. En cas de changement de programme, elle le contacterait. C'est alors qu'il lui posa la question qui lui brûlait les lèvres depuis leur première rencontre :

— Comment vous appelez-vous ?

— Jenny Arden. Vous pouvez me joindre au magazine si vous devez vous décommander. J'ai un pager, mais je ne m'en sers que pour le travail.

— Je ne me décommanderai pas, Jenny. Rendez-vous jeudi soir. Amusez-vous bien ce week-end, pendant le shooting.

Elle remonta dans son camion.

— C'est assez drôle de se revoir dans ce coin perdu, lança-t-elle avec un regard pensif.

Il eut envie de lui rétorquer que c'était le genre d'histoire qu'ils pourraient raconter un jour à leurs petits-enfants. Mais il n'en eut pas l'audace.

— Pas tant que ça. Je vous suis à la trace depuis de longues semaines, vous savez !

Elle rit et le salua d'un geste de la main.

— A jeudi ! conclut-elle.

Bill garda le sourire jusqu'à son arrivée à Boston. Il avait le sentiment que le destin se montrait particulièrement clément à son égard.

Leur rendez-vous la semaine suivante fut à l'image de ce que Jenny vivait au quotidien chez *Vogue*. Le shooting n'avançait pas. L'une des mannequins était malade et le photographe jouait les divas. Jenny ne put prendre sa pause qu'à minuit, et, à cette heure-là, le restaurant chinois était fermé. Bill et elle durent se rabattre sur un Burger King et se contenter de vingt minutes ensemble. Le travail de Jenny l'intriguait tant qu'après le dîner Bill décida de s'attarder une heure de plus pour observer ce qui se passait sur le plateau. L'efficacité de la jeune femme et sa maîtrise de la situation l'impressionnaient. Il rentra chez lui à une heure et demie du matin. Le lendemain, il l'appela pour savoir comment s'était terminé le shooting. Jenny lui raconta que la séance s'était prolongée jusqu'à quatre heures. Dans son métier, les nocturnes étaient loin d'être rares. Elle lui confia un peu plus tard que ces horaires expliquaient pour beaucoup son absence de vie privée. Mais cela ne la perturbait visiblement pas.

Les mois suivants, ils se virent au petit bonheur la chance. Chaque fois, ils passaient un excellent moment. A côté de Jenny, les autres femmes faisaient pâle figure. Bill apprit toutes sortes de choses sur le monde de la mode. La jeune femme savait comment rendre cet univers captivant. Il finit par lui avouer qu'il détestait son travail.

— Dans le droit, il doit bien y avoir des domaines qui te plaisent ? lui demanda-t-elle avec une curiosité bienveillante.

— Pas dans le cabinet de mon père. Le meilleur de New York en droit fiscal. Je me suis toujours dit qu'un jour j'aimerais devenir avocat spécialisé dans les médiations, ou plaider au pénal. Mais mon père vivrait cela comme une trahison. Je dois avoir un problème, car mes frères adorent ce boulot. J'essaie de faire autant de bénévolat juridique que possible auprès de personnes défavorisées, et aussi à l'Union américaine pour les libertés civiles... Mais ces fantaisies n'enchantent pas ma famille.

Contrairement à Jenny, qui menait sa carrière de main de maître, Bill, pourtant de deux ans son aîné, se sentait totalement désorienté quant à son avenir professionnel.

Ils sortaient ensemble depuis deux mois lorsque Bill décida de s'inscrire à un cours du soir de théologie à Columbia. Il se garda bien d'en parler à sa famille, mais mit Jenny dans la confidence. Elle accueillit l'initiative avec enthousiasme. Bill admirait son ouverture d'esprit. A vrai dire, il était fou d'elle. Et elle aussi était très amoureuse. Cependant, ils se contentaient de profiter de l'instant présent, sans élaborer de plans concrets pour le futur. Le premier trimestre de théologie ouvrit la voie à trois autres. Bill étudiait après sa journée de travail. Ce n'était pas facile mais passionnant – bien plus que son activité diurne.

Ses frères étaient mariés et avaient chacun deux enfants. Leurs épouses ne se distinguaient en rien des filles qu'ils avaient toujours fréquentées. Des femmes au foyer, blondes aux yeux bleus, issues de familles que les Sweet connaissaient depuis des décennies. La belle-mère de Tom avait même étudié à Vassar, comme leur propre mère. De l'avis de Bill, la vie de ses frères, prévisible de bout en bout, manquait cruellement de singularité. Jenny lui paraissait d'autant plus intéressante et méritante qu'elle venait d'un tout autre milieu, beaucoup moins favorisé que le sien. Lorsqu'il avait rencontré sa mère et de sa grand-mère à Philadelphie, les deux femmes l'avaient accueilli très chaleureusement. Il doutait qu'il en irait de même avec sa propre famille.

Six mois après le début de leur histoire, Bill, pétri d'inquiétude, profita d'un long week-end début septembre pour présenter Jenny à ses parents, dans leur pied-à-terre du Connecticut. Comme il l'avait redouté, la rencontre ne se passa pas au mieux. Il connaissait trop bien son père pour ne pas discerner la dureté qui se cachait derrière sa jovialité de façade. Sa mère quant à elle se livra à un interrogatoire en règle : où Jenny avait-elle grandi ? Où avait-elle étudié ? Avait-elle été dans une école privée ? Pensionnaire ? Face à ses juges,

Jenny resta elle-même, aussi ouverte qu'à l'accoutumée, répondant avec honnêteté et candeur à leurs questions. Elle leur parla de son père mort à la mine, de l'installation de sa mère à Philadelphie. L'école publique, puis Parsons, et enfin ses débuts à *Vogue*. N'importe quel être un tant soit peu sensé aurait vu dans son parcours une *success story* forçant le respect. Mais, aux yeux des parents de Bill, l'histoire de Jenny constituait à elle seule un crime, et la jeune femme n'était pas digne de fréquenter leur fils. Les frères de Bill l'observaient comme une bête curieuse tandis que leurs épouses poussèrent l'impolitesse jusqu'à l'ignorer purement et simplement. Une fille de mineur n'avait pas sa place dans le clan des Sweet. Le message était limpide. Après le dîner, Bill bouillonnait de rage. Sur la route qui les ramenait à New York, il se confondit en excuses. Jenny le rassura :

— Ne t'en fais pas ! Ils n'ont pas l'habitude de rencontrer des gens venus d'autres horizons. Je suis confrontée à ce genre de personnes tout le temps.

Les membres du gotha dont les photos paraissaient dans les pages mondaines de *Vogue* pouvaient en effet se montrer odieux à son égard, n'hésitant pas à la traiter en esclave. Certes, le comportement des proches de Bill l'avait blessée. Visiblement, ils ne voulaient pas d'elle pour leur fils. Mais Bill semblait si désemparé que Jenny était surtout désolée pour lui.

— Ils avaient sans doute la frousse que tu leur annonces nos fiançailles ! plaisanta-t-elle.

— C'est exactement ce que j'ai en tête, répondit-il d'une voix douce. Je ne te mérite pas, et ma famille encore moins. Je me fiche de ce qu'ils pensent. Je veux vivre avec toi jusqu'à la fin de mes jours. Je t'aime. Veux-tu devenir ma femme ?

Jenny ouvrit de grands yeux éberlués. Si leur amour était pour elle une certitude, ces propos la surprirent. Elle ne serait jamais acceptée dans son milieu, et elle craignait les représailles que Bill aurait à subir s'il l'épousait.

— Mais, et tes parents ? Tu leur briserais le cœur ! objecta-t-elle, le regard empli de tristesse.

Elle n'avait nullement l'intention de détruire sa vie. La réponse de Bill fut sans appel :

— C'est moi qui aurai le cœur brisé si tu ne m'épouses pas.

Bill avait pensé la demander en mariage d'ici la fin de l'année, aux alentours de Noël. Mais l'accueil indigne que sa famille lui avait réservé l'avait poussé à exprimer ses sentiments plus tôt que prévu.

Jenny le regarda d'un air grave.

— Tu es sérieux ?

Sa voix n'était qu'un souffle. Les yeux plongés dans les siens, Bill lui demanda :

— Jenny Arden, accepterais-tu de m'épouser ? Si tu deviens ma femme, je t'aimerai jusqu'à la fin des temps.

Un sourire illumina le visage de la jeune femme. Bill était un homme honnête et droit. Il saurait la rendre heureuse. Leur rencontre était due au destin, elle aussi en était convaincue maintenant. Quoi qu'en pensent les parents de Bill, ils étaient faits l'un pour l'autre. Les yeux embués de larmes, elle lui répondit d'une toute petite voix :

— Oui ! Mais ta famille va te tuer. Je ne suis pas allée au pensionnat, ni à Vassar, ni au bal des débutantes. Et, cerise sur le gâteau, je ne suis pas blonde !

Ses propos un peu caricaturaux n'étaient pas si éloignés que cela de la réalité.

— Je m'en fiche ! J'ai vingt-neuf ans, personne ne m'empêchera d'épouser la femme que j'aime ! Mes parents n'ont aucun droit de se mêler de notre vie.

Il s'avéra que Bill sous-estimait la violence de leurs réactions. Furieux, son père eut avec lui une discussion qui avait tout d'une fin de non-recevoir. Quant à sa mère, elle faillit s'évanouir en apprenant la nouvelle.

— Tu as perdu la tête ? Une fille de mineur ?

Ses frères l'implorèrent de ne pas faire un tel coup à leurs parents. Jenny était sans doute une fille bien, mais de là à l'épouser... Ce n'était probablement qu'une passade. Lorsque Bill leur assura qu'il ne changerait pas d'avis, Peter se précipita hors de la pièce. Avant de claquer la porte, il lui déclara qu'il avait toujours été un type bizarre, mais que, là, il sombrait dans la démence. Tom se montra moins outrancier, mais partageait de toute évidence l'opinion de son cadet : jamais un Sweet n'avait contracté une alliance avec une femme n'appartenant pas à l'élite américaine. A les écouter, on aurait cru que leur benjamin s'apprêtait à entrer au monastère ou à se faire hara-kiri. L'attitude extrême de sa famille acheva de convaincre Bill du bien-fondé de sa décision.

A Thanksgiving, il leur annonça que son mariage aurait lieu en janvier. Ils avaient décidé de s'unir à New York, dans une petite église chère à leur cœur. La mère de Bill fondit en larmes. Heureusement que Jenny, partie à Philadelphie pour lui laisser plus de liberté avec ses proches, n'était pas là pour assister à ce lamentable spectacle. Ce fut pour Bill une fin de semaine pénible. Ses parents ne firent rien pour lui faciliter la tâche. Le dimanche, ils lui proposèrent tout de même d'organiser un déjeuner chez eux après la cérémonie, à condition que Bill et Jenny n'invitent pas trop de monde. Ils ne voulaient pas couper définitivement les ponts avec leur fils en boycottant l'événement, mais Bill avait le sentiment qu'ils auraient mis plus d'entrain à organiser ses funérailles. Tous agissaient comme si son mariage était une tragédie.

En rentrant chez lui ce soir-là, Bill se sentait vidé. Il épargna à Jenny les détails du week-end, se contentant d'évoquer le déjeuner que ses parents souhaitaient leur offrir. De son côté, la jeune femme avait profité de son séjour à Philadelphie pour concevoir sa robe de mariée avec sa mère et sa grand-mère. Elle rêvait d'une tenue simple mais éblouissante. Le modèle qu'elle avait choisi, assemblage savant de broderie fine et de perles minuscules cousues sur de la dentelle, était des plus raffinés. A Paris, il aurait coûté une fortune.

La cérémonie religieuse se déroula sans anicroche. Dans la petite église, entourés de leurs amis les plus proches, les jeunes époux rayonnaient de bonheur. Hélène et Thérèse étaient ravies, mais le comportement odieux de la belle-famille pendant le déjeuner ne leur échappa pas. Les Sweet se montrèrent extrêmement distants envers Jenny et elles-mêmes. Les toasts qu'ils portèrent, fort circonspects, laissaient clairement transparaître leur désaccord. Aussi Bill et Jenny se sentirent-ils soulagés lorsque cette journée se termina.

Une semaine plus tard, après une merveilleuse lune de miel aux Bahamas, Bill reprit le travail. Il constata avec amertume que ses frères et son père le traitaient en paria. Et jamais ils ne demandaient des nouvelles de Jenny. On aurait dit qu'elle n'existait pas – ce qu'en réalité ils auraient préféré.

Leur conduite encouragea Bill à franchir un cap décisif. Comme toujours, il parla d'abord de ses plans à Jenny, car il n'envisageait pas de se lancer dans un projet d'une telle envergure sans son approbation. Il souhaitait entrer au séminaire et obtenir un master en instruction religieuse pour devenir pasteur épiscopalien. Il préparerait son diplôme à Columbia, en trois, quatre ou cinq ans selon les options choisies. Un changement de vie complet.

— Je crois que c'est ma vocation, Jenny. Dit comme ça, ça sonne très prétentieux, je sais ! Mais tout ce que j'ai été amené à étudier l'année dernière m'a passionné. Je sens au fond de moi que c'est le bon choix. Simplement, je ne voudrais pas t'infliger de devenir femme de pasteur si ce nouveau statut ne te convenait pas...

Le sourire plein de tendresse de Jenny le rassura immédiatement. Elle lui demanda avec douceur :

— M'aimeras-tu toujours lorsque tu seras pasteur ?

— Plus que jamais.

— Cela ne te posera pas de problème que je travaille dans un domaine aussi superficiel que la mode ?

Cette question et le ton inquiet avec lequel elle était posée désarçonnèrent Bill.

Il l'embrassa.

— Arrête tes bêtises, voyons ! Je suis fier de ton métier. Devenir pasteur ne va pas me transformer en bigot intolérant. Je veux juste faire le bien sur cette terre, et cela sera ma façon à moi d'y parvenir.

— Tu as raison, et moi aussi je suis fière de toi. Si c'est ce que tu souhaites, je t'appuie à cent cinquante pour cent.

Bill lui confia ensuite son intention de quitter le cabinet paternel pour se consacrer pleinement à ses études. Jenny ne cacha pas son inquiétude : ne risquait-il pas de se mettre définitivement à dos son père et ses frères ?

— Je me sens prêt à en assumer les conséquences.

Sa voix était posée, et tout en lui exprimait la maturité. Jamais elle ne l'avait vu aussi apaisé, aussi sûr de lui. Oui, sa décision était la bonne.

L'annonce de son départ fit l'effet d'une bombe. Alors que Bill pensait en termes de vocation, son père et ses frères ne voyaient dans cette réorientation professionnelle qu'inconscience. Aucun homme de la famille n'avait choisi de quitter le cabinet de son plein gré et embrassé une autre carrière que celle d'avocat. Surtout pas pour rejoindre une Eglise ! Peter le traita de fou. Tom, lui, était affligé. Pour eux, la coupable était toute désignée : Jenny.

Bill arrêta de travailler en février et entama son cursus à Columbia le mois suivant. Malgré la condamnation de ses proches, il n'éprouva jamais le moindre regret. Il maintint son cap, et, pendant cinq ans, étudia avec le soutien indéfectible de Jenny.

Ce soir-là, alors que Jenny et Bill bavardaient dans la voiture qui les emmenait au deuxième défilé dans le sud de Manhattan, cinq mois séparaient Bill de l'obtention de son diplôme et de son rêve : devenir pasteur. Avec le temps, il avait appris la tolérance et la compassion. Bien qu'il appréciât les domaines arides de la théologie, de l'histoire de l'Eglise ou l'étude de la Bible, ce qu'il voulait avant tout, c'était apporter conseils et soutien à autrui. Les cours de psychiatrie et de psychologie le confortaient dans ce choix. Il avait un don pour aller vers les autres.

Jenny avait prévu d'organiser un déjeuner en juin pour fêter le diplôme de son mari. Sa mère, qui continuait à confectionner des robes, ferait le déplacement depuis Philadelphie. Malheureusement, sa grand-mère ne serait pas des leurs. Elle les avait quittés deux ans après leur mariage. Pour la jeune femme, cette perte avait été très douloureuse, et Thérèse lui manquait encore. Les parents de Bill étaient également invités. Il était hors de question pour Jenny qu'ils gâchent cet événement qu'elle planifiait depuis des mois.

Lorsque Bill et Jenny arrivèrent au théâtre que Pablo Charles avait réservé pour son défilé, l'effervescence était à son comble. La veille, la jeune femme était restée sur place jusqu'à deux heures du matin pour parfaire l'organisation du show. Tout semblait alors parfaitement sous contrôle. Mais, à quelques minutes du coup d'envoi, les coulisses avaient pris une allure de champ de bataille. La moitié des mannequins étaient nues – un spectacle devenu banal pour Bill.

Pablo, fébrile, était occupé à assembler un col montant orné de broderies et une robe. Il lança à Jenny un regard paniqué.

— Cette foutue pièce est arrivée de l'atelier il y a à peine dix minutes ! Comment veulent-ils que j'y arrive ?

Voyant son désarroi, Jenny prit le relais. Ou plutôt, elle héla une couturière et lui montra comment procéder. Après s'être débattue un court instant avec la pièce qu'il fallait mettre en place à même le modèle, la femme se mit à coudre d'un geste expert et rapide. Jenny s'en fut superviser le reste. Pablo paraissait au bord de la crise de nerfs, mais elle savait que le show ferait un carton. Le jeune styliste portoricain était doté d'un immense talent.

— Tiens bon ! lui dit-elle. C'est presque fini. Tu vas casser la baraque, crois-moi !

Bill regardait son épouse courir en tous sens pour voler au secours des uns et des autres. C'était une véritable magicienne, qui avait plus d'un tour dans son sac. Il l'intercepta pour l'embrasser et lui glisser quelques mots d'encouragement :

— A tout à l'heure ! Mets-en-leur plein la vue !

Tandis qu'il prenait place entre deux acheteurs du Midwest, Bill songea à la longue ascension de son épouse vers le succès. Aujourd'hui, après trois ans d'études et onze de travail, la fille de mineur originaire de Pittston, en Pennsylvanie, était devenue une star de la mode. Bill était un homme heureux, profondément amoureux de sa femme. Tous deux se consacraient à des carrières qu'ils adoraient. Que demander de plus, si ce n'est des enfants ? Ils en parlaient souvent. Mais pour l'heure, le bonheur qu'ils partageaient les comblait.

2

Le lendemain du défilé clôturant la Fashion Week de février, on commença à s'affairer sur ce qu'on appelait dans le jargon les collections « croisière ». Pas le temps de souffler dans l'industrie de la mode, qui ne tolérait aucun temps mort. Les saisons s'enchaînaient à un rythme effréné. Jenny rendit visite à ses clients afin de discuter avec eux des lignes à venir. C'était un moment placé sous le signe de l'inspiration, entièrement voué à l'éclosion d'idées nouvelles. Jenny était partie prenante dans ce processus. A vrai dire, la plupart des créateurs la considéraient comme leur muse.

Nombreux étaient les couturiers à mener des recherches historiques pour nourrir leur créativité. Ils fouillaient dans les documents d'archives en quête de stylistes parfois tombés dans l'oubli mais ayant marqué leur époque. Jenny s'intéressait énormément aux trouvailles de ses clients. Elle s'estimait heureuse de travailler avec des gens si différents, qui avaient tous leur propre griffe. La facture limpide et classique des tenues imaginées par David Fieldston contrastait avec l'esprit sauvage et avant-gardiste de Pablo Charles, par exemple. Et elle pouvait en dire autant de la production de ses six autres clients. Collaborer avec des personnalités si hétéroclites avait de quoi vous rendre un peu schizophrène, mais c'était précisément cette difficulté qui faisait le sel de son métier.

Heureusement, Jenny était aidée par deux assistants. Nelson Wu, jeune Chinois originaire de Hong Kong, rêvait de devenir un grand couturier et avait transformé son loft de Greenwich Village en véritable atelier. Fortement absorbé par ses propres créations, il venait néanmoins ponctuellement en aide à Jenny, avec qui il appréciait de collaborer. Pendant les périodes les plus chargées, sa présence se révélait indispensable. Azaya Jackson, quant à elle, travaillait aux côtés de Jenny à plein temps. Elle avait mis un terme à ses études à Parsons quand elle avait compris ne pas vouloir devenir styliste. Excellente illustratrice, cette jeune femme brillante âgée de vingt-cinq ans avait également un don pour la photographie, activité qu'elle exerçait en freelance le soir et le week-end. Jenny avait découvert que, dans le milieu de la mode, la plupart des gens vraiment créatifs portaient plusieurs casquettes, à l'instar de son assistante. Beau brin de fille ayant pour mère une célèbre top model éthiopienne, Azaya était une enfant de la balle. Elle faisait du mannequinat à ses heures perdues, et Jenny l'avait d'ailleurs rencontrée lors d'un shooting pour *Vogue*. Azaya s'investissait pleinement auprès des clients de Jenny, à qui elle vouait une admiration sans borne. Sa soif d'apprendre était telle qu'elle ne rechignait devant aucune tâche.

Comme Jenny avant de tomber amoureuse de Bill, Azaya était tellement happée par son travail qu'elle en négligeait sa vie sociale. Elle passait le plus clair de son temps au bureau, et ce malgré les exhortations de Jenny, qui l'encourageait à sortir plus tôt et à s'amuser un peu.

41

— Fais ce que je dis, mais pas ce que je fais, hein ? aimait la taquiner Azaya. A quand remonte ta dernière sortie avec Bill ? Tu finis tous les soirs à des heures pas possibles.

— Ça n'a rien à voir. Je suis mariée, plus âgée que toi, et en plus, Bill prépare ses examens, lui répondait-elle avec un sourire.

A la mi-mars, Bill n'était plus qu'à trois mois de l'obtention de son diplôme et s'efforçait de tout boucler : il suivait ses derniers cours à Columbia, rédigeait ses ultimes papiers du trimestre et achevait son mémoire de maîtrise. C'était un soulagement pour lui de savoir Jenny occupée. Ainsi, ne pas sortir le soir ne lui posait aucun problème. Pour fêter la fin de ses études, ils avaient prévu de partir en vacances en juin. D'ici là, ni l'un ni l'autre n'avaient le temps de se distraire. Mais ils s'en moquaient bien : ils adoraient ce qu'ils faisaient, et, de toute façon, ils savaient qu'il s'agissait d'une situation transitoire. Bientôt, ils seraient plus libres.

Avant même d'obtenir son diplôme, Bill entreprit d'envoyer sa candidature à des églises épiscopales situées à New York ou en banlieue dans l'espoir que l'une d'elles ait besoin d'un jeune pasteur fraîchement sorti du séminaire. Malheureusement, jusqu'à présent, sa quête n'avait pas abouti. Il étendit donc sa zone géographique de recherche au Connecticut et au New Jersey, puis souscrivit à un service qui se chargeait d'envoyer des candidatures à travers le pays. Il avait néanmoins spécifié devoir rester dans les environs de New York. Convaincu qu'une opportunité finirait par se présenter, Bill ne perdait pas espoir.

Un après-midi, alors qu'il travaillait sur son mémoire, il reçut un coup de fil de son frère Tom, qui l'invitait à déjeuner le lendemain. Bill n'aimait pas particulièrement côtoyer les membres de sa famille. Néanmoins, soucieux de ne pas creuser davantage le fossé qui les séparait, il essayait de les voir quand l'occasion se présentait. Tom se montrait généralement plus tolérant à son égard que son père ou que Peter, sans jamais pour autant affirmer comprendre ses choix personnels et professionnels. Aux yeux de Tom, la rupture radicale de Bill avec la tradition familiale était parfaitement incompréhensible. Pourquoi tourner le dos à une carrière brillante quand on avait un tel talent, un si beau parcours universitaire et un réseau si développé ? Et tout cela alors que le cabinet de son père avait besoin de lui...

Le jour suivant, Tom et Bill se retrouvèrent au « 21 », un restaurant qu'ils connaissaient depuis l'enfance et qu'ils appréciaient tous les deux. Ils étaient donc en terrain familier.

— Alors, qu'est-ce que tu deviens ? lui demanda Tom d'un ton cordial, après qu'ils eurent commandé un verre de vin.

Dix ans séparaient les deux frères. Tom venait de fêter ses quarante-quatre ans, et était désormais un homme d'âge mûr. Peter non plus n'était plus si jeune : dans quelques mois, il aurait quarante ans. Bill avait du mal à croire que le temps était passé si vite. Quand il pensait que le fils cadet de Tom était au collège et que son aîné venait de commencer le lycée, Bill, qui n'avait pourtant que trente-quatre ans, prenait un sacré coup de vieux. Heureusement, les enfants de Peter étaient beaucoup plus jeunes, eux !

— Je me consacre à mon mémoire, répondit Bill. C'est un travail de longue haleine.

— Tu as trouvé un poste ?

Bill secoua la tête.

— Pour les églises dans New York, les listes d'attente mesurent des kilomètres. En banlieue, ce n'est pas vraiment mieux. Mais il est hors de question que l'on s'excentre. Jenny a trop de travail.

Tom hocha la tête. Il savait que Jenny s'était fait un nom dans le milieu de la mode, mais il ignorait en quoi consistait précisément son métier. Il avait entendu dire qu'elle avait monté sa propre affaire, mais son travail lui avait toujours paru frivole et dénué d'intérêt.

— Vous pensez avoir un jour des enfants, ou bien ce n'est pas au programme ?

C'était la première fois que Tom posait cette question. Il ignorait qu'ils essayaient d'avoir un bébé depuis deux ans. Jenny n'y croyait plus vraiment. Il faut dire que son travail stressant n'aidait pas… Cependant, Bill était convaincu qu'ils y parviendraient un jour. Peut-être quand ils auraient des vacances, ce qui ne leur était pas arrivé depuis un an.

— On y pense, répondit Bill posément.

Il n'avait aucune envie d'évoquer ces problèmes avec son frère. Tout ce qu'il confiait à sa famille était tôt ou tard retenu contre lui. Et le sujet était bien trop douloureux pour être discuté en dehors de leur couple. Partager ses inquiétudes intimes avec Tom aurait été comme trahir Jenny.

— On a le temps, ajouta-t-il d'un ton évasif.

— Vous n'êtes plus tout jeunes, fit remarquer Tom sèchement. Mais j'imagine qu'à ses yeux réussir sa carrière a plus d'importance que devenir mère.

Le jugement était sans appel. Les Sweet ne faisaient jamais preuve d'indulgence envers Jenny, qu'ils ne connaissaient pourtant pas. Ils s'obstinaient à ne lui accorder aucun crédit simplement parce qu'elle n'était pas, selon leurs critères, bien née. Bill s'empressa de rendre justice à sa femme :

— Je suis persuadé que Jenny sera une excellente mère. Et puis, avant d'avoir des enfants, il va falloir que je trouve une paroisse. Chaque chose en son temps.

Malgré les difficultés qui se présentaient sur son parcours, Bill dégageait un calme olympien. Tom hésita un instant avant de se lancer :

— As-tu envisagé de revenir au cabinet de papa ? Il y a un poste qui t'attend là-bas, tu sais. Rien ne t'oblige à t'épuiser à chercher une église. Tu pourrais faire du bénévolat le week-end.

Sa famille considérait son choix de devenir pasteur comme un hobby excentrique, et non comme une vocation. Bill avait renoncé depuis longtemps à essayer de les convaincre du contraire.

— Papa vieillit. Il ne va pas tarder à prendre sa retraite, et je pense que cela le rassurerait vraiment que tu reviennes au bercail. Je sais à quel point tu prenais à cœur le bénévolat juridique. On pourrait peut-être s'organiser autrement ? Tu pourrais être partenaire à plein temps, et, si tu ne souhaites pas t'occuper des dossiers qui rapportent, tu bénéficierais d'une part moindre des profits.

Auparavant, le bénévolat avait été un objet de litige constant entre eux. Bill répondit sans ciller :

— Tu ne comprends pas, Tom. Il n'est pas question d'argent ici. J'ai la profonde conviction que nous avons chacun une destinée à accomplir. Etre pasteur est la mienne. J'ai mis du temps à le comprendre. Je suis sur le bon chemin, et la femme de ma vie m'accompagne. Mon mariage avec Jenny n'a rien d'un accident. C'était écrit. Comme toi, avec Julie.

Tom se contenta de hocher la tête. Quelque chose de trouble passa dans son regard.

— Comment peux-tu en être certain ? lui dit-il avec une gravité soudaine.

Bill paraissait si sûr de lui-même... Tom ne parvenait jamais à savoir si son frère avait une case en moins ou s'il était le plus sensé de tous. Quoi qu'il en soit, il semblait parfaitement en paix.

— Cela va te sembler absurde, mais je prie beaucoup. J'essaie de me tenir à l'écoute. Et, au fond de moi, je sais si ce que je fais est bien ou pas. Quand je travaillais avec vous, j'étais malheureux. Ce métier n'était pas pour moi. Aller au bureau chaque jour était un véritable calvaire. J'avais l'impression de devoir jouer un rôle. Mais dès que j'ai commencé le séminaire, j'ai su que j'étais sur le droit chemin. Il m'a suffi d'un cours de théologie pour m'en rendre compte. Un peu comme avec un aimant, tout s'est emboîté. Même chose lorsque j'ai rencontré Jenny. Au premier regard, j'ai su que nous étions faits l'un pour l'autre.

Il y avait tant de conviction dans ses propos que Tom regarda son frère un long moment dans les yeux, comme pour mieux comprendre ce qu'il venait de dire. Avec beaucoup de sérieux, Bill lui demanda :

— Cela ne s'est pas passé de cette façon-là avec Julie ? Vous étiez très amoureux, tous les deux.

— Je ne pense pas avoir jamais ressenti que nous étions « faits l'un pour l'autre », pour reprendre tes mots. Julie était la plus jolie des débutantes cette année-là, et la plus mignonne de celles avec qui j'étais sorti jusqu'alors. On était jeunes et on s'amusait bien ensemble. C'était il y a vingt ans. Maintenant, c'est différent. Avec l'âge, on change. A l'époque, ni elle ni moi ne savions qui nous étions réellement.

Bill ne savait pas comment interpréter cet aveu et ne souhaitait pas se montrer indiscret. Lorsqu'il avait épousé Julie, Tom avait cinq ans de moins que lui aujourd'hui et manquait alors cruellement de maturité. Mais son couple semblait fonctionner, et ils avaient eu ensemble de beaux enfants. Une chose était cependant évidente : Tom n'avait pas l'air épanoui.

— L'essentiel est que ça marche ! Jenny et moi sommes heureux. J'espère que vous l'êtes aussi. La famille n'est pas tendre avec elle. Dieu sait qu'elle ne mérite pas un tel traitement ! C'est une femme formidable. Quoi qu'il en soit, tout va bien entre nous deux.

Tom ne rebondit pas sur ce sujet, mais revint à la charge une dernière fois :

— Ai-je une quelconque raison d'espérer te convaincre de revenir travailler avec nous ?

Son jeune frère secoua la tête.

— Cela prendra le temps qu'il faudra, mais je veux trouver une église. J'ai été contacté par une paroisse du Kentucky, dont j'ai décliné l'offre. Une opportunité finira bien par se présenter. Jenny n'arrête pas de me répéter qu'il faut que je sois patient.

— Fais-le-nous savoir, si tu changes d'avis, lança Tom.

Il prit l'addition et paya. Tandis qu'ils quittaient le restaurant, Bill conclut en riant :

— La probabilité pour que je redevienne avocat est la même que celle que tu rentres un jour dans les ordres. Merci, Tom, pour ce déjeuner, dit-il avant de héler un taxi.

En regagnant son bureau, Tom repensa à leur discussion. Il enviait Bill, qui semblait si sûr des décisions qu'il prenait. Quand il arriva au travail, Peter l'interrogea au sujet de la brebis galeuse de la famille.

— Bill va bien. Il a l'air heureux et convaincu de ses choix. Il est peut-être même plus heureux que nous, qui sait ? Tu ne t'es jamais dit qu'il avait peut-être réellement une vocation ? En tout cas, il ne reviendra pas travailler avec nous, j'en mettrais ma main à couper.

— Il a toujours été un peu barré, répondit Peter avec dédain.

— Je ne suis pas d'accord. Il fait ce dont il a envie, ce en quoi il croit, et il est marié à une femme dont il est fou amoureux. Dis-moi ce qu'il y a de barré là-dedans ?

— On ne peut pas tourner le dos comme ça à l'histoire et à la tradition familiales, laisser tomber sa carrière dans le cabinet d'avocats le plus respecté de New York et épouser une fille sortie de nulle part. Ça rime à quoi, cette espèce de rébellion adolescente ? Il est temps qu'il grandisse, s'énerva Peter, le regard chargé de fiel.

— Contrairement à toi, je pense qu'il a grandi. Simplement, il n'a pas les mêmes aspirations que nous. C'est comme ça depuis toujours. Il n'est jamais sorti avec le même genre de filles que nous, et je crois qu'il a détesté chaque minute passée dans ce cabinet. Il veut aider les gens. Où est le mal ?

Tom s'efforçait d'être juste vis-à-vis de Bill. Mais Peter était sourd à ses arguments ; l'attitude de son plus jeune frère lui paraissait puérile.

— Il n'y a rien de mal à vouloir changer le monde à vingt ans. Mais il a trente-quatre ans ! Il est un peu vieux pour être scout, non ?

Ces propos irrespectueux indignèrent Tom, surtout après l'échange sincère qu'il venait d'avoir avec son frère cadet.

— Je doute que les pasteurs se considèrent comme des scouts. Tu sais, il faut de tout pour faire un monde. Des types comme nous et des types comme lui. Bill s'intéresse à l'âme des gens. Nous, juste à leurs impôts.

— Eh bien, dis-le à papa. Le départ de Bill l'a anéanti. Quant à maman, elle ne s'est pas remise de son mariage avec Jenny. C'est quoi, son problème, à Bill ? Marcher sur les traces de papa m'a toujours semblé une évidence. A toi également. Pourquoi lui serait-il à part ?

— On aurait peut-être dû se poser des questions. Et si, de nous trois, Bill était celui qui avait le plus de cran ? demanda Tom.

— Oh, pour l'amour de Dieu, Tom, tu ne vas pas t'y mettre aussi ! Notre vie est parfaite. Nous sommes partenaires dans le meilleur cabinet d'avocats de New York, et nous avons un emploi assuré jusqu'à la fin de nos jours. Que demander de plus ?

Tom ne répondit pas et se remit au travail, l'esprit confus. Des trois frères, Peter était celui qui ressemblait le plus à leur père : dictatorial, autoritaire et ancré dans la tradition. Il attendait de ses fils qu'ils se fondent dans le moule familial et reprennent le flambeau derrière lui, comme lui-même l'avait fait sans jamais tergiverser. Tom avait également suivi cette voie. Mais il se demandait aujourd'hui si se plier à la tradition suffisait à combler une existence. Cette question, à laquelle il n'avait pas de réponse, le taraudait depuis quelque temps. Dernièrement, il avait le vague sentiment que sa vie n'était qu'une somme d'éléments dénués de sens. Quelque chose manquait cruellement. Bill, lui, semblait tout avoir : une vocation, une femme qui le rendait heureux et qui était visiblement une chic fille. En réalité, elle était plus que cela : c'était quelqu'un de bien, à l'image de Bill.

Après le déjeuner, Bill trouva dans le courrier plusieurs réponses d'églises qu'il avait sollicitées pour un poste. Trois d'entre elles rejetaient sa candidature, tandis qu'une autre l'avait mis sur liste d'attente. La cinquième lettre provenait d'une paroisse contactée par le service de recherche auquel il avait souscrit. Il ne s'agissait pas d'un établissement auquel il avait écrit, ni même d'une alternative envisageable. Il relut plusieurs fois le courrier, le plia et le remit dans son enveloppe, qu'il rangea dans un tiroir de son bureau avant de s'atteler à son mémoire.

Cela lui avait fait plaisir de revoir Tom, bien plus que d'ordinaire. Il n'avait pas été surpris que son frère essaie de le convaincre de revenir travailler avec eux. Cependant, Tom avait lâché l'affaire plus rapidement qu'à l'accoutumée, si bien que leur discussion n'avait pas dégénéré en dispute. Bill en ignorait les raisons, mais il ne pouvait s'empêcher d'éprouver de la pitié à l'égard de son frère. D'une certaine façon, Tom s'était pour ainsi dire rangé du côté de la ligne officielle du parti, comme Peter. Tous deux avaient vendu leur âme pour correspondre aux attentes de leur père. Et aujourd'hui, Tom semblait ne plus rien attendre de la vie. Bill avait eu raison de ne pas rester. L'existence de ses frères lui paraissait terriblement vide.

Lorsque Jenny rentra à la maison ce soir-là, après une longue journée de labeur, Bill lui raconta son déjeuner.

— Alors comme ça, il t'a demandé de revenir travailler au cabinet ?

Jenny, un verre de vin à la main, se détendait sur le canapé. Tous deux adoraient ce moment de relâche où ils se retrouvaient et pouvaient discuter calmement. Bill lui répondit en souriant :

— Eh, oui. Après cinq ans, ils essaient encore à chaque fois. Je devrais me sentir honoré.

En réalité, leurs requêtes incessantes n'avaient rien de flatteur. Ils voulaient juste que Bill leur obéisse docilement, comme un bon chien, et cesse de vouloir se démarquer du clan. Jenny remarqua avec justesse :

— Tu as quitté le nid, et ils se sentent menacés. Ta singularité remet leur existence en question. Ils essayeront toujours de te faire revenir au bercail. Tout comme ils ne te lâcheront jamais à mon sujet. Notre différence les effraie. Notre bonheur, encore plus.

Bill ne parla pas des questions indiscrètes qu'avait posées Tom concernant les enfants. Ce sujet mettait Jenny dans tous ses états. Chaque mois, tous deux espéraient qu'elle soit enceinte, et la déception était systématiquement au rendez-vous. Si dans les prochaines semaines il ne se passait rien, ils avaient décidé de consulter un spécialiste. Après deux ans de tentatives infructueuses, Jenny s'inquiétait beaucoup. Bill, en revanche, avait la certitude qu'ils auraient un enfant un jour. C'était écrit, et cela arriverait au moment où ils s'y attendraient le moins. Il était bien trop tôt pour paniquer. L'enfant viendrait peut-être quand il aurait trouvé une paroisse, pensait-il parfois.

Tandis qu'il songeait à tout cela, il se souvint de la lettre qu'il avait rangée dans un tiroir de son bureau cet après-midi. D'ordinaire, Bill disait tout à Jenny. Mais évoquer ce courrier ne servirait à rien, si ce n'est à la

51

contrarier. La paroisse et le bébé finiraient par arriver, il le savait. Tout vient à point à qui sait attendre... Le destin leur apporterait ce dont ils avaient besoin.

Cette nuit-là, une fois couchés, ils firent l'amour. Jenny s'endormit dans les bras de son mari en nourrissant l'espoir qu'elle tomberait enceinte. Car, pour l'un comme pour l'autre, c'est tout ce qu'il manquait à leur bonheur.

3

Avec leur mariage, la remise de diplôme de Bill fut l'un des événements les plus importants de leur vie commune. La cérémonie se tint dans la cour carrée de l'université. En voyant son mari vêtu de sa toge et coiffé de sa toque, Jenny ne put retenir ses larmes, qui coulèrent quasiment sans discontinuer. Après un double cursus à Columbia et au séminaire, Bill était à présent titulaire d'une maîtrise en théologie qui avait à ses yeux bien plus de valeur que son diplôme de droit de la prestigieuse université de Harvard, pour lequel il avait pourtant dû travailler beaucoup plus.

Il avait effectué avec succès son stage dans une église du Bronx et avait suivi une formation complémentaire l'habilitant à exercer en tant qu'aumônier d'hôpital ou de prison. Afin d'améliorer la qualité de son écoute, Bill avait étudié la psychologie et s'était spécialisé dans le domaine de la maltraitance, la cause des femmes battues étant un sujet qui le touchait tout particulièrement. Il avait aussi travaillé bénévolement pendant de nombreuses heures dans une église qui portait secours aux sans-abri. Au terme d'une formation spécifique qui l'avait occupé chaque week-end pendant cinq ans, Bill avait été ordonné pasteur dans la plus stricte intimité la semaine précédant l'obtention de son diplôme.

Il ne lui restait donc plus qu'à trouver une paroisse où officier.

A la cérémonie de remise de diplôme, seules étaient présentes Jenny et sa mère, Hélène. La jeune femme avait proposé à la famille de Bill de venir y assister, mais tous – parents, frères, belles-sœurs, neveux et nièces – avaient décliné l'invitation, prétextant un emploi du temps surchargé. A l'exception des plus jeunes qui ne seraient en vacances que la semaine suivante, ils avaient néanmoins accepté de prendre part au déjeuner que Jenny organisait ce jour-là. Elle avait réservé une table pour neuf au « 21 », tradition familiale oblige. Elle savait que les Sweet s'y sentiraient dans leur élément.

Elle n'avait vu aucun des membres de la famille de Bill depuis des années, mais, puisqu'ils avaient accepté son invitation, elle partait du principe qu'ils sauraient se comporter correctement. D'autant que ce jour signifiait énormément pour Bill : il pouvait désormais célébrer des mariages et accomplir tous les rites et sacrements pratiqués au sein de l'Eglise épiscopale. En attendant de trouver une paroisse, Bill avait accepté un poste d'aumônier suppléant dans deux hôpitaux et dans une prison pour femmes située dans le sud de Manhattan. Il commencerait dans deux semaines. Il avait hâte ; cette solution provisoire lui éviterait de tourner en rond. Le savoir occupé soulageait Jenny. Ni l'un ni l'autre ne s'attendaient à ce que la quête d'un poste se révèle aussi longue et ardue. Cela faisait déjà six mois que Bill cherchait activement.

Lorsqu'ils arrivèrent au restaurant après la cérémonie, les parents de Bill étaient déjà installés. Son père buvait un bloody Mary. L'air lugubre, sa mère se consolait avec un gin tonic. Elle regarda Bill comme si celui-ci souffrait d'une maladie incurable. A ses yeux, les choix personnels et professionnels de son fils étaient l'expression d'une maladie mentale. Elle n'échangea pas un mot avec Hélène et se contenta de saluer Jenny de la tête. Le sourire plaisant que la jeune femme offrit à ses beaux-parents ne lui fut pas retourné. Tout cela commençait fort mal, et Bill était tendu comme jamais. Heureusement, ses frères et leurs épouses ne tardèrent pas à arriver et prirent place à table. Personne ne posa de questions sur la cérémonie ni ne félicita Bill. Jenny n'en revenait pas. En éludant totalement le sujet, pensaient-ils faire preuve de tact ? A leurs yeux, ce changement radical de carrière était, à l'instar de son mariage avec Jenny, une erreur des plus fâcheuses qu'ils espéraient chasser au plus vite de leur esprit. Après tout le mal que Bill s'était donné pour devenir pasteur, Jenny trouvait leur attitude irrespectueuse et blessante. Au beau milieu du repas, Tom finit par aborder le sujet tabou :

— Alors, ça fait quoi d'être un homme d'Eglise ?

— Je te remercie de poser la question, Tom. Mais, tu sais, tant que je n'ai pas trouvé de paroisse, c'est un peu abstrait. Je me sentirai sans doute davantage pasteur la semaine prochaine, quand je prendrai mon poste à l'aumônerie de la prison pour femmes, dit-il en toute franchise.

En entendant ces mots, sa mère fronça les sourcils. Elle s'exclama d'une voix étranglée :

— Quelle horreur ! Tu ne pourrais pas t'occuper autrement en attendant ?

— Je serai également aumônier dans deux hôpitaux, ajouta-t-il pour la rassurer.

Son père secoua la tête et intervint :

— Le travail ne manque pas au cabinet. Tu n'es pas obligé de faire la tournée des hôpitaux et des prisons. Tu es toujours avocat. Tu peux revenir quand tu veux.

— Je te remercie, papa, répondit poliment Bill.

Jenny était furieuse que personne n'adresse la parole à sa mère. Mais Hélène ne s'en souciait pas. Elle n'était venue que par respect pour son gendre. Le souvenir du mariage était encore très frais dans son esprit. Pourquoi l'auraient-ils traitée avec plus d'élégance aujourd'hui ? Le regard de la mère de Bill la traversait comme si elle n'existait pas. Certes, cette femme faisait l'effort de parler à Jenny, mais chacun de ses mots semblait lui écorcher la bouche. Quant aux belles-sœurs de Bill, elles avaient décidé de ne pas se mélanger. Et si Tom se montrait agréable à l'égard de son frère, ses tentatives pour détendre l'atmosphère se révélaient malheureusement vaines.

Pour le dessert, Jenny avait commandé un gâteau sur lequel on lisait « Félicitations, Bill ! », qui fut accompagné de coupes de champagne. Quand vint la fin du déjeuner, le père de Bill avait trop bu, sa mère paraissait malade et, de toute évidence, Peter s'était ennuyé ferme. Le jeune couple, quant à lui, était épuisé. Le repas, pourtant expédié en moins de deux heures, avait constitué une épreuve pénible. Jenny regrettait d'avoir invité sa belle-famille, qui s'était montrée incapable de bienveillance envers son mari et n'avait pas daigné fêter sa réussite. Sur le chemin du retour, Bill, les restes du dessert dans une main, fit remarquer qu'il avait connu des enterrements plus joyeux.

— A les voir, on pourrait imaginer que j'ai été condamné à de la prison ferme ! dit-il à Jenny dans le taxi.

Seul Tom s'était montré courtois. Jenny l'avait surpris en train de l'observer, comme s'il essayait de percer son mystère et de comprendre les raisons qui poussaient son frère à l'aimer. A plusieurs reprises au cours du repas, les uns ou les autres avaient évoqué le fait que Bill et Jenny n'avaient pas encore d'enfants. Etait-ce parce qu'elle travaillait trop ? avait-on demandé. Une fois de plus, ils l'accusaient de tous les maux. Elle avait répondu à leurs questions avec détachement, expliquant qu'ils avaient préféré attendre que Bill termine ses études avant de fonder une famille. Mais Bill savait combien elle était meurtrie par ces indiscrétions. Peu de temps auparavant, la jeune femme s'était confiée à sa mère. Pleine de compassion, Hélène lui avait dit qu'elle n'avait pas pu avoir un deuxième enfant, en dépit de nombreuses tentatives, qui s'étaient systématiquement soldées par des fausses couches. Le travail de Jack à la mine y était-il pour quelque chose ? Cette hypothèse n'était pas exclue, Jenny ayant été conçue sans aucune difficulté, à l'époque où son père était soldat.

En chemin, Bill et Jenny déposèrent Hélène à la gare, où elle prendrait le train pour Philadelphie. Avant de les quitter, celle-ci félicita une nouvelle fois son gendre, lui répétant à quel point elle était fière de lui.

A la maison, le couple s'effondra sur le canapé. Quel soulagement que ce repas interminable soit derrière eux ! Leur repos fut toutefois écourté par un coup de fil d'Azaya. Un client paniquait, car un tissu que l'on acheminait de France avait été égaré pendant le trajet. Un autre aurait souhaité que Jenny l'accompagne à Milan la semaine suivante. En tout, son assistante avait dénombré plus d'une dizaine d'appels requérant une réponse immédiate. Vingt minutes plus tard, Jenny raccrocha et retrouva Bill affalé exactement là où elle l'avait laissé. Il regardait dans le vide. Il tourna son visage vers sa femme et posa sur elle des yeux empreints de tristesse.

— Ma famille a beau se targuer de sa bonne éducation et brandir son pedigree, je crois que je n'ai jamais rencontré d'individus aussi mal élevés qu'eux. Je t'en prie, Jenny, pardonne-moi. Plus jamais je ne te les infligerai. Quand je pense à ta pauvre mère...

— Ils ne s'en remettent pas que tu m'aies épousée.

Jenny ne s'en étonnait même plus.

— Je serais mort d'ennui avec une fille comme Julie ou Georgina. Même mes frères ont l'air de dépérir avec elles !

Jenny avait décelé de l'agacement dans les voix de ses belles-sœurs chaque fois qu'elles s'adressaient à leur mari. Tout ne devait pas être si rose que cela dans leur vie. Ce constat paraissait particulièrement vrai pour Tom. A plusieurs reprises, Julie lui avait parlé sèchement, lui décochant quelques remarques désobligeantes au vol. De leur côté, Bill et Jenny s'étaient tenu la main pendant presque tout le repas. Face à tant d'hostilité, ils avaient éprouvé le besoin de se soutenir mutuellement. Jenny n'avait pratiquement rien avalé du déjeuner, et Bill, qui ne buvait normalement jamais à midi, avait pris un bloody Mary et plusieurs verres de vin. Il lui avait fallu cela pour encaisser les coups. Ses parents, ses frères et belles-sœurs n'étaient plus un soutien, ils constituaient même deux équipes adverses : à six contre un. Le jeune pasteur se rendait compte que Jenny était devenue sa seule famille. Plus rien ne l'unissait à ses parents ni à ses frères.

Plus tard dans la soirée, Jenny passa quelques coups de fil professionnels. Bill ouvrit son courrier. En découvrant la dernière lettre, il fronça les sourcils. Il la lut et la relut avant de soupirer, de la plier et de la ranger dans son bureau, juste à côté de celle provenant du même expéditeur. Une heure plus tard, lorsqu'il rejoignit Jenny dans le salon, il ne mentionna pas les deux missives. Mais sa femme vit bien que quelque chose le tracassait. Elle mit son trouble sur le compte des retrouvailles familiales désastreuses.

Une demi-heure plus tard, lorsque Azaya sonna pour montrer à Jenny des échantillons de tissu et lui remettre le courrier du jour, Bill décida de sortir faire un tour. Ainsi, il ne gênerait pas Jenny dans son travail. Dès qu'il referma la porte derrière lui, Azaya s'adressa à Jenny avec inquiétude :

— Comment ça s'est passé ? Ils ont su se tenir ?

Jenny lui avait parlé de leurs relations tendues avec la famille de Bill.

— C'était l'horreur ! répondit-elle en toute sincérité.

Elle décrivit l'attitude de ses beaux-parents, leur silence sur le diplôme de Bill, leur indiscrétion sur leur vie privée, leur attitude vis-à-vis de sa mère à elle, Hélène. Après quoi elle se plongea dans le travail, ce qui lui permit de chasser cette journée de son esprit. Elle sélectionna des étoffes pour ses clients, signa plusieurs lettres et examina des dossiers. Une heure après son arrivée, Azaya quitta l'appartement. Elle était tout à fait en mesure de s'occuper de leurs clients quand Jenny prenait une journée de repos – ce qui restait néanmoins exceptionnel. Une trentaine de minutes plus tard, Bill réapparut et trouva Jenny dans la cuisine. Il semblait profondément déprimé.

— Je regrette de les avoir invités, tu sais, lui dit-elle.

Bill l'attira contre lui et la serra dans ses bras. En réalité, quelque chose d'autre le préoccupait.

— Franchement, je m'en fiche. Je ne veux plus les voir, en tout cas pas dans l'immédiat. On a mieux à faire, toi et moi. Ils ne supportent pas que je sois sorti du moule. Mais je suis tellement heureux de mes choix !

Il lui sourit.

Pendant sa promenade, il avait pris une décision. Il ne lui avait jamais rien caché avant l'arrivée de la première lettre. Jenny avait le droit de connaître la vérité. Doucement, ses bras la libérèrent. Il ouvrit le tiroir de son bureau et en sortit les deux enveloppes.

— Je voulais t'en parler. Mais je n'en ai pas trouvé le courage, et je ne voulais pas t'inquiéter. En mars, une église du Wyoming m'a contacté. Ils ont besoin d'un pasteur à plein temps. J'ai dit non. Jamais je ne pourrais te faire un coup pareil, Jenny ! Rester à New York est primordial pour ta carrière. Nous ne partirons pas, je te le promets. Mais j'aimerais que tu lises leur première lettre. J'en ai reçu une autre aujourd'hui. Ils n'ont trouvé personne et m'implorent de venir. Au moins, ça prouve que quelqu'un veut bien de moi ! C'est tout ce dont je rêve, à un détail près : cette église se trouve à plus de trois mille kilomètres d'ici. Ils ont reçu mon CV *via* le service que j'ai contracté, tu sais ? J'avais bien précisé vouloir rester à New York, mais j'imagine que l'agence a malgré tout envoyé ma candidature ailleurs dans le pays. Cette église du Wyoming s'est immédiatement manifestée.

Bill tendit les deux lettres qui le rendaient si fier à Jenny. La jeune femme était crispée. Après avoir lu les courriers, elle jeta un regard de détresse à son mari.

— Envisages-tu d'accepter leur proposition ?

— Mais non, je viens de te le dire. J'ai déjà refusé. On ne va pas s'installer dans le Wyoming. Simplement, leurs mots m'ont fait chaud au cœur. Ils ont l'air d'être des gens bien. Je voulais juste que tu saches.

Le ton de la deuxième lettre était presque désespéré. Ils lui proposaient une somme d'argent plus importante et précisaient que le pasteur bénéficiait d'un logement de fonction.

— J'aurais dû t'en parler plus tôt. Je ne veux pas que tu me voies comme un raté. Je cherche activement !

— Si tu acceptes, je devrai abandonner mon travail, dit-elle, sur le point d'éclater en sanglots.

Bill la prit dans ses bras et la rassura :

— Je ne te ferai jamais une chose pareille, Jenny.

— Mais il te faut une église. Que se passera-t-il si tu n'en trouves pas ?

Son regard était embué de larmes.

— Je finirai par y arriver. Il me faudra peut-être du temps avant d'en dénicher une dans les environs, mais d'ici là, j'ai l'aumônerie.

— Ce n'est pas ce que tu veux, objecta-t-elle avec tristesse.

Jenny ne voulait pas être un obstacle sur son chemin. Cependant, elle ne se sentait pas prête à tirer un trait sur sa carrière pour s'installer dans un endroit aussi perdu que le Wyoming. Au fond d'elle, elle savait qu'elle ne voulait pas de cela, et Bill en avait pleinement conscience. Il lui dit avec calme :

— Il faut que je trouve un poste qui représente une aubaine pour nous deux. Pas uniquement pour moi. Cela dit, ça semble être une formidable opportunité. Il ne nous reste plus qu'à trouver la même chose dans le coin.

— Mais si on échoue ? demanda-t-elle, les yeux agrandis par l'angoisse.

— On n'échouera pas, répondit-il, manifestant un optimisme qu'il ne ressentait plus vraiment après avoir passé les six derniers mois à envoyer des centaines de candidatures.

Bill mit les missives de côté. Ils dînèrent ensuite en silence, comme pour se remettre de cette journée éprouvante. A présent, Jenny avait le sentiment que l'offre de la paroisse du Wyoming pendait au-dessus de leur tête comme une épée de Damoclès. Si ces lettres n'avaient eu aucune valeur à ses yeux, son mari n'aurait pas pris la peine de les lui montrer. Cette nuit-là, allongée dans le noir, Jenny ne parvint pas à trouver le sommeil.

— Je t'entends gamberger, murmura Bill.

Il passa doucement un bras autour de sa taille.

— Arrête de t'en faire ! Je ne te traînerai pas dans le Wyoming.

Dieu merci, eut-elle envie de dire, mais elle se contenta d'acquiescer tandis que les larmes roulaient sur ses joues.

— Il faut juste qu'on s'arme de patience, conclut-il.

Comme pour le bébé, songea Jenny. Jusqu'alors, ils étaient partis du principe qu'ils auraient un enfant « biologique ». Mais après deux ans de tentatives infructueuses, la jeune femme commençait à en douter sérieusement. Elle se demandait désormais si Bill accepterait d'adopter.

— Je suis désolée, dit-elle d'une voix triste.

— Désolée de quoi, Jenny ? Lorsque je t'ai épousée, je savais très bien à quel point ta carrière était importante pour toi. Tu ne t'en es jamais cachée. J'aime ce que tu fais. Je suis fier de toi. Je ne veux pas parvenir à mes fins à tes dépens. Cela ne serait pas juste.

Elle hocha la tête et se blottit contre lui. Tout doucement, ils commencèrent à faire l'amour, leur tristesse et leurs peurs cédant la place à la passion. Dans les bras l'un de l'autre, ils oublièrent tout, emportés par une immense vague d'amour et d'émotion qui les laissa à bout de souffle. Jenny avait des étoiles plein la tête.

Bill n'osa le formuler à voix haute, mais il avait la conviction qu'un bébé avait été conçu cette nuit-là. Tant d'amour avait été donné de part et d'autre. Jenny partageait la même pensée. Elle l'embrassa une dernière fois avant de sombrer dans le sommeil.

4

Deux semaines plus tard, Bill commença son travail d'aumônier pour les deux hôpitaux et la prison. Cela lui plut énormément. Il lui arrivait de rendre visite à des patients en unité psychiatrique fermée. Ses connaissances en psychologie s'avéraient alors fort utiles. Il ne négligeait aucun patient, et, bien qu'il ne fût que remplaçant, on se mit à le demander personnellement de plus en plus souvent. Il ne tarda pas à passer de trois à cinq jours de service. Sa mission en prison également était passionnante. Les détenues, qui purgeaient des peines pour toutes sortes de crimes, dont le meurtre, se confiaient à Bill. Ses journées étaient stimulantes, et les anecdotes à raconter à Jenny ne manquaient pas. L'église dans le Wyoming semblait loin de son esprit.

Pendant les mois de juin et de juillet, Bill et Jenny n'eurent pas une minute pour souffler. Le couple refusa plusieurs invitations à des week-ends entre amis parce que la jeune femme avait trop de travail. Jenny passait son temps à courir en tous sens et rentrait chez elle épuisée. D'autant que les températures étaient caniculaires. De son côté, Bill continuait à proposer sa candidature à de nouvelles églises. Pour l'heure, aucune de ses démarches n'avait abouti. Finalement, l'un des gros clients de Jenny les invita dans les Hamptons, et ils décidèrent d'accepter. Quitter la ville leur ferait le plus grand bien à tous les deux.

Bill ne rêvait que d'une chose : passer des vacances avec sa femme. En août, ils voulaient partir dans le Maine ou sur l'île de Martha's Vineyard, mais la jeune femme n'était pas sûre de pouvoir se libérer. Elle entrait dans une période chargée. Début août, il resterait encore sept semaines avant la Fashion Week de l'automne, mais la machine folle s'emballerait déjà. Les plus jeunes créateurs avec qui elle collaborait requéraient une attention de tous les instants. Et en septembre, la situation ne ferait qu'empirer. Avec l'enchaînement permanent des collections, il lui était en réalité difficile de laisser ses clients, quel que soit le moment de l'année.

Dans les embouteillages du vendredi soir, ils bavardèrent jusqu'à ce que Jenny s'endorme, exténuée. Une heure plus tard, elle se réveilla. Ils n'étaient qu'à mi-chemin de leur destination.

— Désolée, je me suis endormie.

Elle lui sourit. Elle se sentait plus reposée.

— Tu en avais besoin. Tu es éreintée. Tu n'as pas arrêté de la semaine.

En temps normal, Jenny débordait d'énergie et n'était jamais fatiguée. Mais tout le monde souffrait de la chaleur accablante, et elle n'échappait pas à la règle. Bill avait hâte de profiter du week-end, d'aller à la plage, de prendre des bains de mer, de se détendre. Et il savait leur hôte fort sympathique. Quand il commença à parler de celui-ci à Jenny, il remarqua qu'elle paraissait distraite. Elle sortit son calendrier, le parcourut en calculant quelque chose dans sa tête, puis leva vers lui des yeux ébahis.

— Oh mon Dieu ! Je viens juste de m'apercevoir d'un truc... J'ai été si occupée ces dernières semaines que je n'avais pas remarqué...

Elle arborait un sourire mystérieux.

— De quoi parles-tu ? Pitié, ne me dis pas que tu as oublié que tu avais dix rendez-vous, deux nouveaux clients, et que tu vas devoir travailler ce week-end !

Il forçait le trait pour la taquiner – mais malheureusement pas tant que cela...

— Je crois que je suis enceinte.

Elle prononça cette phrase tout bas, comme si elle avait peur de la dire à voix haute. Il jeta sur elle un coup d'œil rapide avant de se concentrer de nouveau sur la route.

— Tu es sérieuse ? s'exclama-t-il dans un mélange d'excitation et d'étonnement.

— J'ai du retard. Beaucoup de retard. Environ quatre semaines. Cela a dû arriver la nuit après ta remise de diplôme.

A ces mots, Bill sentit un frisson le parcourir. Mais bien sûr ! Il se souvint de la fougue qui les avait saisis après leur discussion au sujet de la proposition de l'église du Wyoming. Leur étreinte avait été si magique... Bill caressa délicatement la joue de Jenny, qui tourna vers lui un regard empli d'espoir.

— Je ferai le test lundi.

Sa voix était à peine audible. Elle se pencha vers lui et l'embrassa. Rien n'était sûr pour l'instant. Il faudrait qu'ils attendent la fin du week-end pour que le verdict tombe. Pourtant, comment expliquer autrement un tel retard ? Jamais cela ne lui était arrivé auparavant. Soudain, ils n'eurent plus aucun doute sur la question. Malgré leurs efforts pour ne pas trop s'emballer, ils ne parlèrent plus que de cela jusqu'à destination. Si Jenny était bel et bien enceinte, leur rêve devenait enfin réalité.

Ils passèrent un séjour formidable. Ils étaient logés dans une chambre avec vue sur l'océan, et les amis que leur hôte invita à dîner étaient des gens charmants. Longues promenades sur la plage et bains de mer ponctuèrent ces deux journées délicieuses. Le dimanche soir venu, lorsqu'ils regagnèrent New York, ils avaient pris de belles couleurs, se sentaient reposés et d'excellente humeur.

Le lendemain matin, Bill se leva plus tôt que Jenny et lui apporta une tasse de thé au lit. Bien que tous deux n'aient que cela en tête, ils n'osaient plus parler du bébé avant d'être sûrs.

Jenny fit une prise de sang en se rendant au bureau. Elle aurait le résultat le lendemain. Il lui fut bien difficile ensuite de se concentrer sur ses dossiers. Nelson Wu était venu en renfort à l'approche des défilés, et l'équipe se trouvait donc au complet. Azaya ne manqua pas de remarquer que quelque chose en Jenny avait changé depuis le week-end.

— Tu as l'air sur un petit nuage. Il s'est passé quelque chose ?

Jenny, qui craignait de se trahir, évita son regard. Pour l'instant, elle préférait se taire, par superstition.

— On a partagé un merveilleux moment avec Bill, se contenta-t-elle de dire, toute guillerette.

Ce soir-là, elle quitta le travail à vingt et une heures. Quand elle arriva à la maison, Bill était confortablement installé devant la télévision. Après une journée intense auprès des détenues, il se vidait la tête. Il avait toutefois pris la peine de préparer le repas. Ils dînèrent et se couchèrent dans la foulée. Le lendemain, à la première heure, Jenny appela le cabinet médical de son domicile, mais l'infirmière lui apprit qu'elle ne pouvait pas lui communiquer les résultats avant l'arrivée du médecin. Elle n'était pas autorisée à transmettre ce genre d'informations par téléphone. Jenny eut envie de hurler.

A neuf heures trente, le cabinet rappela. Jenny retint son souffle jusqu'à ce qu'on lui passe le docteur. Il lui délivra alors la bonne nouvelle : elle était enceinte. Ils y étaient enfin arrivés ! Bill était sous la douche lorsqu'elle entra dans la salle de bains. Elle se posta devant lui, un large sourire illuminant son visage parsemé de larmes. En voyant son air béat, il poussa un cri de joie. Puis il sortit de la cabine, la serra contre lui et l'embrassa. Ils étaient trempés, mais s'en moquaient bien. Ils n'avaient pas attendu tout ce temps-là en vain. Bill ne voulait plus lâcher Jenny. Il la couvrait de baisers en lui répétant à quel point il l'aimait. Et elle lui répondait que c'était réciproque. L'enfant qu'ils avaient tant désiré était en route. Plus rien ne manquait désormais à leur bonheur.

5

Début août, lorsqu'elle alla voir le médecin pour la première fois, Jenny était enceinte de sept semaines. Le bébé devait naître aux premiers jours de mars. Sa grossesse semblait se dérouler sans encombre. Jugeant la jeune femme un peu trop mince, le docteur lui recommanda cependant de prendre quelques kilos. Bill fit part au médecin de ses inquiétudes : sa femme travaillait trop et rentrait tard tous les soirs. Jenny se justifia en expliquant qu'à l'approche de la Fashion Week elle ne pouvait malheureusement pas lever le pied. L'atmosphère à son travail était fébrile. Bombardée de requêtes et de desiderata, elle devait boucler les collections et organiser les défilés.

— Je ne vais pas tout arrêter sous prétexte que j'attends un enfant, dit-elle posément.

Elle espérait pouvoir garder son activité jusqu'au bout. Le gynécologue n'y voyait aucune objection, à condition qu'elle sache rester raisonnable. Bill ne put s'empêcher de taquiner son épouse :

— Le mot « raisonnable » n'est pas dans ton vocabulaire. En tout cas, pas quand il s'agit du travail.

Oui, la modération n'était pas vraiment le genre de Jenny... Elle se consacrait corps et âme à la mode. Ses clients l'appréciaient précisément pour ce dévouement absolu qui donnait des résultats époustouflants et la rendait quasi indispensable. Tous affirmaient lui devoir leur carrière. Jenny savait bien qu'ils exagéraient, mais leurs compliments la touchaient. Diana Vreeland avait dit un jour à son propos ne pas connaître d'œil plus acéré, surtout chez quelqu'un d'aussi jeune. Instinctivement, Jenny savait ce qui était adapté à chaque collection et répondait au style singulier de chaque créateur sans jamais copier qui que ce soit.

— Pourrais-tu, s'il te plaît, essayer de réduire légèrement la cadence ? la supplia Bill après le rendez-vous.

Le médecin lui avait prescrit des vitamines et du fer, en l'avertissant au préalable que les comprimés pouvaient provoquer des nausées. Jusqu'à présent, Jenny n'avait souffert d'aucun des symptômes traditionnels de la grossesse, ce qui expliquait qu'elle ne se soit d'abord rendu compte de rien. Elle promit à Bill de s'appuyer davantage sur Azaya – si toutefois ses clients ne se montraient pas réfractaires à cette idée. Elle demanderait aussi à Nelson de venir plus souvent.

— Peu importe ce que veulent tes clients, bougonna Bill. Cet enfant représente trop pour nous.

Comme le pasteur l'avait présagé, le bébé arrivait à point nommé dans leur vie. Certes, Bill devait encore trouver une église, mais il restait confiant. Il avait un véritable don pour parler aux gens avec humanité et compassion. Avec lui, ils avaient le sentiment qu'on s'intéressait à eux. Et il ne les jugeait pas. Désormais, il célébrait des messes à la prison où il était aumônier. Les détenues – qu'il connaissait presque toutes par leur prénom – se déplaçaient en masse pour y assister. Nombre d'entre elles avaient sombré dans le crime après avoir été victimes de violences conjugales, et Bill projetait de créer un groupe de parole pour femmes battues. Il venait de recevoir une proposition pour intervenir dans un centre de détention pour hommes et était impatient de commencer.

Après le rendez-vous chez le médecin, Bill se rendit à l'hôpital où il remplaçait un pasteur malade depuis plusieurs mois. De son côté, Jenny retrouvait une nouvelle cliente, une jeune styliste suédoise au talent immense, qui s'apprêtait à présenter sa première collection lors de la Fashion Week. Travailler avec elle à l'aube de sa carrière était une expérience excitante. Il fallait que son défilé soit percutant, et les conseils de Jenny, toujours judicieux, pouvaient vraiment faire la différence. Les deux femmes passèrent presque toute la journée ensemble. Puis Jenny rendit une petite visite à David Fieldston. Il venait d'ajouter deux nouveaux looks à la collection qu'il dévoilerait en septembre. Elle les trouva formidables, mais suggéra d'épurer l'une des silhouettes. Ils corrigèrent le patron sur lequel il travaillait ; le résultat fut d'emblée convaincant. A dix-huit heures, Jenny laissa son client pour rejoindre le bureau.

— Tu n'as pas arrêté de la journée, lui fit remarquer Azaya.

A peine Jenny s'était-elle assise que son assistante lui transmettait une pile de dossiers à traiter et les messages du jour. La future maman tâcha de se rappeler qu'elle était censée lever le pied. Mais quand ? Et comment ?

A vingt heures, quand elle décida de rentrer chez elle, Jenny souffrait d'un léger mal de tête. Elle n'avait rien avalé depuis la tartine qui lui avait tenu lieu de petit déjeuner. Elle avait tout fait pour terminer une heure plus tôt que d'habitude, mais repartait avec deux sacs chargés de documents qui lui semblèrent bien lourds lorsqu'elle monta dans le taxi. Quand elle franchit le seuil de l'appartement, elle paraissait exsangue. Bill leva les yeux des lettres qu'il était en train d'éplucher. Toutes répétaient la même chose depuis sept mois : son profil était intéressant, malheureusement, aucun poste n'était à pourvoir dans l'immédiat. Bien sûr, en cas de changement, on le contacterait. Gagné par le découragement, il s'affala, courrier en main, dans le canapé.

— Je voulais t'emmener dîner pour fêter la bonne nouvelle, dit-il, d'une voix où pointait la déception.

Il voyait bien que Jenny était épuisée. Ils se contentèrent donc d'une salade. Bill ouvrit tout de même une bouteille de champagne. Le médecin lui avait dit qu'elle pouvait boire avec modération. Elle ne fit que tremper ses lèvres. Son mal de tête n'était pas passé. Ils se racontèrent leur journée, et Bill pensa à ce qu'aurait été leur vie s'il n'avait pas quitté le cabinet d'avocats familial. Pour rien au monde, il ne serait revenu en arrière.

Après le dîner, Jenny s'assit à son bureau pour travailler sur ses dossiers. Bill s'endormit sur le canapé. A une heure du matin, elle le réveilla en douceur. Il la suivit dans la chambre, se dévêtit, alla se brosser les dents et se glissa à côté d'elle dans le lit. Il la regarda de ses yeux ensommeillés et l'attira dans ses bras, se lovant contre son corps svelte. Il avait hâte de pouvoir sentir le bébé bouger. Tous deux avaient encore du mal à réaliser. Dire que dans sept mois à peine, un petit être partagerait leur quotidien ! Leur existence serait bouleversée, mais ils se sentaient prêts pour ces changements. Jenny savait qu'il leur faudrait emménager dans un plus grand appartement. Leur logement actuel comptait deux chambres ; cependant, l'une d'elles lui

72

servait de bureau, une pièce dont elle ne pouvait se passer.

Jenny avait voulu annoncer la bonne nouvelle à sa mère. Malheureusement, elle n'avait pas trouvé une minute dans la journée pour l'appeler. Elle attendrait le plus possible avant de le dire à ses clients, ne souhaitant pas les déstabiliser. Elle ne voulait surtout pas qu'ils pensent qu'elle ne serait plus disponible pour eux. Jenny avait bien l'intention de mener de front sa vie de famille et sa carrière. Bill la connaissait suffisamment pour savoir qu'elle en était capable et qu'elle le ferait avec l'efficacité, la créativité et la grâce qui la caractérisaient. Tout se passerait bien.

A la mi-août, pour leur semaine de vacances, ils choisirent de partir dans le Maine plutôt que sur l'île de Martha's Vineyard. Ils séjournèrent dans un minuscule bed and breakfast, où ils échafaudèrent toutes sortes de projets pour leur future vie à trois. Pendant deux jours, ils louèrent un bateau. Depuis l'enfance, la voile était l'une des passions de Bill. Avant de le rencontrer, Jenny n'en avait jamais fait, mais il ne lui avait pas fallu longtemps pour y prendre goût. Bill insistait pour qu'elle porte un gilet de sauvetage, car elle n'était pas une nageuse aguerrie. Néanmoins, elle avait le pied marin, et une confiance aveugle en son mari. Ils visitèrent des petits villages pittoresques et de vieux cimetières dont les tombes portaient parfois des inscriptions émouvantes. L'une d'elles les arrêta : une mère et son nouveau-né étaient enterrés côte à côte. La petite fille était morte trois jours après sa naissance, et la mère n'avait pas survécu à l'accouchement. Le mari et père, qui reposait auprès d'elles, les avait suivies de peu. Le jeune couple, âgé de tout juste dix-huit ans, avait vécu deux siècles auparavant. Cette histoire d'amour et de mort était si bouleversante que Jenny en eut la gorge serrée et Bill les larmes aux yeux.

— Lorsque deux êtres s'aiment d'un amour sincère, ils finissent toujours par se retrouver dans une autre vie, murmura Bill.

Ces paroles touchèrent Jenny. Oui, deux personnes liées par l'amour étaient forcément réunies au paradis après leur mort, comme ce couple et leur bébé. Elle aimait cette idée de retrouvailles dans un monde meilleur, qui s'accordait bien à son système de pensée.

— Je suis sûre qu'ils se sont revus au paradis, dit-elle, tenant la main de son mari.

En réalité, la théorie de Bill n'était pas exactement celle-là.

— A vrai dire, je pense que si deux personnes s'aiment très fort, une seconde chance leur est donnée. Pour moi, la mort ne peut pas les séparer, dit-il d'un ton convaincu.

La jeune femme le regarda d'un air surpris. Jamais il ne lui avait fait part de telles convictions, qui dépassaient la vision traditionnelle d'une autre vie.

— Que veux-tu dire ? Que les amants reviennent sur terre et se retrouvent ici-bas ? demanda-t-elle, étonnée.

Il acquiesça.

— J'ignore pourquoi, mais c'est ce que j'ai toujours cru. Je pense que l'amour véritable subsiste jusqu'à la fin des temps et que ceux qui s'aiment sont tôt ou tard à nouveau réunis. Si quelque chose nous arrivait, je suis persuadé qu'on se retrouverait. Nos chemins se croiseraient quelque part, sans que nous en soyons forcément conscients. Nous sommes faits pour être ensemble, dans cette vie ou dans une autre. Je l'ai su dès notre première rencontre. Notre amour est bien trop fort pour s'éteindre avec nous. Dieu ne le permettrait pas. Notre histoire ne s'achèvera pas avant très longtemps.

Les propos de Bill dérangèrent un peu Jenny. En effet, elle ne croyait ni au monde surnaturel ni en la réincarnation. Pour elle, il y avait la vie, la mort, et le ciel. Revenir sur terre, se retrouver sans forcément le comprendre ou se reconnaître, voilà qui allait trop loin pour elle. Mais Bill ne semblait pas douter un instant de sa théorie. S'il disait juste, est-ce que cela signifiait que le jeune couple enterré là s'était connu plus tard dans une autre existence ? Décidément, cette hypothèse était trop irrationnelle pour elle. Elle le taquina :

— Bien, essayons de rester en vie ici et maintenant, comme ça, on n'aura pas à se rechercher. Pas sûr que je te reconnaisse, la prochaine fois ! Je préfère qu'on soit ensemble dans cette vie-ci.

— Moi aussi, répondit-il à voix basse.

Ils quittèrent le cimetière, refermant doucement la grille derrière eux. Il y avait tant de lieux comme celui-ci en Nouvelle-Angleterre, à la fois pittoresques et tristes, qui ne manquaient jamais d'émouvoir les visiteurs, et ce, en dépit des années qui les séparaient de ceux qui y étaient enterrés. Tandis qu'ils regagnaient leur voiture, Bill dit en chuchotant presque :

— J'ai la ferme conviction que notre destin est éternel. Il n'est pas limité dans le temps.

Jenny hocha la tête. Elle aurait aimé qu'il ait raison. Mais elle en doutait.

— Je suis déjà reconnaissante qu'on soit ensemble maintenant, répondit-elle avec douceur.

Ils s'arrêtèrent pour déjeuner dans le village voisin. Les propos de Bill laissaient Jenny songeuse. Son hypothèse était invérifiable, mais en tout cas, elle donnait matière à réflexion.

— Un jour, j'ai évoqué ma théorie avec mon frère, reprit Bill.

Il sourit en repensant à cet épisode.

— Il m'a pris pour un fou. Mais c'était déjà ce qu'il pensait de moi ! Quoi que je fasse, je ne rentre pas dans leurs cases. J'ai l'impression de toujours les décevoir.

Seule Jenny l'appréciait pour ce qu'il était. Bill n'avait besoin de personne d'autre qu'elle – et que leur enfant, quand il serait là. Il avait enfin sa propre famille. Jenny elle aussi se sentait comblée. Elle avait trouvé en lui ce qu'elle avait toujours cherché chez un homme. Il ne l'avait jamais déçue, et elle savait que cela n'arriverait pas. D'autant que, comme il se plaisait à le dire, il l'aimerait jusqu'à la fin des temps... Que demander de plus ?

Ils visitèrent ensuite le Vermont avant de s'arrêter une journée dans le New Hampshire, chez un ami d'université de Bill, professeur à Dartmouth, qui se montra très intrigué par son nouveau choix de carrière. Le couple passa un excellent moment en compagnie de cet homme, de son épouse et de leurs trois enfants.

Après huit jours reposants en Nouvelle-Angleterre, Bill et Jenny rentrèrent à New York. Et puis, comme chaque année à l'approche de la Fashion Week, la folie recommença. Malgré la promesse qu'elle avait faite de se montrer raisonnable, la jeune femme travaillait dix-huit heures par jour afin d'essayer de satisfaire tous ses clients.

Des réservations de salle furent annulées à la dernière minute, des étoffes n'arrivèrent jamais à bon port, des prototypes ne répondirent pas aux attentes, des séances d'essayage tournèrent mal, des mannequins se présentèrent au défilé sous l'empire de la drogue, d'autres ratèrent leur vol international... On attendait de Jenny qu'elle trouve des solutions à chacun de ces problèmes. Début septembre, la plupart de ses clients, pour qui elle déployait une énergie incroyable, étaient hystériques. Et lorsque la Fashion Week débuta pour de bon, et avec elle, la valse incessante des défilés donnés devant des parterres de journalistes intransigeants, tout le monde était à bout de nerfs. Jenny avait perdu près de deux kilos malgré sa grossesse. Visiblement exténuée, elle promit, autant à Bill qu'à elle-même, de s'accorder quelques jours pour se reposer lorsque l'ouragan serait passé.

Trois de ses plus gros clients présentèrent leur collection printemps/été en ouverture de la Fashion Week. Deux d'entre eux firent un tabac et furent salués par des articles dithyrambiques. Le troisième, en revanche, avec qui Jenny collaborait pour la première fois, fut acceuilli froidement. La presse jugea ses créations sans relief et confuses – un avis auquel la jeune femme ne put que se ranger. Elle n'était pas parvenue à convaincre le styliste de rester sur son idée de départ, laquelle, empreinte d'influences asiatiques qui avaient plu à Jenny, était bien plus forte que celle qu'il avait finalement retenue.

Bill assista aux sept défilés organisés par Jenny. Il fut très impressionné par la qualité des créations et par la capacité de sa femme à les mettre en scène. Elle savait exploiter au mieux le talent de ses clients. Aux yeux de Bill, cette saison était la meilleure de sa carrière.

Le jour du dernier show, Jenny était enceinte de trois mois exactement. Sa grossesse était insoupçonnable, et elle n'en avait parlé à personne, pas même à Azaya. Plus mince que jamais, Jenny ne souffrait d'aucun des symptômes habituels de la grossesse. Il n'y avait que la fatigue dont elle aurait pu se plaindre, mais celle-ci était imputable au travail de titan abattu au cours des deux derniers mois. Elle avait annoncé la bonne nouvelle à sa mère qui, comme Bill, l'exhorta à se ménager, ce qu'elle promit de faire dès que la Fashion Week serait passée.

Le soir du dernier défilé, Jenny fit une brève apparition à deux soirées. La première avait lieu chez un grand couturier, dans son très chic appartement de la 5e Avenue. L'autre était organisée dans un loft du quartier d'East Village par la jeune styliste suédoise, dont le travail avait, grâce à Jenny, suscité l'engouement des critiques. Quand elle arriva enfin chez elle, Jenny dut presque ramper jusqu'à son appartement tant elle se sentait épuisée. Bill, qui avait fait l'impasse sur les mondanités, était rentré depuis des heures et était déjà couché. Depuis peu, il célébrait une messe à six heures du matin à la prison pour hommes, et il n'avait ni l'énergie inépuisable ni l'allant de sa femme. Jenny prit quelques minutes pour se détendre un peu avant de le rejoindre au lit. Elle se blottit contre lui, puis se repassa le film de la journée. Elle était curieuse de découvrir ce que la presse dirait le lendemain matin au sujet des deux derniers shows. En tout cas, cette semaine avait été un succès retentissant.

Peu après quatre heures du matin, Bill entendit Jenny gémir. Il crut d'abord qu'elle faisait un cauchemar. Dans un demi-sommeil, il lui caressa le dos. Il commençait à se rendormir quand elle émit un gémissement plus puissant que le premier, une sorte de longue plainte animale. A bout de souffle, elle appela Bill dans la nuit :

— Bill… Je ne peux pas bouger… J'ai… C'est horrible… Aide-moi !

Il se leva d'un bond et alluma la lumière. Elle était recroquevillée, le corps entièrement crispé. Lorsque Bill essaya de la tourner vers lui, elle se mit à hurler.

— Qu'y a-t-il, Jenny ? Parle-moi !

La jeune femme était livide, et ses lèvres avaient la couleur de la cendre. Bill écarta les couvertures afin de voir son corps. Le lit était maculé de sang. Elle en était recouverte et tenait son ventre à deux mains. On aurait dit la scène d'un meurtre, on aurait dit que Jenny était en train de mourir. Bill s'efforça de garder son calme.

— Ça va aller, ma chérie, ne t'inquiète pas. Tout va bien se passer.

En réalité, il n'était même pas sûr de comprendre ce qui était en train de se produire. Jenny souffrait énormément et divaguait. Tout son corps se raidissait tandis qu'elle essayait de faire face à la déferlante de contractions qui la submergeait. Bill décrocha le téléphone, composa le numéro des secours et demanda une ambulance. Il expliqua que sa femme se vidait de son sang et précisa qu'elle était enceinte de trois mois. En la regardant, il sut qu'il était impossible que leur bébé ait survécu. Tout ce qui comptait désormais était de sauver Jenny. Il eut envie de dire à son interlocuteur qu'il s'agissait d'une urgence vitale, mais il ne voulait pas affoler Jenny. Voyant qu'elle perdait connaissance, Bill la secoua et lui demanda de lui parler en attendant l'arrivée des secours.

Elle peinait à garder les yeux ouverts et blêmissait à vue d'œil. Il y avait du sang partout, même sur lui. Bill courut chercher une serviette, épongea ses mains et ses jambes, et enfila des vêtements tout en essayant de la maintenir éveillée. A peine dix minutes plus tard, les secours étaient là. Ils intervinrent en un éclair. Ils mirent à Jenny une combinaison antichocs pour tenter d'endiguer l'hémorragie, lui posèrent une perfusion et l'installèrent sur un brancard. Puis dévalèrent l'escalier. Bill les suivit et monta dans l'ambulance avant qu'on ait pu l'en empêcher. Le conducteur enclencha la sirène et les gyrophares. Ils traversèrent la ville à toute allure, ne freinant que pour tourner. Aux urgences de l'hôpital Lenox Hill, on demanda à Bill le groupe sanguin de Jenny. La jeune femme avait perdu connaissance. On procéda immédiatement à une transfusion et on la conduisit au bloc opératoire. Un médecin mit entre les mains de Bill un papier et lui indiqua où signer la décharge.

— Elle va s'en tirer ? demanda Bill en ravalant un sanglot.

Le temps de réponse du médecin fut suffisamment long pour le faire paniquer.

— Cela ne s'annonce pas bien, déclara-t-il en toute honnêteté. Elle a perdu énormément de sang. Cinq minutes de plus lui auraient été fatales. Nous avons frôlé la catastrophe. Nous ferons tout notre possible pour qu'elle s'en sorte. Mais c'est fini pour le bébé.

Bill hocha la tête. Il pleurerait plus tard leur enfant. Pour l'heure, seule comptait la vie de Jenny.

— Je vous en supplie, sauvez-la ! cria-t-il au docteur, qui s'éloignait à la hâte pour rejoindre son équipe au bloc.

Bill resta assis seul dans la salle d'attente pendant trois heures. Puis un homme fit irruption. Il voulait à tout prix accompagner son épouse, qui allait accoucher, en salle de travail. Une infirmière lui expliqua que c'était interdit, appuyant ses propos d'un regard désapprobateur. Le jeune homme essaya d'engager la conversation avec Bill. Mais parler était au-dessus de ses forces. Heureusement, cinq minutes plus tard, une infirmière lui proposa de s'installer dans une petite pièce privée. Elle savait que les médecins se battaient pour garder son épouse en vie et avait ouï dire que son état de santé n'avait rien d'encourageant. Elle offrit à Bill une boisson chaude, mais celui-ci n'avait envie de rien. Il attendit en priant en silence.

Une demi-heure plus tard, deux médecins en tenue de bloc entrèrent dans la pièce, une expression sinistre sur le visage.

— Est-elle...

Bill semblait sur le point de s'évanouir.

— Elle est en vie, le rassura-t-on immédiatement. Votre femme a fait une grossesse extra-utérine. C'est rare, mais cela arrive. Le bébé n'est généralement pas viable. Au lieu de se développer dans son utérus, le fœtus s'est niché dans l'une de ses trompes de Fallope. Votre femme n'est en rien responsable de ce qui est arrivé. Tôt ou tard, cette anomalie met la mère en danger de mort. Le bébé poussait très doucement, des douleurs ou des crampes auraient dû l'alerter du problème. Quand elle a repris connaissance, nous lui avons posé la question. Elle dit n'avoir rien ressenti d'anormal. Elle m'a tout l'air d'être quelqu'un de très actif, il est donc probable qu'elle n'ait pas perçu les signes avant-coureurs. Pour schématiser, sous la pression du fœtus qui grandit, la trompe éclate et provoque une grosse hémorragie. Votre femme a perdu une trompe et un ovaire, mais cela ne l'empêchera pas de tomber à nouveau enceinte lorsqu'elle se sera remise. L'éclatement de la trompe est très souvent fatal. Elle a eu beaucoup de chance. Sa prochaine grossesse sera surveillée, mais il est rare que la foudre frappe deux fois au même endroit. Ce qui vous est arrivé est malheureux. Je suis désolé pour le bébé.

Le docteur qui s'adressait à lui avait adopté un ton solennel. Il expliqua ensuite que l'opération pour préserver les organes reproducteurs de Jenny sur un côté et éviter ainsi qu'elle soit stérile s'était révélée délicate. Mais tout ce qui intéressait Bill pour l'instant se résumait à une simple question :

— Comment va-t-elle ?

— Votre femme est encore groggy à cause de l'anesthésie, et faible suite à l'hémorragie. On lui a fait trois transfusions au bloc, mais elle risque de n'être pas très solide pendant quelque temps. Ne vous inquiétez pas, tout finira par rentrer dans l'ordre pour elle. Bien sûr, elle est bouleversée d'avoir perdu le bébé...

Quand on lui avait annoncé la nouvelle, Jenny avait éclaté en sanglots. Elle avait demandé à voir Bill. Mais elle était en salle de réveil, sous surveillance, et il ne pourrait la retrouver que lorsqu'on l'aurait installée dans une chambre. Les médecins voulaient à tout prix éviter une nouvelle hémorragie. Dans son état, elle n'y survivrait pas. Le message était on ne peut plus clair pour Bill. Savoir qu'ils pourraient avoir un autre enfant ne constituait qu'une maigre consolation tant son inquiétude pour Jenny et la tristesse d'avoir perdu leur bébé étaient infinies. L'autre docteur lui apprit qu'il s'agissait d'un garçon, ce qui rendit les choses encore plus douloureuses. A présent, ils devraient faire le deuil d'une vraie personne – un fils qu'ils ne connaîtraient jamais.

En attendant que l'on installe Jenny dans une chambre, Bill harcela les infirmières pour avoir des bulletins de santé réguliers. Il les implora de l'autoriser à la voir, leur montrant sa carte d'aumônier. Mais elles refusèrent de le laisser descendre en salle de réveil. L'heure de donner les derniers sacrements n'était pas venue, bien heureusement.

Ce ne fut que dans l'après-midi que Jenny fut conduite en fauteuil jusqu'à une chambre située dans la maternité de l'hôpital. Bill avait alors déjà parlé à Hélène et prévenu Azaya que Jenny ne viendrait pas au bureau. Il avait contacté le service d'aumônerie pour leur dire qu'il ne serait pas en mesure de venir travailler pendant quelques jours, sa femme étant hospitalisée. En entendant la nouvelle, Hélène fut bouleversée. Elle raconta à Bill que dans sa jeunesse, à Pittston, elle avait connu deux femmes qui n'avaient pas survécu à une grossesse extra-utérine. Elles s'étaient vidées de leur sang avant que quiconque ait compris la gravité de la situation. Hélène était infiniment reconnaissante que Bill ait pu appeler les secours à temps. Il frissonna en pensant à ce qui se serait passé s'il ne s'était pas réveillé ou ne l'avait pas entendue gémir, ou si elle avait perdu trop de sang d'un coup, ne s'était pas réveillée et était morte à côté de lui. Il s'en était fallu de peu.

Dès qu'il arriva dans la chambre, Jenny se mit à pleurer. Elle était soulagée de le voir, mais sous le choc après ce qu'elle avait traversé. Bill s'assit à côté d'elle.

— Je sais, ma chérie, je sais… la consola-t-il en lui caressant les cheveux et en serrant fort sa main dans la sienne. On aura d'autres enfants. Tout ce qui compte est que tu ailles bien. Je ne veux jamais, jamais te perdre. Maintenant, il faut que tu te remettes de tout cela. Et ensuite seulement, on aura un autre bébé.

— Mais je veux le bébé que nous avons perdu ! dit-elle en sanglotant. C'était un garçon.

— Je sais. Je te promets qu'on en aura d'autres.

Elle hocha la tête et s'agrippa à lui, se blottissant dans ses bras pour sangloter. Bill pleura aussi, autant pour la femme qu'il aimait comme un fou que pour leur fils.

— Je n'ai pas arrêté de penser à cette famille que nous avons vue au cimetière, dans le Maine, cet été, dit-elle tristement. Je ne veux pas que nous mourions ! Je ne veux pas que nous soyons séparés, jamais.

Bill sourit.

— Ne t'inquiète pas. Tu ne te débarrasseras pas de moi. Je suis là pour toujours. Tout ce que tu dois faire, c'est te requinquer et supporter mon sale caractère.

Elle sourit et ferma les yeux. Elle se sentait harassée, souffrait de douleurs atroces du côté où elle avait été opérée. Un peu plus tard, on lui donna des antalgiques. Dans la nuit, elle fut transfusée une nouvelle fois. Son taux d'hémoglobine était encore très bas, et elle était pâle comme la mort. Bill la veilla toute la nuit.

Le lendemain, Jenny avait meilleure mine, mais un voile de tristesse s'était posé sur ses yeux. Ayant appris ce qui lui était arrivé, son gynécologue, avec qui elle avait rendez-vous cette semaine-là pour la visite des trois mois, vint la voir dans la matinée. Il rassura le couple sur la possibilité d'avoir un autre enfant. Malgré tout, il avait fallu deux ans à Jenny pour tomber enceinte, et Bill craignait que cela ne soit encore plus long cette fois-ci, surtout avec l'emploi du temps surchargé de sa femme. Le docteur recommanda d'ailleurs à Jenny de lever le pied afin de faciliter leur projet d'enfant. Jenny se contenta de hocher la tête. Elle se sentait trop faible pour discuter, et Bill savait que ce n'était pas le moment pour évoquer ces questions.

Elle resta à l'hôpital six jours, le temps que son bilan sanguin se stabilise. Les médecins redoutaient une nou-

velle hémorragie et lui conseillèrent vivement de se
ménager dans les deux semaines à venir. De toute
façon, Jenny était si fatiguée qu'elle n'imaginait pas
reprendre son rythme infernal. Une fois à la maison,
elle demanda à Azaya de lui apporter ses dossiers. Son
assistante eut un choc en la voyant si maigre et si bla-
farde. Jenny n'eut d'autre choix que de tout lui raconter.

— Je suis désolée... J'ignorais que tu étais enceinte,
lui dit Azaya, profondément bouleversée.

— Je voulais attendre un peu avant de l'annoncer,
répondit Jenny avec amertume.

En dépit de la fatigue et de la tristesse qui l'acca-
blaient, Jenny reprit ses activités professionnelles depuis
son domicile, échangeant avec ses clients par téléphone. Elle était soulagée que le drame se soit produit
juste après la Fashion Week, et non avant. Elle se garda
de dire à quiconque qu'elle avait été souffrante et
qu'elle travaillait de chez elle. Personne ne soupçonna
quoi que ce soit.

Un matin, alors que Jenny épluchait le courrier, elle
tomba sur une lettre adressée à Bill, en provenance du
Wyoming. Pétrie de culpabilité, elle décacheta l'enveloppe.

Les gens de l'église le suppliaient une fois de plus de
venir. Ils n'avaient toujours pas de pasteur et espéraient
que Bill accepterait de reconsidérer leur offre. Jenny
ressentit un gros pincement au cœur en lisant leurs
mots, si cordiaux. D'autant que Bill commençait à
douter sérieusement de parvenir un jour à trouver une
paroisse. Aucune église dans un rayon raisonnable
autour de New York n'avait besoin d'un pasteur. Il
parlait même de retourner travailler avec son père.

Il était hors de question pour lui de rester indéfiniment sans emploi.

Jenny posa la lettre sur le bureau de Bill. Elle l'obséda tout au long de la journée. Une partie d'elle-même avait envie de la jeter à la poubelle afin que son mari ne soit pas tenté d'accepter la proposition, l'autre avait l'impression que lui imposer de rester à New York était injuste. Mais elle ne pouvait tout de même pas laisser tomber une carrière stimulante, qu'elle avait mis quatorze ans à bâtir ! Que ferait-elle si elle tournait le dos à la mode ? Surtout à Moose, dans le Wyoming... L'idée de vivre dans un tel endroit lui glaçait le sang. L'église ne se trouvait même pas à Moose, mais à plus de vingt kilomètres de là. Jackson Hole, la grande ville la plus proche, était sans doute un endroit agréable, mais le Wyoming n'était tout simplement pas pour elle. Chez elle, c'était New York. Elle tâcha d'oublier la lettre et de se concentrer sur son travail.

Plus tard, lorsque Bill rentra à la maison, elle le vit lire le courrier, une expression grave sur le visage. Il avait rapporté un poulet rôti pour le dîner et Jenny avait préparé des légumes. Elle essayait de se forcer à manger. Elle n'avait pas retrouvé l'appétit et était d'une maigreur inquiétante. Un peu gênée, elle dit :

— J'ai vu que cette église du Wyoming t'avait encore écrit. Désolée, je n'ai pas pu m'empêcher d'ouvrir la lettre. Ils veulent toujours que tu deviennes leur pasteur.

Elle paraissait inquiète.

— Oui, répondit-il simplement. Mais ce n'est pas la question. L'église de Brooklyn que j'ai contactée la semaine dernière m'a répondu. Ils ont rejeté ma candidature. Ils ont engagé un jeune pasteur l'année dernière. Cela faisait sept ans que ce type attendait une paroisse.

— Je suis navrée, dit Jenny, le regard empreint d'empathie.

— Ne t'inquiète pas. Tout vient à point à qui sait attendre.

Telle était en effet sa devise, mais, cette fois-ci, Jenny sentait que le cœur n'y était pas vraiment. Depuis qu'ils avaient perdu le bébé, Bill était déprimé. Leurs rêves tardaient à se réaliser. Sans enfant, sans paroisse, tous deux étaient déçus, et ne pas perdre espoir leur demandait un effort considérable.

Bill changea de sujet. Il avait rencontré ce jour-là en prison un tueur en série en attente de procès. C'était un homme remarquablement intelligent, qui avait lui-même étudié la théologie. Leur échange s'était révélé passionnant. Comment une personne dotée de telles facultés pouvait-elle avoir assassiné des gens ? Sept femmes avaient été victimes de sa folie avant qu'il ne soit arrêté. Tout cela était fascinant, tragique, et surtout incompréhensible. Au moins, une chose était certaine : Bill ne s'ennuyait pas.

La semaine suivante, Jenny retourna au travail. Et paya cher son absence, tentant de rattraper le retard accumulé. Quand il voyait l'état dans lequel elle rentrait à la maison chaque soir, Bill ne pouvait s'empêcher de s'inquiéter :

— Tu ne crois pas que tu en fais trop ? demandait-il d'une voix douce.

— Je suis restée coincée à la maison pendant presque deux semaines. Je ne peux pas laisser tomber mes clients.

Bill hochait la tête sans rien dire.

A la fin de la semaine, le médecin de Jenny lui reprocha d'avoir encore perdu du poids.

— Tôt ou tard, il faudra repenser votre mode de vie. Vous travaillez comme une forcenée. Avec un tel rythme, il vous sera difficile de tomber enceinte et de mener à terme une grossesse. Levez le pied, cela me semble indispensable.

Lorsqu'elle rentra chez elle, Jenny découvrit Bill penché au-dessus d'une pile de lettres, arborant la mine défaite qui ne le quittait plus depuis quelques semaines. En le voyant si abattu, elle n'eut qu'une envie : le prendre dans ses bras pour le réconforter. Elle traversa la pièce à pas feutrés et s'assit sur son bureau. Comme souvent quand on se trouve à un tournant de l'existence, il fallait tourner le dos à la prudence et à ses principes.

— Dis-leur oui, lança-t-elle dans un souffle.

Jenny avait l'impression d'avoir pris un ticket pour le tour de montagnes russes le plus fou de sa vie. Les mots étaient sortis tout seuls, sur un coup de tête.

— Dire oui à qui ?

Bill leva les yeux vers elle, l'air surpris. Il se demandait si elle parlait de son père et de ses frères. Cette semaine, il avait déjeuné avec Tom. Celui-ci avait été horrifié d'apprendre ce qui leur était arrivé. Jenny n'avait jamais été acceptée en tant qu'épouse, mais personne ne souhaitait sa mort. Tom était soulagé qu'elle ait survécu. Il savait à quel point Bill l'aimait. Sa mort l'aurait complètement anéanti. Les deux frères avaient ensuite évoqué très sérieusement l'éventuel retour de Bill au cabinet. Ce dernier ne voyait pas d'autre issue à son problème.

— Tu parles de mon père ? reprit-il.

— Bien sûr que non !

Cette idée la mettait hors d'elle. Tout, mais pas ça !
Sa famille ne ferait qu'une bouchée de lui.

— Je parle des gens du Wyoming. Je crois qu'il faut qu'on accepte. Tu ne trouveras aucun poste par ici, et ils te supplient de venir depuis des mois.

Une petite maison douillette les attendait même à côté de l'église. Bill regarda sa femme comme si elle avait perdu la raison. L'espace d'un instant, Jenny eut l'impression que c'était d'ailleurs le cas. Pourtant, au plus profond d'elle-même, elle savait que c'était le bon choix.

— Tu es sérieuse ? Et toi, là-dedans ?

Soudain, il fut pris de panique. L'idée qu'elle le quittait lui traversa l'esprit.

— Tu viendrais avec moi ?

— Mais qu'est-ce que tu racontes ? Bien sûr que oui ! Je ferais quoi, ici, sans toi ?

— Tu travaillerais dans la mode, peut-être ? la taquina-t-il, un petit sourire aux lèvres.

Elle soupira en le regardant.

— J'aime mon boulot. Mais ma vie, c'est toi.

Elle en avait pris l'entière mesure en frôlant la mort.

— Jenny, tu ne peux pas t'installer dans le Wyoming ! Cela ne serait pas juste. Je ne te laisserai pas prendre une décision aussi insensée. Tu as consacré quatorze années de ta vie à ta carrière. Tu ne peux pas tout balayer d'un revers de main !

— Je pourrais m'accorder une année sabbatique, le temps de voir si le poste te plaît et si nous acceptons de rester.

Tous deux savaient pertinemment que son activité souffrirait de ce changement et qu'elle perdrait quelques clients. La plupart d'entre eux ne se satisferaient pas d'un service à distance. Cependant, certains la solliciteraient de nouveau si jamais elle revenait à New York.

— Cela vaut le coup d'essayer. On y perd quoi ? Et si ce nouvel environnement était plus propice à notre projet familial que la vie de dingue que je mène ici ? Peut-être qu'il faut sauter le pas et tenter notre chance à Moose, dans le Wyoming ?

Tandis qu'elle parlait, les yeux de Jenny s'étaient remplis de larmes. Malgré tout, elle souriait. Ce changement exigeait un immense sacrifice de sa part, mais elle aimait Bill et sentait qu'elle le lui devait. Vaillamment, il avait tenté de faire au mieux pour elle. A présent, elle savait que c'était à son tour d'essayer. Pour lui.

— Réfléchis bien aux implications d'une telle décision avant que je leur donne ma réponse, lui dit-il d'un ton grave. Si tu plaides la folie pour tes propos, je ne t'en voudrai pas. Peut-être que tu as juste eu une sale journée.

Jenny se mit à rire et passa ses bras autour de son cou.

— J'ai un mari formidable. C'est un argument autrement valable que n'importe quelle sale journée. Je veux que tu sois heureux et que tu puisses goûter à la vie dont tu rêves. Et qui sait, je vais peut-être adorer ma nouvelle existence ?

Elle avait du mal à y croire, mais elle voulait relever le défi. Jamais elle n'avait accompli un tel acte d'amour. Bill lui en était infiniment reconnaissant. Mais il était hors de question pour lui de détruire sa vie et sa carrière en route.

— Réfléchis bien, Jen. Rien ne presse. Si tu changes d'avis et que tu décides de rester, ce n'est pas grave.

Elle l'embrassa une nouvelle fois. Le jour suivant, elle en parla à sa mère, mais pour celle-ci, l'histoire avait un parfum de déjà-vu.

90

— J'ai accepté de suivre ton père à Pittston, en pensant faire le bon choix pour lui. Une fois sur place, c'était bien pire que dans mes pires cauchemars. Les trois années que j'ai passées là-bas, j'avais l'impression qu'on m'avait enterrée vivante.

Hélène n'imaginait pas du tout sa fille au fin fond du Wyoming. Elle qui avait vécu au cœur de la mode new-yorkaise pendant quatorze ans, que ferait-elle dans ce coin perdu, à part pleurer ?

— D'après Bill, on peut essayer pendant un an. Si jamais je ne me plais pas là-bas, on reviendra à New York.

La jeune femme s'efforçait de parler d'un ton assuré, alors qu'en son for intérieur elle était terrifiée. Les propos de sa mère reflétaient malheureusement ses propres craintes et les attisaient.

— Dans ta branche, tu ne peux pas disparaître comme ça du jour au lendemain sans en pâtir. Tes clients trouveront rapidement un autre consultant pour te remplacer. Quitter New York mettra ton activité en danger.

— Si on reste, c'est notre mariage qui sera en danger, répondit Jenny avec gravité. Bill a besoin de souffler. S'il ne trouve pas de paroisse d'ici la fin de l'année, il envisage de réintégrer le cabinet de son père. Quel cauchemar pour lui ! Je ne veux pas qu'il en soit réduit à cela. Et puis cette église du Wyoming semble correspondre parfaitement à ses attentes. Le seul problème, c'est son emplacement. Mais qui sait, peut-être que cet endroit est le bon ?

Hélène éprouva soudain une grande fierté à l'égard de sa fille, qui, par amour pour son mari, faisait preuve d'une totale abnégation.

Quelques jours plus tard, Jenny parla de son projet à Azaya. Son assistante se montra disposée à travailler autant que nécessaire pour que Jenny puisse maintenir son activité. Il faudrait sans doute réduire la voilure, mais elle était prête à relever le défi – pour une année au moins. Elle était convaincue que Nelson accepterait de lui prêter main-forte. Si loin de New York, Jenny ne serait évidemment plus en mesure de proposer les mêmes prestations à ses clients. En revanche, elle pourrait leur donner ses conseils par téléphone et recevoir leurs échantillons d'étoffe ainsi que leurs croquis. De la sorte, elle serait toujours présente, ce qui pour certains de ses clients suffirait peut-être. Et elle pourrait revenir pour les Fashion Weeks de février et septembre – enfin, d'ici là, Bill et elle seraient peut-être rentrés à New York.

Cependant, maintenant que sa décision était prise, Jenny organisait son départ avec son enthousiasme caractéristique et sans le moindre frein. Une semaine après qu'ils eurent évoqué ce projet pour la première fois, la jeune femme remit le sujet sur la table. Tout en débarrassant le couvert, elle lança avec désinvolture :

— Dis donc, on s'installe quand dans le Wyoming ?

Bill prit un air abasourdi.

— Tu plaisantes ?

— Mais non, pas le moins du monde ! Je suis on ne peut plus sérieuse. Si tu es d'accord, je préférerais qu'on ne sous-loue pas notre appartement. Comme cela, si quelque chose ne se passe pas comme prévu, on aura un point de chute. Azaya m'a dit qu'elle bichonnerait mes clients, en tout cas ceux qui ne me laisseront pas tomber. Il me faudrait un mois pour tout préparer. Nous sommes début octobre, je pense pouvoir être prête à partir en novembre. Et toi ?

La voix de Jenny dénotait un plus grand aplomb que la semaine précédente. Bill, qui s'attendait vraiment à ce qu'elle change d'avis, était fort surpris. Il lui demanda :

— Dis, Jenny, tu ne le fais pas juste pour moi ?

— Je le fais pour nous deux, répondit-elle simplement. Peut-être qu'on aura plus facilement un bébé là-bas ? Cela vaut le coup d'essayer. Et surtout, je veux que tu aies une paroisse. Tu le mérites. Si celle-ci te convient, je vote pour.

Jenny souriait. Bill la serra si fort dans ses bras qu'elle en eut presque le souffle coupé.

— N'oublie pas que si cela ne te plaît pas, on rentre. Dès que tu le souhaites.

Garder l'appartement était une bonne idée. Pour l'instant, il était plus prudent de se ménager un pied-à-terre à New York.

— Jenny, je n'oublierai jamais ce que tu es en train de faire pour moi, lui dit-il, plein de gratitude.

Ils discutèrent de leur projet toute la nuit. Le lendemain, Bill appela le président du conseil presbytéral à Moose. Il accepta de se rendre sur place dès la semaine suivante. Jenny le suivrait un mois plus tard, le temps de tout boucler à New York. Ils avaient décidé d'acheter du mobilier simple pour leur logement de fonction. Jenny préférait que leurs affaires restent chez eux, à New York, ce que Bill trouvait également plus sage. Et puis... à nouveau départ, nouveaux meubles. Leur vie était sur le point de changer radicalement. Ils partaient à Moose, dans le Wyoming. Pour le meilleur ou pour le pire.

Tom tomba pratiquement de sa chaise lorsque Bill lui annonça son départ au téléphone.

— Tu plaisantes ? Et moi qui pensais qu'on t'avait quasiment persuadé de revenir travailler avec nous. Papa va être sidéré.

La déception de Tom était palpable.

— Vous y êtes presque arrivés ! Mais Jenny m'a convaincu de partir à Moose.

Cette idée fit rire Tom.

— Je ne sais pas si tu es un saint ou complètement fou. C'est un sacré changement pour vous deux. Comment va faire ta femme pour son travail ? Il lui tient tellement à cœur, et elle ne pourra pas l'emmener dans ses bagages.

— Elle laisse son assistante aux manettes pendant un an, tout en essayant de gérer à distance avec le téléphone et la poste. Elle reviendra de temps à autre. Cela dit, elle espère ralentir la cadence. Elle est vraiment géniale. C'est elle, la sainte. Et moi, le fou !

— Je suis bien d'accord avec toi ! Vous partez quand ?

— Dans deux jours.

— Eh bien, bonne chance. Donne-nous de tes nouvelles.

Tom admirait son frère cadet. Sa persévérance et son courage forçaient le respect. Il semblait heureux et impatient de vivre cette nouvelle aventure. Et sa femme l'aimait plus que tout au monde – son abnégation ne laissait aucune place au doute à ce propos. Sa propre épouse, elle, n'aurait jamais consenti à un tel sacrifice. L'espace d'un instant, Tom éprouva de la jalousie pour ce qu'ils partageaient.

— Venez nous voir à Moose, dit Bill.

Tom se mit à rire, et riait encore lorsqu'il raccrocha. Bill était fou ! Sur ce, Peter entra dans le bureau, bougon comme à son habitude, et lui demanda à qui il venait de parler.

— Notre petit frère, répondit Tom.

— Alors, il revient ? s'enquit Peter d'un ton blasé.

— Non. Il va s'installer à Moose, dans le Wyoming, pour y devenir pasteur. Je dois lui tirer mon chapeau.

— Moose, dans le Wyoming ? lâcha Peter, abasourdi. Tu te moques de moi ?

— Pas du tout. J'ai presque envie de partir avec lui, ajouta-t-il en jetant un regard amusé à son frère.

Soudainement, ce scénario lui paraissait beaucoup plus palpitant que sa vie à New York.

6

Après avoir atterri à Salt Lake City, Bill prit une correspondance pour Jackson Hole. Lorsque le petit avion se posa sur la piste, les températures étaient glaciales. L'hiver était déjà installé. Grand, les cheveux grisonnants, Clay Roberts attendait Bill dans le minuscule hall de l'aéroport. A la tête du conseil presbytéral, il correspondait avec le jeune pasteur depuis juin, essayant de le convaincre d'accepter leur proposition. Ses yeux d'un bleu électrique illuminaient un visage grave, strié de rides. L'homme ne put s'empêcher de sourire en apercevant Bill vêtu d'un jean et d'une parka, avec des chaussures de randonnée aux pieds. Malgré sa tenue, il faisait on ne peut plus new-yorkais. Comparativement, lui-même semblait tout droit sorti d'un western avec son Stetson et ses bottes de cowboy. On imaginait bien l'homme à cheval – et d'ailleurs, il passait le plus clair de son temps sur sa monture. Il possédait un ranch dans les environs de l'église, et était veuf depuis dix ans. L'emblème de sa propriété était reproduit sur la portière de sa grosse camionnette noire. Il était venu chercher Bill pour le conduire jusqu'à son nouveau domicile, juste à côté de l'église Saint-Pierre-et-Saint-Paul, à une vingtaine de kilomètres de Moose.

Clay lui parla de la région et des ranchs, dont certains étaient réservés au bétail, d'autres aux chevaux. Il désignait les propriétaires par leur nom, même si, précisa-t-il, rares étaient ceux qui assistaient à la messe. Plusieurs centaines d'âmes vivaient aux alentours de l'église. Dans le coin, presque tout le monde se connaissait. Moose possédait une école, une rue principale avec deux restaurants, une épicerie, un bureau de poste, une pharmacie, une laverie automatique et deux motels pour les gens de passage. A un peu plus d'une vingtaine de kilomètres de là se trouvaient une très bonne bibliothèque et un cinéma, et, plus près, un supermarché. A Jackson Hole, nouvelle destination prisée par la jet-set, le tourisme se développait doucement. La ville était à moins d'une heure. Sans oublier qu'en été c'était la saison du rodéo. Clay demanda à Bill s'il aimait l'équitation.

— Je ne suis pas monté sur un cheval depuis longtemps, mais j'adorais ça quand j'étais gamin.

Ses frères et lui faisaient du cheval tous les étés en colonie de vacances et avaient séjourné à plusieurs reprises avec leurs parents dans un ranch éducatif au cœur du Montana. Bill était un bon cavalier, ce qui, d'après Clay, se révèlerait probablement fort utile. En effet, au printemps, au moment de la fonte des neiges, et parfois même en hiver, certaines zones n'étaient accessibles qu'à cheval. Il lui faudrait parfois rendre visite à des malades, à des personnes se trouvant dans l'impossibilité de se déplacer pour une raison ou une autre.

Clay expliqua que les hommes qui avaient bâti l'église avaient été optimistes, puisqu'elle pouvait accueillir jusqu'à deux cents personnes. Etant donné la taille de la communauté, le nombre de fidèles présents à la messe le dimanche, environ une centaine, était plutôt satisfaisant. Et ce alors même qu'il y avait dans la ville voisine une église catholique, Notre-Dame-des-Montagnes.

Tandis qu'ils roulaient vers Moose par l'autoroute afin d'éviter Jackson Hole, Bill aperçut au loin le massif de Grand Teton. D'une beauté à couper le souffle, ces montagnes aux nuances violettes et bleu nuit, surplombées par un ciel d'azur qui se colorait de rose au coucher du soleil, semblaient être l'œuvre d'un peintre. Majestueuses et mystérieuses, elles composaient un tableau éblouissant. Bill n'avait jamais rien vu d'aussi beau. Et écouter les explications fournies de Clay n'ôtait rien au charme du trajet dans ce paysage enchanteur.

Une fois à Moose, ils passèrent devant les divers points d'intérêt évoqués par son hôte plus tôt – restaurants, poste, épicerie. Puis ils quittèrent la ville et parcoururent encore une vingtaine de kilomètres avant d'arriver à l'église. Bill aperçut au loin la flèche du clocher qui s'élevait dans le ciel. Puis il vit le bâtiment en bois blanc. Celui-ci, de toute évidence fraîchement repeint, paraissait en bon état et était entouré d'une palissade, de haies et de plates-bandes de fleurs bien entretenues. Deux arbres immenses offraient de l'ombre. Juste derrière l'église, Bill vit une jolie maisonnette jaune aux volets blancs, ceinte d'une clôture. Des roses rouges parsemaient le jardin. Clay expliqua que c'étaient les femmes de la communauté qui en prenaient soin. Il ajouta que la maison était meublée sommairement d'un lit, d'un coffre, d'un bureau, d'une table de cuisine et de quelques chaises. Bill devrait se procurer le reste. Il trouverait tout le nécessaire dans le centre commercial situé à environ quatre-vingts kilomètres de là. Le jeune pasteur voulait acheter du mobilier et des objets de décoration pour que Jenny n'arrive pas dans une maison vide.

Clay se gara en face de l'église. Bill éprouva une immense émotion en entrant dans le bâtiment. Il s'agissait de sa première paroisse. Une irrépressible envie de crier sa joie s'empara de lui. L'autel se dressait fièrement au milieu de beaux vitraux, de statues et de bancs simples. L'édifice était charmant dans son dépouillement. Le presbytère, avec sa petite salle d'attente et le bureau du pasteur, se trouvait juste derrière. De là, une porte menait à la maisonnette jaune qui allait devenir leur foyer. Bill visita son nouveau logis avec Clay. A l'étage, trois chambres permettaient d'accueillir le pasteur et sa famille, si toutefois il en avait une. Le rez-de-chaussée était composé d'un vaste séjour et d'une cuisine très agréable de style campagnard avec un coin repas. Au sous-sol, une salle de jeu avait été aménagée. Machine à laver, lave-vaisselle, deux salles de bains... Rien ne manquait. De plus, Jenny pourrait transformer l'une des pièces du haut en bureau. La maison venait d'être repeinte. Tous les murs, à l'exception de ceux de leur chambre – bleu clair – et de la cuisine – jaunes –, étaient blancs. L'ensemble était lumineux, chaleureux et gai. On s'y sentait bien. Bill se tourna vers Clay, un large sourire aux lèvres.

— C'est parfait ! s'exclama-t-il, comme un enfant à qui l'on vient d'offrir son premier vélo.

— Je suis ravi que l'endroit vous plaise, Bill ! N'hésitez pas à m'appeler si vous avez besoin de quoi que ce soit. J'ai garé l'une des camionnettes du ranch derrière pour que vous puissiez vous déplacer facilement. Mais il faudra que vous achetiez votre propre véhicule. Navajo, l'un de nos chevaux, est dans l'écurie. C'est une bonne monture, solide et agile.

Bill hocha la tête. Ils avaient tout fait pour qu'il se sente chez lui. Clay nota son numéro sur un morceau de papier et le lui tendit. En parcourant la cuisine des yeux, le pasteur se rendit compte qu'il y avait de la nourriture partout. Dans des plats, dans des paniers, dans des bols recouverts de Cellophane et agrémentés de gros nœuds rouges... Bill jeta un regard surpris à Clay, qui éclata de rire.

— On prendra bien soin de vous ici. Au moins, vous ne mourrez pas de faim. Vos paroissiens veulent que vous vous sentiez le bienvenu.

Eh bien, c'était réussi ! Bill serra la main de Clay en le remerciant chaleureusement. Après son départ, le jeune pasteur regarda autour de lui puis se mit à danser la gigue tout seul. Après quoi il retourna dans l'église, s'agenouilla devant l'autel et loua Dieu pour sa grande bonté. L'attente avait payé. Bill n'avait désormais qu'une hâte : que Jenny puisse voir cela de ses propres yeux.

Le soir même, il l'appela pour tout lui raconter. Son enthousiasme débordant rassura la jeune femme sur le bien-fondé de leur décision. Elle avait passé la journée à expliquer à ses clients qu'elle prenait une année sabbatique pour soutenir son mari dans sa jeune carrière. Tous avaient été abasourdis par sa décision. Ils n'arrivaient pas à croire qu'elle quittait New York.

Quelques jours plus tard, la nouvelle fit la une de la revue professionnelle *Women's Wear Daily*. Les couturiers pour qui Jenny travaillait étaient en panique. Deux d'entre eux lui dirent qu'ils ne pourraient se contenter d'un service réduit et lui demandèrent de les aider à trouver de nouveaux consultants – ce qu'elle fit de bon cœur. Cinq autres acceptèrent de tester la nouvelle formule à condition que Jenny s'engage à se déplacer à

New York en cas de crise. Elle leur promit de venir pour la Fashion Week et même d'être là une semaine avant pour assurer la préparation des défilés. La jeune femme était très émue qu'ils souhaitent continuer l'aventure avec elle malgré son installation dans le Wyoming. Partir dans ces conditions était moins déchirant ; Jenny n'avait pas à tout abandonner pour suivre Bill. Elle consacra de longues heures à la formation d'Azaya, qui l'accompagna à tous ses rendez-vous avant son départ. Ainsi, les clients s'habituaient à traiter avec son assistante, qui serait désormais leur interlocutrice privilégiée sur place.

Pour son dernier week-end à New York, Jenny reçut la visite de sa mère, qui passa quelques jours avec elle. Hélène était chagrinée qu'elle s'en aille, mais sa fille était si excitée à l'idée de cette nouvelle vie qu'elle tâcha de rester positive et s'efforça de ne pas comparer la situation de Jenny à sa propre installation dans une cité minière trente ans auparavant, qui lui avait laissé des souvenirs amers. D'après le récit qu'en faisait Bill, la région était belle et leur nouveau domicile, spacieux et aéré. Jenny montra à sa mère les photos que son mari lui avait envoyées. En effet, l'endroit paraissait charmant. Entre la préparation de son premier sermon et la tournée des environs pour rencontrer ses fidèles, Bill avait trouvé le temps d'aller dans le centre commercial des environs. Il y avait acheté un véhicule et des meubles. Ceux-ci n'avaient rien de sophistiqué, mais ils avaient le mérite d'être fonctionnels et modernes. Bill savait que Jenny apporterait sa touche personnelle et saurait transformer la maison en un foyer chaleureux.

Et de fait, la jeune femme expédia dans le Wyoming quelques objets décoratifs ainsi que des clichés et aquarelles pour orner les murs. Hélène proposa quant à elle de leur confectionner des rideaux. C'était le genre de cadeaux que sa grand-mère leur aurait fait, et cette attention toucha Jenny. Elle promit de lui transmettre les cotes au plus vite.

Bill avait choisi un canapé en velours beige clair, deux fauteuils confortables et un tapis tressé tout simple au ton neutre, qui s'accordait bien avec le parquet. Il avait l'impression de se marier une nouvelle fois et de repartir à zéro. Jenny partageait ce sentiment. Le suivre dans le Wyoming était comme renouveler leurs vœux, pour le meilleur et pour le pire, jusqu'à ce que la mort les sépare.

Au cours des semaines où il attendit sa femme, Bill fit trois sermons qu'il jugea très forts. Jenny en eut la primeur. Dans le premier, il expliquait quel était pour lui le sens du mot « chez-soi ». Il se disait infiniment reconnaissant d'être là, parmi eux. Il mettait l'accent sur le fait qu'un « chez-soi » est bien plus une réalité affective que matérielle. Son message, simple mais sincère, toucha nombre de fidèles, comme il le comprit après la messe, lorsqu'ils vinrent lui serrer la main et se présenter.

Son deuxième sermon avait pour thème la résurrection, la renaissance et les nouveaux départs après un malheur. Il parlait du courage de recommencer. Ce prêche plut aux paroissiens, et Jenny le trouva excellent. Le troisième était sur le thème du pardon, sur son importance capitale dans toutes les relations, et en particulier dans un mariage ou au sein de la famille. Plusieurs personnes le remercièrent pour ses mots justes. Le jeune pasteur n'en était pas sûr, mais il lui avait semblé remarquer une légère augmentation du nombre de fidèles au fil des semaines.

Bill alla rendre visite à des personnes âgées et à des gens malades de la communauté, ainsi qu'à une jeune veuve qui élevait seule ses trois garçons adolescents. Sa brève expérience d'aumônier se révélait fort utile. Il y avait beaucoup d'enfants dans la paroisse, et les cours de catéchisme, donnés par une dame fort gentille, ne désemplissaient pas.

Tout le monde avait hâte de rencontrer Jenny. Et bien sûr, il tardait à Bill de la retrouver. Le soir, sans elle, il se sentait seul. Il aurait eu tant de choses à lui raconter chaque jour. Il avait dit à plusieurs personnes que son épouse travaillait dans la mode comme consultante. Mais il lui paraissait difficile d'expliquer son métier à des gens si éloignés de cet univers.

Une semaine après son arrivée, Bill avait eu la surprise de recevoir un appel de Tom.

— Alors, je parie que tu as déjà envie de rentrer, lui avait-il dit.

La plaisanterie l'avait fait rire.

— Tu parles, c'est génial, ici ! Les paysages sont sublimes, l'église est exactement comme je l'avais imaginée et la maison est vraiment mignonne. Et puis il y a plein de gens sympas. On pourrait nourrir une armée avec les plats qu'ils me préparent.

— Mon Dieu, tu entends ce que tu dis ? Tu parles comme un vrai curé de campagne ! Quand Jenny sera là, elle va secouer ton petit monde en parlant des dernières tendances de la mode à New York. J'espère d'ailleurs que tu as assez de placards chez toi !

— Non, mais j'ai acheté des armoires de grand-mère dans une brocante.

Pour l'instant, Bill avait transformé la deuxième chambre en dressing, et la troisième en bureau pour Jenny. S'ils avaient un bébé, elle devrait renoncer à l'un ou l'autre. Mais s'il y avait une chose dont Bill était certain, c'était que cela ne l'ennuierait pas de troquer l'un de ces deux espaces contre une chambre d'enfant.

— J'ai aussi acheté une camionnette, et figure-toi que pour aller chez certains de mes paroissiens, je suis obligé de prendre un cheval. Tu sais, la nature est vraiment belle ici.

Tom n'avait jamais entendu son frère s'exprimer avec autant de décontraction et de sérénité. Il était évident que Bill avait fait le bon choix. Tom espérait juste que Jenny partagerait son avis en arrivant dans la région. Elle avait accepté de s'aventurer en zone inconnue, et il ne pouvait que reconnaître son sacrifice.

— Quand j'aurai le temps, je viendrai en juger par moi-même, promit-il.

Tom ne parla de cette conversation ni à Peter ni à son père. Il savait qu'ils ne comprendraient pas. Au départ, lui-même avait eu du mal à cerner Bill, mais il commençait à saisir le personnage et à voir à quel point il était différent d'eux. Contrairement à ce qu'il avait longtemps supposé, Bill n'était pas un marginal. Il était un homme bon, bien plus que n'importe quel autre membre de leur famille. Il lui avait fallu trente-cinq années – l'âge de Bill – pour s'en apercevoir.

Lorsqu'il devait s'aventurer en terrain difficile, Bill montait Navajo, le cheval de Clay Roberts, en pension chez lui pour une durée indéterminée. Le pasteur aimait se déplacer sur cet animal robuste et fiable. Un matin, alors qu'il revenait de la petite écurie située derrière la maison après avoir nourri Navajo, Bill tomba nez à nez avec un garçon. Debout devant la maison, l'inconnu n'osait pas entrer. Il portait un jean, un chapeau et des bottes de cowboy bien usées. De toute évidence, il était venu à pied. Il avait l'allure dégingandée d'un adolescent de quatorze ans et semblait mal à l'aise. Un bébé labrador était assis sagement à ses pieds et mordillait la pointe de ses chaussures. Le garçon repoussa gentiment le chiot.

— Bonjour, lança Bill avec un grand sourire.

Le gamin le regardait avec des yeux écarquillés.

— Comment t'appelles-tu ?

— Tim Whitman, répondit le garçon. Mais tout le monde me surnomme Timmie. Ma tante voulait que je vous apporte un gâteau, mais j'ai pris autre chose.

Il était blond comme les blés. De grands yeux verts illuminaient son visage parsemé de taches de rousseur.

— Tu habites dans le coin ? demanda Bill.

Il était encore tôt, et la visite du garçon l'avait surpris.

— Sur la colline, là-bas, indiqua-t-il d'un geste vague.

— C'est sympa de venir me voir. Tu veux manger quelque chose ?

Timmie secoua la tête.

— Je viens de prendre mon petit déjeuner. Merci, révérend.

— Appelle-moi Bill.

Il ne voulait pas faire de manières avec un garçon aussi jeune et s'efforçait de le mettre à l'aise.

— J'ai bien aimé votre sermon, dimanche dernier, dit Timmie, une expression sérieuse sur le visage. Sur le pardon. Parfois, c'est difficile de pardonner à ceux qui vous ont blessé.

Le chiot tournait autour de ses pieds.

— Oui, c'est certain. Cela prend du temps, mais c'est bien de pouvoir y arriver. C'est libérateur, d'une certaine façon.

Bill s'appuya contre la palissade avant de se pencher pour jouer avec le labrador.

— Quel âge a-t-il ?

— Trois mois. Ma chienne en a eu trois comme lui. L'un d'eux est mort, et je garde l'autre. Celui-ci... D'après ma tante, trois chiens, c'est trop... Alors je me suis dit que peut-être... vous aimeriez prendre Gus.

Il montra le chiot du doigt. Celui-ci courait maintenant autour de Bill, en aboyant et en remuant la queue.

— Tu veux dire, l'adopter ?

Le pasteur était pris au dépourvu. La dernière fois qu'il avait eu un chien, c'était au lycée.

— Oui, si vous aimez les bêtes. Gus est très doux. J'ai commencé à le dresser. Sa mère est vraiment futée. Et son père, c'est le labrador du voisin. Un chien de race.

Bill regarda le garçon avec des yeux emplis de gratitude. Son geste généreux le touchait.

— Ma tante m'a dit que peut-être vous ne voudriez pas de chien.

— Mais si, j'adorerais !

Bill prit l'animal dans ses bras. Il était tout pataud et avait la langue pendante d'avoir tant couru.

— Tu es sûr que tu ne veux pas le garder ?

— Non, ma tante dit que deux ça suffit.

Timmie sourit, mais Bill perçut de la tristesse dans son regard.

— Tu vis chez ta tante ?

Le garçon hocha la tête.

— Oui, la sœur de ma mère. Mes parents sont morts dans un accident de voiture l'année dernière, en allant à Cheyenne.

Bill se demanda si c'était à cela que pensait l'adolescent quand il parlait de pardon. Le cas échéant, il avait beaucoup à pardonner. Perdre ses parents si jeune...

— Le conducteur responsable de l'accident s'est enfui. On n'a jamais pu l'identifier. Sans doute quelqu'un de passage dans le Wyoming. Ma petite sœur était avec eux, mais elle va bien. Elle est restée longtemps à l'hôpital, à cause de ses jambes. Mais aujourd'hui, elle remarche !

Timmie roula alors des yeux, comme n'importe quel adolescent de son âge.

— C'est une vraie peste. Elle a sept ans. Mais je suis content qu'elle aille mieux.

— Moi aussi, dit Bill avec chaleur. Tu veux que je te ramène chez toi ?

Cela serait l'occasion de rencontrer sa tante et sa sœur, et de voir où ils habitaient. Timmie hésita avant d'acquiescer.

— D'accord !

Bill porta le chiot à l'intérieur et l'enferma dans la cuisine. Il n'en revenait toujours pas d'avoir reçu un si beau cadeau. Il revint avec les clés de la camionnette et fit signe à Timmie de monter.

— Un peu d'aide ici ou là ne me ferait pas de mal. Pour réparer des choses, préparer la messe… Si jamais tu veux passer du temps avec moi et me donner un coup de main, tu es le bienvenu. Et je suis sûr que Gus sera ravi de te voir.

— OK !

Cette fois-ci, le sourire du garçon exprimait de la joie. Une compagnie masculine ne pourrait pas faire de mal à Timmie.

Une fois sur la route, le pasteur suivit les indications de l'adolescent. Ils arrivèrent devant un pavillon de plain-pied, derrière lequel se trouvait une grange. L'odeur indiquait qu'il y avait des chevaux. Une fillette coiffée de couettes jouait devant un enclos. Lorsqu'ils descendirent du camion et qu'elle leur sourit, Bill vit qu'elle avait perdu toutes ses dents de devant. Elle était vêtue d'une salopette, d'un tee-shirt rose, et portait des baskets aux pieds. Ses cheveux étaient aussi blonds que ceux de son frère. Quelques minutes plus tard, une femme petite et menue sortit de la maison en tablier. En voyant Timmie avec un étranger, sa mine s'assombrit. Elle n'avait pas reconnu le pasteur. Bill s'empressa de se présenter, ce qui la rassura immédiatement. Il la remercia pour le labrador.

— J'ai dit à Timmie que vous ne voudriez peut-être pas d'un chien. Vous pouvez le lui rendre, si vous le souhaitez. Je m'appelle Annie Jones. Timmie est mon neveu, ajouta-t-elle en souriant.

Bill lui donnait la trentaine. Elle était bien jeune pour élever deux enfants, dont un adolescent.

— Je sais, il m'a raconté.

— On ne va pas très souvent à la messe, mais on est venus la semaine dernière.

Elle s'interrompit pour ordonner à Amy de descendre de la barrière. La petite avait profité qu'ils soient occupés à discuter pour faire des bêtises. Elle se jeta alors sur son frère, qui la repoussa avec un cri de protestation. Puis elle trouva un petit seau près de l'abreuvoir et le posa sur sa tête, comme un chapeau. Ses singeries amusèrent Bill.

— Votre prêche était vraiment intéressant, reprit Annie.

— Merci pour le compliment ! Dites donc, vous ne devez pas vous ennuyer, avec la miss.

Annie se mit à rire.

— Ah ça, non ! Mais cela me fait tellement plaisir de la voir sauter comme un cabri. Elle a passé toute l'année dernière dans un plâtre intégral, après…

Elle se tut. Bill hocha la tête.

— Timmie m'en a parlé. Ma femme arrive dans un peu plus d'une semaine. Passez nous voir, à l'occasion !

Bill pressentait que l'arrivée de Jenny attirerait les foules chez eux. Les gens du coin étaient accueillants et... très curieux !

— Merci encore pour le chien, dit-il avant de remonter dans son van.

Lorsque Bill arriva chez lui, Gus était en train de ronger un meuble de cuisine. Il avait fait son sort au petit tapis qui se trouvait devant l'évier et avait essayé, en vain, de renverser la poubelle.

— Alors, c'est comme ça que tu comptes te comporter ?

Il caressa le chien et remit de l'ordre dans la pièce. Il espérait que Gus plairait à Jenny. En regardant le bazar autour de lui, il décida de ne rien dire à sa femme et de lui faire la surprise. Il ne voulait pas qu'elle lui demande de le rendre à son premier propriétaire. Bill éclata de rire en voyant Gus aboyer en remuant la queue. Il avait l'impression de retomber en enfance.

Cinq jours plus tard, après avoir laissé à Azaya une foule d'instructions et appelé tous ses clients pour leur dire au revoir et leur communiquer ses coordonnées dans le Wyoming, Jenny était prête pour le départ. Son adresse, « 24 kilomètres au nord de Moose, dans le Wyoming », ne manqua pas de les amuser.

Jenny ferma l'appartement. La femme de ménage passerait chaque semaine pour épousseter et vérifier que tout allait bien. La poste ferait suivre leur courrier. Il ne lui restait plus qu'à partir.

Jenny prit l'avion, empruntant le même trajet que son mari : destination Jackson Hole *via* Salt Lake City. A l'arrivée, Bill était là, coiffé d'un chapeau de cowboy et emmitouflé dans un gros manteau. Il la serra dans ses bras un long moment, puis posa sur sa tête un couvre-chef pareil au sien. Après quasiment un mois de séparation, la retrouver le rendait euphorique. Il paraissait détendu et heureux, et lui dit qu'une surprise l'attendait à la maison. Sur le chemin, il lui expliqua le paysage comme s'il connaissait la région depuis toujours. Jenny était très amusée de le voir conduire sa nouvelle camionnette.

— Pourquoi tu me regardes comme ça ? lui demanda-t-il.

— Tu ressembles à un cowboy, répondit-elle. Tu t'es intégré en un temps éclair.

Elle ne faisait quant à elle pas vraiment couleur locale, avec son pantalon foncé, son long manteau noir très chic et ses mocassins en crocodile.

— Cet endroit me plaît, dit Bill avec simplicité. Je m'y sens chez moi.

L'église impressionna beaucoup Jenny, et la maison la surprit agréablement. Celle-ci lui parut très chaleureuse. A peine avaient-ils franchi le seuil que le chiot leur sauta dessus. Il posa ses pattes sur les jambes de Jenny, aboyant et remuant la queue pour lui souhaiter la bienvenue.

— C'est quoi, ça ?

— Je te présente Gus. Un cadeau des voisins. On peut le garder ? demanda-t-il comme un gamin.

Jenny enlaça Bill et l'embrassa.

— On dirait bien qu'il était là avant moi, répondit-elle en souriant. La vraie question est plutôt : est-ce qu'il acceptera que je reste ?

— Il a intérêt ! s'exclama Bill avec tendresse. Bienvenue à la maison, Jenny, ajouta-t-il avec douceur.

Il l'emmena ensuite à l'étage afin qu'elle voie la chambre, le bureau et le dressing. Quelques instants plus tard, ils étaient dans leur lit, et faisaient l'amour. Ils avaient l'impression d'avoir toujours vécu là. Et Jenny, en regardant l'homme qu'elle aimait, sut que cet endroit était taillé pour eux.

7

Jenny passa ses premières journées dans le Wyoming à défaire ses valises et à s'installer. Le dressing que Bill lui avait aménagé était parfait, mais elle avait apporté et fait acheminer bien plus de vêtements que nécessaire. Pulls chauds, affaires de ski, manteaux longs et parkas de chez Eddie Bauer, vestes en cuir et une quantité absurde de chaussures à talons... Autant d'affaires qu'elle ne mettrait jamais ici, comme elle s'en rendait compte maintenant.

Elle était dans la cuisine, en train de regarder Bill jouer avec le chiot. Elle portait sa tenue de travail préférée : un slim noir, un pull tout simple en cachemire de la même couleur et des ballerines. Ses cheveux bruns et brillants balayaient ses épaules. Elle n'était presque pas maquillée, mais avant de quitter New York, elle était allée chez le coiffeur et la manucure. Un gros bracelet en or ornait son poignet. David Fieldston avait imaginé ce bijou pour son dernier défilé, et le lui avait offert. Le pasteur contempla sa femme en souriant. Le chapeau de cowboy ne pouvait rien y changer : Jenny restait new-yorkaise jusqu'au bout des ongles. Malgré ses vêtements décontractés, on voyait qu'elle baignait dans la mode depuis toujours. Bill aimait tout en elle, notamment son allure chic et sexy qui n'était jamais guindée. Elle avait une élégance naturelle, totalement dénuée d'affectation.

— Qu'est-ce que tu regardes comme ça ?

Elle avait remarqué qu'il ne la quittait pas des yeux.

— Toi. Tu m'as tellement manqué.

— Toi aussi, tu sais.

Jenny le serra dans ses bras. Puis elle entreprit d'accrocher les cadres qu'elle avait fait venir pour habiller les murs de leur séjour, un peu trop dépouillé à son goût. Elle appela sa mère pour lui donner les mesures des fenêtres, et lui décrivit le type de rideaux qu'elle souhaitait. Simplicité, luminosité et pureté étaient les maîtres mots de la décoration qu'elle imaginait pour son nouvel intérieur. Jenny avait un faible pour les couleurs claires, qui auraient l'avantage de rester gaies même au plus profond de l'hiver. Les quelques broutilles qu'elle ajouta apportèrent une touche de raffinement au décor et contribuèrent à rendre leur maison encore plus accueillante. Aussi douée pour la décoration que pour la mode, Jenny avait l'œil. Elle implora Bill de l'emmener plus tard dans la journée au centre commercial. Au préalable, il devait passer rendre visite à trois personnes. Il sortit seller Navajo. Jenny le suivit. Elle donna une pomme au cheval. C'était un animal très doux, et elle avait hâte de le monter.

Debout devant la porte d'entrée, Jenny salua de la main son mari qui s'éloignait. Puis elle rentra et se mit à réorganiser la cuisine à sa façon. Elle était en train d'accrocher l'une de ses photos dans le salon quand on frappa à la porte. Elle posa le cadre et le marteau, alla ouvrir, et se retrouva face à une femme qui paraissait avoir une dizaine d'années de plus qu'elle. Vêtue d'une grosse veste à carreaux, d'un jean et de bottes de cowboy usées, l'inconnue avait les cheveux décolorés, était un peu forte et portait du fard à paupières turquoise à dix heures du matin. Elle tenait dans ses bras un plat rempli de brownies et un gâteau au chocolat. Sur le glaçage, parfaitement exécuté, le mot « Bienvenue ! » avait été tracé. Jenny la regarda, les yeux pleins de surprise.

— Bonjour, entrez donc !

Jenny voulait se montrer accueillante à l'égard des paroissiens de Bill, qui avaient été plus que serviables. Depuis son arrivée, son mari n'avait pas eu à cuisiner une seule fois. Jenny guida la femme dans la cuisine et déposa les offrandes sur la table. Les brownies exhalaient une odeur délicieuse, et le gâteau semblait tout droit sorti d'un livre ou d'un magazine de cuisine.

— Je vous sers un café ? un thé ? proposa Jenny.

La femme regarda autour d'elle et sourit à son hôtesse, dont elle admira la minceur et l'élégance.

— Vous ne faites pas couleur locale, vous ! dit-elle avec un sourire jusqu'aux oreilles. Il va falloir qu'on vous trouve des bottes de cowboy. Sinon, vous n'irez pas bien loin, par ici, avec vos petites chaussures !

— Je les mets généralement pour aller travailler, répondit Jenny, gênée.

A New York, elle aurait eu l'air négligée, mais pour le Wyoming, elle était apprêtée. La femme enleva sa veste. Elle n'avait visiblement pas l'intention de partir.

— Vous travaillez dans quoi ? Vous êtes danseuse ?

Elle avait rencontré Bill et assisté à ses trois premiers sermons, mais ne savait encore presque rien de Jenny. D'après les uns, elle était danseuse, d'après les autres, elle était actrice. Quelqu'un avait même laissé entendre qu'elle était mannequin. L'hypothèse était fort plausible.

— Je travaille dans la mode. Je conseille les couturiers, j'organise leurs défilés. Mais maintenant, on peut dire que je suis femme de pasteur. C'est nouveau, pour moi. Et je m'appelle Jenny.

— Enchantée. Moi, c'est Gretchen. Gretchen Marcus.

Jenny lui tendit une tasse de café, puis disposa les brownies sur une assiette.

— Vous ne devez pas manger beaucoup de gâteaux, vous ! fit remarquer Gretchen en riant. Ici, les hivers sont rudes. Quand il fait froid dehors, on passe notre temps à manger. Et puis il faut dire que j'ai eu cinq enfants. Je n'ai jamais perdu mes kilos de grossesse.

— Quel âge ont-ils ? s'enquit Jenny avec intérêt.

La jeune femme se demandait combien de visites de ce genre elle recevrait. Gretchen était amicale et chaleureuse. Et les brownies étaient si bons que Jenny ne résista pas à la tentation d'en manger un deuxième.

— Le plus jeune a cinq ans. L'aîné a fêté ses quatorze ans en juin. Il vient d'entrer au lycée, et il me rend complètement chèvre !

Les deux femmes se mirent à rire. Jenny aurait été surprise d'apprendre que Gretchen avait exactement le même âge qu'elle. Ses cheveux décolorés et son fard à paupières criard la vieillissaient, tout comme ses quelques kilos en trop. Elle s'était maquillée uniquement pour impressionner la New-Yorkaise !

Elles restèrent assises à bavarder dans la cuisine pendant un long moment. Il fut question de gens dont Jenny n'avait évidemment jamais entendu parler, de leurs enfants, de la petite ville de Moose. Le mari de Gretchen, Eddy, mécanicien de son état, y possédait un garage que fréquentaient toutes les voitures du comté. L'invitée alimenta Jenny en ragots, bien plus que celle-ci ne pouvait en absorber. Pêle-mêle : la libraire avait une liaison avec le patron du café. Une inconnue venue d'une autre ville avait eu le culot de voler le mari d'une fille du coin. Clay Roberts, l'homme dont rêvaient toutes les femmes à la ronde, s'était épris, disait-on, d'une habitante de Cheyenne, elle-même mariée. Personne ne l'avait vue, mais tout le monde avait entendu parler d'elle. Gretchen évoqua également les malheureuses épouses d'ivrognes, et n'oublia pas de citer les femmes qui buvaient trop. Et puis, il y avait ces deux professeurs du lycée dont tous pensaient qu'ils étaient gay sans pour autant en avoir la preuve.

— Eh bien, j'ai l'impression qu'on ne s'ennuie pas, ici ! dit Jenny, complètement dépassée.

Le nombre de maris alcooliques lui paraissait inquiétant. En revanche, Gretchen ne tarissait pas d'éloges au sujet de son propre époux, Eddy, qui, à l'entendre, était un véritable saint. Pour preuve, lorsqu'il ne travaillait pas, il l'aidait à s'occuper des enfants.

— Y a-t-il les Alcooliques Anonymes à Moose ?

Gretchen secoua la tête.

— Non, mais il y a un groupe à Jackson Hole. Personne n'a jamais jugé utile d'ouvrir une antenne ici.

— Quelqu'un devrait peut-être le faire, suggéra Jenny en reprenant un brownie.

Gretchen était ravie de voir que ses attentions étaient appréciées. Elle avait été impatiente de rencontrer Jenny, qui lui plaisait déjà beaucoup. Elle paraissait honnête, ouverte et drôle. Et elle avait beau venir de New York, elle n'était pas coincée. Elle le lui fit d'ailleurs remarquer.

— En fait, je suis originaire de Philadelphie. Je suis venue à New York pour étudier la mode, et j'y suis restée. Jusqu'à maintenant. Je suis née à Pittston, une petite ville minière en Pennsylvanie. Mon père est mort quand j'avais cinq ans, dans un coup de grisou. Ma mère a déménagé après ça.

— Votre père était mineur ?

Gretchen n'en revenait pas. Elle avait imaginé que Jenny serait l'une de ces petites filles riches de New York alors qu'en réalité elle était une personne simple, pas prétentieuse pour un sou. Dans le couple, c'était Bill qui était né avec une cuillère en argent dans la bouche. Mais cela, Gretchen l'ignorait.

— Oui, mon père était mineur. Et ma mère est française. Ma grand-mère et elle confectionnaient de belles toilettes pour les dames de la bourgeoisie de Philadelphie. C'est comme ça que j'ai commencé à m'intéresser à la mode. Je voulais créer des vêtements, mais il me manquait le talent nécessaire. Je suis en fait une bien meilleure styliste.

— Si seulement j'étais aussi mince que vous ! soupira Gretchen. J'adore votre façon de vous habiller ! Par contre, vous devriez vous maquiller un peu.

Elle trouvait Jenny pâlichonne, même si elle devait reconnaître qu'elle avait une élégance naturelle. Elle avait remarqué son gros bracelet en or. Elle aurait adoré posséder un bijou de ce genre.

— J'ai toujours été mince, et je travaille plus que de raison, lui confia Jenny. Je suis en permanence stressée. Dans le monde de la mode, il y a beaucoup de tension. Etre ici me fera le plus grand bien.

Elle faillit ajouter « cette année », mais Bill et elle ne voulaient surtout pas que les gens du coin pensent que, pour eux, ils n'étaient qu'une transition. Ils tairaient le fait qu'ils se donnaient un an pour se décider.

Après une heure passée à discuter, Gretchen se leva à contrecœur.

— Je dois rentrer. J'ai confié mes deux petits à la voisine et, à l'heure qu'il est, ils ont sûrement tout saccagé chez elle. Je repasserai vous voir bientôt. N'hésitez pas à venir à la maison, vous aussi. Tout le monde sait où j'habite, vous n'aurez qu'à demander.

Elle embrassa Jenny chaleureusement.

— Il faudra me faire une séance de rattrapage sur qui couche avec qui, dit Jenny en riant, tandis qu'elle raccompagnait son invitée jusqu'à la porte. Merci pour les brownies et le gâteau. Bill sera ravi.

En montant dans le vieux pickup retapé par son mari, Gretchen salua Jenny de la main. Cinq enfants à nourrir ne laissaient que peu de place au luxe dans leur vie, et ce, même si, comme elle le disait, le garage d'Eddy marchait bien.

Jenny avait passé un bon moment en sa compagnie. Elle reçut la visite de deux autres personnes ce jour-là. Une femme assez âgée, qui se présenta comme une institutrice à la retraite, lui offrit un cake au citron. Et une certaine Debbie vint avec ses deux enfants : un bébé dans une poussette et un bambin qu'elle portait sur la hanche. Elle passait juste comme cela, pour dire bonjour, visiblement heureuse de rencontrer Jenny. Celle-ci remarqua un vilain bleu sur son visage – une chute de cheval, lui expliqua l'intéressée. Jenny lui donnait à peine vingt-cinq ans. Elle avait déjà quatre enfants. Elle ne resta pas bien longtemps et paraissait timide et nerveuse. Jenny la trouva très touchante. Elle semblait si vulnérable qu'elle avait presque envie de la serrer dans ses bras. Mais elle se contenta de jouer avec la petite pendant que Debbie allaitait le bébé. Celle-ci installa ensuite le nourrisson dans la poussette, et quelques instants plus tard, elle et sa petite famille levèrent le camp.

Alors que Jenny accrochait le cadre dans le séjour, Bill rentra pour déjeuner. Il était déjà midi passé. La jeune femme n'avait pas vu le temps filer.

— C'est chouette, dit Bill en admirant le travail de son épouse. A quoi t'es-tu occupée ce matin ? demanda-t-il avec curiosité.

— J'ai amusé la galerie ! dit Jenny, de toute évidence ravie. Les gens n'arrêtent pas de sonner à la porte avec de la nourriture dans les bras. J'ai rencontré Gretchen Marcus, dont le mari possède un garage à Moose et qui a cinq enfants. Ellen, une institutrice à la retraite. Et une gamine, Debbie Blackman, qui est venue avec deux de ses enfants. Elle avait un sale hématome, à cause d'une chute de cheval. Si tu écoutes Gretchen, la moitié de la ville est alcoolique, et l'autre a des relations extra-conjugales, poursuivit Jenny, faisant part à son époux de son nouveau savoir.

Bill paraissait surpris.

— Eh bien, je vois que tu ne t'es pas ennuyée. On ne me raconte pas tout cela, à moi !

— Je dois dire qu'entre ceux qui boivent et ceux qui sont infidèles, je m'emmêle un peu les pinceaux. Il s'en passe, des choses, à Moose.

Jenny sourit à son mari.

— Tu devrais ouvrir un groupe d'Alcooliques Anonymes à l'église, lâcha-t-elle. D'après Gretchen, le centre le plus proche est à Jackson Hole. C'est loin, surtout en hiver. Et il faudrait aussi un groupe Al-Anon, pour soutenir les familles.

— Tu parles déjà comme une femme de pasteur, dit Bill en l'embrassant. Tu vas trop vite pour moi. Si tu veux ouvrir une permanence d'Alcooliques Anonymes, vas-y. Cela ne peut pas faire de mal.

La mine de Jenny s'assombrit.

— Debbie, la femme qui est venue avec ses deux enfants, a l'air complètement déprimée, voire terrifiée. Elle me dit qu'elle s'est blessée en tombant de cheval, mais je n'y crois pas trop. Elle paraissait sur le qui-vive en m'en parlant.

— Doucement, ma chérie, lui conseilla Bill. On vient juste d'arriver. C'est bien de vouloir aider les autres, de leur tendre la main, mais il n'est pas question de s'immiscer dans leur vie ou de nous mêler de ce qui ne nous regarde pas. Je ne connais pas encore ces gens, et eux ignorent tout de nous. Au début, il faut y aller sur la pointe des pieds.

Sur la pointe des pieds... Ce n'était clairement pas le genre de Jenny. Sans plus attendre, elle téléphona à Azaya, à qui elle demanda de lui envoyer de la documentation. Elle souhaitait savoir comment monter une permanence d'Alcooliques Anonymes mais aussi un groupe Al-Anon, dont le programme en douze étapes permettait d'aider les familles touchées par le fléau de la boisson. Son assistante, d'abord surprise, fut impressionnée par l'engagement de Jenny à Moose. Elle le lui dit. Puis elles firent un point sur leurs clients. Tout se passait bien à New York, où, avec l'aide de Nelson qui était venu plusieurs fois en renfort, Azaya gérait parfaitement la situation.

Bill de son côté rappela des gens qui avaient essayé de le joindre. Un membre de la congrégation souhaitait qu'il se déplace au chevet de son père malade. Un jeune couple le sollicitait pour du conseil prénuptial. Un homme âgé, dont la voix trahissait la solitude, avait juste besoin de parler à quelqu'un. Le pasteur proposa de passer le voir dans la semaine. Jenny était heureuse pour son mari. Les habitants de la région cherchaient le contact avec lui, ce qui était fort gratifiant. Son style faisait mouche.

Jenny, cependant, souhaitait aller au centre commercial dans l'après-midi. Elle avait des achats à réaliser pour la maison – articles de quincaillerie, quelques meubles, des cintres... Et elle avait hâte de voir à quoi ressemblaient les magasins du coin.

— Ce n'est ni Paris ni New York, précisa Bill.

Mais Jenny était une femme pragmatique. Par exemple, elle adorait les quincailleries. Dans le centre commercial, elle s'amusa comme une folle à visiter toutes les boutiques. Dans une librairie où elle acheta un livre sur les femmes battues et la violence domestique, ils tombèrent par hasard sur Clay Roberts. Lorsque Bill fit les présentations, le regard de Jenny pétillait. Elle attendit le départ de Clay pour dire à son mari, à la manière d'une intrigante :

— Cet homme a une liaison avec une femme mariée de Cheyenne.

Le pasteur éclata de rire.

— Tu es sérieuse ? Tu viens d'arriver. Comment peux-tu savoir une chose pareille ? Et surtout, comment sais-tu que c'est vrai ?

— C'est ma nouvelle meilleure amie, Gretchen, qui me l'a dit. Je crois bien qu'elle connaît tous les scoops, lâcha Jenny, un sourire facétieux sur les lèvres.

— Méfie-toi, elle pourrait répandre ce genre de bruits à ton sujet.

— Mais non, voyons !

Le pasteur et son épouse remontèrent dans la camionnette et firent une halte chez un concessionnaire à l'extérieur de la ville. Jenny avait besoin de son propre véhicule. Un pickup Chevrolet 1959 jaune citron, en parfait état, attira son attention. Le vendeur leur expliqua que le moteur venait d'être remplacé et que la garniture était comme neuve.

— C'est exactement ce que je cherchais ! s'exclama Jenny, enchantée.

Le véhicule était cocasse, fou et un brin excentrique. Et qui plus est, déjà équipé de pneus neige.

— Tu devrais prendre une voiture neuve, lui dit Bill. Je n'ai pas envie que tu roules dans un vieux tacot qui a plus de vingt ans. En hiver, les conditions sont mauvaises ici.

— Mais regarde-moi ces pneus ! Et elle a dix ans, pas vingt. En plus, j'adore sa couleur.

Bill roula des yeux, comme pour dire : « Ah, les femmes et les voitures ! » Son épouse paya elle-même la vieille Chevrolet, qu'elle obtint pour une bouchée de pain. Un tel achat était typique de Jenny : de l'humour, du style, un je-ne-sais-quoi de pas banal. La plupart des gens n'auraient vu dans le pickup jaune qu'un vieux tas de ferraille. Mais avec Jenny au volant, l'engin devenait subitement chic et décalé. Bill savait qu'il ouvrirait à Jenny les portes de la célébrité locale. Elle n'allait pas passer inaperçue ! C'est aussi pour cela que Bill l'aimait. Ce soir-là, autour du dîner, ils eurent une discussion très animée. La jeune femme débordait de bonnes idées pour aider son mari.

— Pourquoi ne pas proposer aux gens de venir déjeuner dimanche, après la messe ? suggéra-t-elle soudain. Chacun pourrait apporter quelque chose.

— Chez nous ?

Bill semblait perplexe. La maison était bien trop petite pour accueillir tous les paroissiens. Et puis, qui nettoierait après leur passage ?

— Non, à l'église. Au sous-sol, il y a une grande salle, très chouette. Je suis allée voir. Gretchen m'a dit que c'est là que se tenaient les fêtes organisées par la paroisse. Ce déjeuner serait une occasion sympathique de rencontrer l'ensemble des paroissiens. Je dirai à chacun de venir avec un plat. On invite l'ensemble des paroissiens, et viendra qui veut.

Bill la regardait avec un plaisir non dissimulé. Elle tenait à la perfection son nouveau rôle. Et elle apportait une part de magie à tout ce qu'elle touchait. « Attention, Moose ! Jenny arrive ! » songea-t-il.

8

Le lendemain, Jenny trouva les noms de tous les membres de la congrégation sur le registre de l'église et les contacta un à un afin de les inviter ce dimanche après la messe. Ce serait, leur disait-elle, l'occasion pour son époux et elle de rencontrer tout le monde, ce dont ils avaient hâte. La décontraction de la femme du nouveau pasteur en désarma plus d'un. L'initiative, entreprise si peu de temps après son arrivée, était inédite. Mais Jenny était ainsi faite : elle aimait battre le fer tant qu'il était chaud. Il ne fallut pas longtemps à Bill pour comprendre que son épouse trouverait le moyen d'être aussi active dans le Wyoming qu'elle l'avait été à New York. Et tout cela pour l'aider, lui. A quelques exceptions près, la plupart des paroissiens saluèrent l'idée de Jenny. A trois heures de l'après-midi, elle avait contacté l'ensemble de la communauté et demandé à chacun de venir avec un plat. Face à un tel engouement, elle envisageait même de proposer ce genre de rendez-vous tous les mois, et pourquoi pas le soir.

Certaines paroissiennes lui demandèrent au téléphone si elle avait des enfants et furent déçues d'apprendre que ce n'était pas le cas. Jenny n'était peut-être pas mère, mais cela ne l'empêchait pas de vouloir développer à l'église des initiatives à l'adresse des plus jeunes, notamment des adolescents. Une kyrielle d'idées plus judicieuses les unes que les autres se bousculaient dans son esprit. Gretchen, à qui ce concept de déjeuner dominical plaisait énormément, promit de passer dans la semaine afin de prêter main-forte à Jenny. Et Eddy mettrait en place une équipe de nettoyage efficace – il connaissait les bonnes personnes, parmi lesquelles ses fils de douze et quatorze ans, qui seraient enrôlés d'office.

— Quel est l'intérêt d'avoir cinq gamins si on ne peut pas les exploiter un peu ? plaisanta Gretchen.

Elle était ravie que Jenny s'implique dans la vie de la communauté. Leur dernier pasteur, décédé un an auparavant à près de quatre-vingts ans, était veuf depuis quinze ans. Avant même que Bill ne vienne à Moose, tous les paroissiens s'accordaient sur deux points : leur église avait cruellement besoin de quelqu'un de plus jeune et d'une touche féminine.

Le jour suivant, Clay Roberts appela Bill pour saluer l'initiative de Jenny. Il confirma sa présence dimanche. Lorsqu'il en fit part à sa femme, le pasteur ne put s'empêcher de la taquiner :

— Je ne lui ai pas proposé de venir accompagné de la femme mariée de Cheyenne avec qui il a une liaison.

— Mince, c'est bien dommage ! J'aimerais la rencontrer, répondit Jenny, l'air déçue.

— J'en suis sûr.

Il roula des yeux avant de l'enlacer.

— Tu es déjà bien assez occupée comme cela sans avoir à te mêler de la vie sentimentale du président du conseil presbytéral, dit Bill en gloussant.

Le lendemain, la documentation sur les Alcooliques Anonymes et les groupes Al-Anon arriva par Fedex.

« Vingt kilomètres au nord de Moose, dans le Wyoming », était-il écrit sur le paquet. Jenny ne put que constater que l'adresse, bien que très elliptique, était valide. Les brochures envoyées par Azaya, accompagnées d'étoffes que Jenny devait étudier pour ses clients, se révélèrent passionnantes. Elles expliquaient comment lancer un groupe, le principe des douze étapes, le format des séances, les règles à respecter, et offraient en outre diverses suggestions pour l'animation des réunions. Mettre en place ces permanences ne parut pas sorcier à Jenny. Il fallait juste un secrétaire – office qu'elle pouvait parfaitement remplir – et se conformer à un format déterminé. Le moment venu, Jenny pourrait confier la responsabilité du groupe à un ancien alcoolique tiré d'affaire. Mais jusqu'à ce qu'elle trouve quelqu'un pour occuper cette fonction, elle avait bien l'intention de s'en charger, pour les Alcooliques Anonymes comme pour les réunions Al-Anon. Après en avoir demandé l'autorisation à Bill, Jenny placarda une affiche annonçant les deux réunions juste à l'entrée de l'église. Impossible de les rater. L'une des permanences se tenait le mardi soir, l'autre le jeudi.

Jenny appela Gretchen pour lui faire part de la création des deux groupes.

— Bravo ! la félicita celle-ci. Au début, il est probable que personne n'osera se présenter aux permanences. Mais il faut rester persévérant, les gens finiront par venir. C'est comme cela que ça marche. Je sais de quoi je parle : mon père était alcoolique. Ma mère et moi, on était des habituées des réunions Al-Anon. Mon père, par contre, n'a jamais pu se résoudre à intégrer les Alcooliques Anonymes. Il est mort d'une cirrhose à quarante-cinq ans. Si tu veux, je pourrai animer quelques réunions Al-Anon, lorsque Eddy aura la possibilité de s'occuper des enfants.

Gretchen et son mari avaient, semblait-il, une relation solide.

— Ce serait formidable, Gretchen ! Au fait, que sais-tu de Debbie Blackman ? Elle est passée me voir le même jour que toi. Elle avait un énorme bleu au visage. Ça m'inquiète un peu. Elle m'a semblé extrêmement timide et angoissée.

— Son mari est alcoolique. Tony. Ça ne m'étonnerait pas qu'il l'ait battue. Il est tombé dans la délinquance quand il était jeune. On l'a coffré plusieurs fois pour conduite en état d'ivresse et il a souvent été impliqué dans des bagarres au bar de la ville. Debbie est beaucoup plus jeune que moi, alors je ne la connais pas vraiment.

— Elle m'a tout l'air d'être une gentille fille. J'ai cru comprendre qu'elle avait quatre enfants.

— Je la croise en ville, mais on ne se parle pas. Elle n'a que vingt-cinq ans, c'est une gamine. Avant son mariage, elle travaillait comme serveuse au café. Ton groupe d'Alcooliques Anonymes ne pourrait pas faire de mal à son mari. Et Al-Anon lui ferait du bien, à elle. Cela nous a beaucoup aidées, ma mère et moi.

— On devrait peut-être mettre en place un groupe de soutien pour les femmes battues, suggéra Jenny pensivement. Il y en a beaucoup par ici ?

— Quelques-unes, oui. Cela va de pair avec l'alcoolisme. Si les hommes s'inscrivent aux Alcooliques Anonymes, il y aura moins de problèmes de violence domestique. Et puis, les femmes aussi boivent trop. Les gens s'ennuient. Ils restent cloîtrés chez eux une partie de l'année à cause de la neige. Ils se soûlent le week-end et font ça comme des lapins. Il n'y a pas assez d'activités culturelles. Les ballets, les symphonies, les opéras, le théâtre, on ne connaît pas, par ici. Pour s'amuser, on a le sexe, l'alcool et la télé, c'est tout.

Les deux femmes éclatèrent de rire, avant de se rappeler que les sujets qu'elles évoquaient étaient loin d'être drôles.

Debbie vint rendre une nouvelle visite à Jenny le vendredi matin, accompagnée de son bébé. Il faisait chaud, et elle portait un tee-shirt et une veste sans manches qui exposaient un bleu sur son bras. Debbie ne dit rien sur l'origine de cette marque, que Jenny feignit de ne pas remarquer. Elle était contente que la jeune femme se sente suffisamment en confiance pour revenir chez elle. Debbie semblait intriguée, voire même charmée par Jenny. Elle était cette fois-ci plus à l'aise et se mit à discuter de choses et d'autres tout en donnant le sein à son nourrisson. Elle expliqua qu'elle n'en voulait pas d'autres — elle avait déjà largement de quoi s'occuper avec quatre gamins. Elle ne parla pas de son mari, si ce n'est pour dire qu'ils s'étaient rencontrés au lycée et s'étaient mariés lorsqu'elle était tombée enceinte, juste après le baccalauréat. Debbie avait vingt-quatre ans, et son aîné, six. Les autres étaient âgés de quatre et deux ans, et quatre mois.

— Vous ne voulez pas d'enfants ? demanda-t-elle à Jenny.

Cette question l'intéressait, mais elle espérait ne pas avoir blessé son interlocutrice.

— Si, j'aimerais bien. J'ai eu du mal à tomber enceinte, et j'ai fait une grossesse extra-utérine il y a quelques mois. Une sacrée épreuve. Nous avons décidé d'attendre un peu avant de réessayer, dit-elle posément.

Elle s'abstint de préciser que ce drame les avait décidés à s'installer dans le Wyoming, en quête d'une vie meilleure, plus tranquille et sans doute plus propice à leur projet d'enfant.

— Comme c'est triste ! Je suis vraiment désolée, compatit Debbie.

Elle serrait son bébé contre elle. Il s'était endormi pendant la tétée. Elle-même avait l'air d'une gamine. L'hématome sur son visage s'estompait. Jenny vit que Debbie avait essayé de le camoufler avec du maquillage. En revanche, le bleu sur son bras était tout frais et bien visible. Pas joli à voir. Jenny crut distinguer une marque de main, mais préféra ne pas poser de question. Elle craignait de perdre la confiance de la jeune femme en se montrant trop indiscrète. Elle trouvait étonnant que celle-ci ait opté pour des manches courtes. Peut-être que personne ne prêtait attention à ses blessures, ni ne s'en souciait.

Lorsque Debbie se leva pour partir, Jenny lui rappela qu'il y avait un déjeuner dimanche après la messe. La jeune maman parut gênée.

— Mon mari n'aime pas que j'aille à l'église. Il pense que c'est stupide. Je n'y vais que quand il sort avec des amis. Mais, le dimanche, Tony fait la grasse matinée.

— Il vous aide avec les enfants ?

Dans un premier temps, Debbie ne répondit pas. Puis elle secoua la tête.

— Non, il travaille tard le soir. Il est serveur dans un bar de la ville.

Beau métier pour un alcoolique ! se dit Jenny.

— Il ne rentre pas avant deux heures et demie du matin, du coup, il ne se lève jamais très tôt. Il déteste que les enfants viennent le réveiller. C'est pour ça que je sors avec eux le matin. Par contre, il veut que je sois là dans l'après-midi pour lui préparer le dîner avant qu'il parte travailler. Parfois, avec les gosses, c'est de la folie.

Etant donné l'âge des bambins en question, Jenny n'avait aucun mal à la croire, surtout si son mari ne daignait pas lever le petit doigt.

— Ma mère vient parfois me donner un coup de main, mais entre moi et ma sœur, qui a deux ans de moins que moi et trois enfants, elle n'a pas le temps de s'ennuyer ! Et j'ai une autre sœur à Cheyenne.

Debbie sourit timidement. Elle installa son bébé dans le siège-auto, qu'elle transporta dehors jusqu'à sa voiture. Jenny l'accompagna. La jeune maman expliqua qu'elle empruntait le véhicule de son mari quand celui-ci dormait. Mais lorsqu'il était réveillé, elle n'avait plus aucun moyen de locomotion et était coincée à la maison avec les enfants. En voyant le pickup de Jenny, elle se mit à rire.

— Où l'avez-vous trouvé ?

— Au centre commercial, il y a deux jours, répondit Jenny en souriant. Je l'adore ! Un peu extravagant, je l'admets, mais ça me plaît ! Appelez-moi, si jamais vous avez besoin d'aller quelque part. En revanche, je crois qu'il n'y a de la place que pour un siège-auto.

Et donc, pour un seul de ses enfants, ce qui pourrait malgré tout se révéler utile, à condition que quelqu'un garde les autres – sa mère, par exemple.

— Essayez de venir dimanche, l'encouragea Jenny. Passez avec votre mari, ou avec votre mère et les enfants. Ou votre sœur. Chacun est censé apporter un plat, mais je suis sûre qu'il y aura de quoi nourrir une armée. On va bien s'amuser !

Du moins elle l'espérait. Un peu de fantaisie ne ferait pas de mal à Debbie. Elle paraissait fatiguée, ses cheveux étaient sales et en bataille, et son vernis à ongles s'écaillait. Même si la jeune maman ne l'exprimait pas avec des mots, Jenny lisait dans son regard que quelque chose ne tournait pas rond. Et ce n'était pas qu'une question de manque de temps.

Debbie la salua de la main en s'éloignant. Perdue dans ses pensées, Jenny rentra chez elle. Quelques instants plus tard, Bill revint pour déjeuner.

— Tout le monde ne parle que de ton repas dimanche, dit-il avec satisfaction.

C'était du Jenny tout craché. Elle venait à peine d'arriver et, pourtant, on avait l'impression qu'elle habitait là depuis des lustres. Le pasteur avait vu les affiches pour les réunions des Alcooliques Anonymes et le groupe Al-Anon. Il ne pouvait qu'approuver son action. Jenny offrait une main tendue à ceux qui étaient en détresse. Bill, de son côté, avait mis un point d'honneur à rencontrer tout le monde. A eux deux, ils formaient une équipe efficace, et leur intégration s'annonçait bien.

Au cours du déjeuner, Jenny parla de Debbie à son mari. Celui-ci se montra concerné, mais l'invita une nouvelle fois à la prudence :

— Laisse-la venir à toi, Jen. Si son mari pense que tu en as après lui, il s'en prendra à elle.

— C'est déjà le cas, argua Jenny avec justesse.

— Eh bien, il pourrait cogner encore plus fort. Lui ouvrir les portes de notre foyer, comme tu le fais là, voilà la méthode à suivre.

Jenny hocha la tête. Elle ne remettait pas en question son point de vue. Bill avait travaillé auprès de femmes battues lors de ses stages et connaissait les risques qu'elles encouraient. Deux de celles qu'il accompagnait avaient été assassinées. Ces drames avaient appris à Bill que la violence conjugale devait être prise très au sérieux.

Jenny passa son samedi à nettoyer la salle de réception de l'église et à installer de grandes tables. On pourrait poser la nourriture sur certaines, et se servir des autres pour déjeuner. Elle disposa de hautes piles d'assiettes, des verres et des couverts jetables. Il ne manquait rien, pas même les serviettes en papier. Le soir, tout était prêt pour le lendemain.

Le grand jour arriva. L'église était comble. Jenny fut émue d'entendre le sermon de Bill, qui avait choisi d'aborder le sujet de la gratitude. Le pasteur disait que décider d'être reconnaissant pour les petites choses plutôt que passer son temps à se lamenter sur les gros problèmes pouvait changer votre vie du tout au tout. Son prêche était émaillé d'exemples personnels. L'assemblée fut sensible à la simplicité et à la force de son message. Son humilité, couplée à sa grande humanité, touchait les gens. Bill était un homme intelligent et chaleureux, pétri de compassion, qui défendait ses convictions avec éloquence. Il vivait sa foi autant qu'il la professait.

Après la messe, les paroissiens se rendirent au sous-sol de l'église, où ils avaient déposé leurs plats avant l'office. Un véritable festin les attendait.

— Eh bien, madame Sweet, dit Gretchen, très admirative, ton déjeuner remporte un franc succès. Et toutes les femmes à la ronde sont amoureuses de ton mari. Quel bel homme, tout de même !

— Je suis bien d'accord avec toi, répondit Jenny. Mais sache qu'il m'appartient !

— Ils sont en train de succomber à ton charme aussi, la rassura Gretchen. Ton idée est formidable, je ne comprends pas comment on ne l'a pas eue plus tôt.

— Rien de tel qu'un regard neuf ! On devrait organiser un repas tous les premiers dimanches du mois.

— Je vote pour, approuve Gretchen, gardant un œil sur ses cinq enfants qui couraient en tous sens avec une ribambelle de congénères. Il y a ici des gens qui n'avaient pas mis les pieds à l'église depuis des années. Ils apprécient Bill. Alors si en plus on les nourrit, je crois qu'on tient la combinaison gagnante. On devrait peut-être proposer des soirées bingo, ajouta-t-elle pensivement.

— Et un groupe de soutien pour les femmes battues, murmura Jenny.

Gretchen acquiesça. Jenny sentait qu'elle s'était fait une nouvelle amie. Malgré leurs vies jusque-là très différentes, elles s'entendaient bien. Gretchen servait de guide à Jenny dans la communauté : comment s'y intégrer, qui était qui, quels en étaient les codes. Et Gretchen était enchantée des initiatives de la femme du pasteur, qui avait déjà donné un nouveau souffle à Moose – et Dieu sait si la ville en avait besoin.

Alors que le repas touchait à sa fin, Debbie fit son apparition avec ses quatre enfants. Elle avait profité de l'absence de Tony, sorti avec des amis, pour se joindre à l'assemblée. Elle était venue à pied, ce qui représentait une sacrée trotte pour les plus jeunes. Jenny prépara des assiettes pour les retardataires – des hot-dogs et un hamburger pour les enfants, et un bel assortiment de mets succulents pour Debbie –, puis s'assit à côté de la jeune femme pour discuter avec elle

Bill, de son côté, avait tâché de saluer tous les convives, prenant le temps de parler à chacun d'entre eux. Ce fut pour lui l'occasion de rencontrer des gens qu'il n'avait jamais vus jusqu'alors. Il eut aussi la joie de retrouver certains des paroissiens à qui il avait rendu visite. Timmie était là, accompagné de sa sœur et de sa tante. Puis Bill s'approcha de Jenny, miraculeusement seule un instant.

— J'ai l'impression d'être marié à Jackie Kennedy, plaisanta-t-il. Je sais parfaitement pourquoi ils se sont déplacés : ils rêvaient de faire ta connaissance. En fait, je suis le type qui est venu à Moose, dans le Wyoming, avec Jenny Sweet. Cela ne me dérange pas. Tout ce qui peut inciter les gens à entrer dans mon église me convient. Après, c'est Dieu qui voit. N'hésite pas à rabattre des clients !

— Ravie de te rendre service ! répondit-elle.

Quand vint l'heure pour tout le monde de partir, le jeune couple resta devant la porte afin de remercier chacun des invités. Debbie paraissait détendue et joyeuse. Elle avait retrouvé des amis qu'elle n'avait pas vus depuis le lycée. Elle avait ri, discuté et s'était amusée comme les autres Elle avait eu beau dire qu'ils n'étaient pas des grenouilles de bénitier, elle semblait parfaitement dans son élément à l'église.

Il était seize heures passées. L'équipe composée de Bill, Jenny, Gretchen, Eddy et deux de leurs enfants, plus trois femmes et deux lycéens, rangea et nettoya la salle en une heure, soit moins de temps qu'il n'en fallait pour le dire.

Ce soir-là, Bill remercia de nouveau Jenny pour tout ce qu'elle avait fait.

— Tu es une épouse de pasteur parfaite.

La jeune femme rayonnait de joie.

Lancer les groupes d'Alcooliques Anonymes et d'Al-Anon se révéla plus laborieux que d'organiser le déjeuner dominical. Nul ne souhaitait être identifié comme alcoolique ou même comme proche d'un alcoolique. La première semaine, personne ne vint. Le dimanche suivant, Bill fit une allusion discrète à ces deux groupes pendant la messe, expliquant que les réunions avaient lieu au presbytère. Quelques jours plus tard, deux femmes se présentèrent au groupe d'Al-Anon. Afin d'épauler Jenny, Gretchen se déplaça. Elle raconta ce qu'elle avait vécu avec son père.

Il fallut attendre deux semaines de plus pour qu'une femme frappe à la porte des Alcooliques Anonymes. Les hommes brillaient par leur absence. Mais c'était un début, et Jenny accueillit l'inconnue à bras ouverts. Celle-ci avoua qu'elle buvait beaucoup depuis que son mari était mort, deux ans auparavant. Ses enfants, qui étaient mariés, l'avaient encouragée à agir. En effet, elle les avait embarrassés à plusieurs occasions ces derniers temps en buvant plus que de raison lors des repas de famille. Dernier incident en date : elle s'était évanouie en plein dîner. Elle avait besoin d'aide pour que cela ne se reproduise pas à Thanksgiving. Jenny salua sa démarche, ce qui sembla toucher celle qui se faisait appeler simplement « Marie », comme l'exigeaient les règles des Alcooliques Anonymes. On ne mentionnait jamais son nom de famille. L'anonymat, véritable clé de voûte du programme, permettait à chacun de se sentir en sécurité au sein du groupe. Jenny savait qu'à la fin de chaque session il fallait rappeler aux personnes présentes de ne révéler sous aucun prétexte l'identité des autres membres et de ne jamais dévoiler ce qui s'y était dit.

A la fin de la semaine, Bill et Jenny fêtèrent tranquillement Thanksgiving en tête à tête. Ils avaient reçu plusieurs invitations, mais avaient préféré décliner afin de n'offenser personne en en acceptant une en particulier. Ils savourèrent ce moment d'intimité. Jenny avait préparé une petite volaille garnie de tous les accompagnements traditionnels.

Ils appelèrent Hélène, à Philadelphie. Elle avait prévu de passer la soirée chez des amis. Sa fille lui manquait, mais elle était ravie que les choses se passent si bien. Quand Jenny lui raconta ce qui l'avait occupée ces dernières semaines, elle se rendit compte qu'elle avait finalement accompli un sacré travail. Bill aussi, d'ailleurs. Quand il ne préparait pas ses sermons, il allait rendre visite à ses paroissiens, auprès de qui il avait une mission de conseil. Il tâchait d'accorder du temps à chacun d'eux. Le cheval qu'on lui avait prêté lui servait bien plus qu'il ne l'aurait pensé, car nombre de ses fidèles habitaient loin des routes principales. Bill avait trouvé un vieux traîneau dans une petite grange derrière l'église qu'il comptait utiliser cet hiver, enfin, si Navajo le voulait bien. L'attelage ne manquerait pas d'être pittoresque.

Après Thanksgiving, le temps fila jusqu'à Noël. A cette occasion, Jenny organisa un nouveau déjeuner ainsi qu'une vente de pâtisseries afin de récolter des fonds pour l'église. En fin d'année, la fréquentation de ses groupes augmenta. Ceux qui avaient trop bu et s'étaient mal comportés pendant Thanksgiving se présentèrent aux réunions des Alcooliques Anonymes. Et ceux qui en avaient fait les frais se tournèrent vers les permanences Al-Anon. Les deux groupes étaient un sujet de discussion récurrent au sein de la congrégation. Les réunions se tenaient désormais dans le salon de Jenny et Bill, car il pouvait accueillir davantage de monde. En moins de deux mois, le nombre de participants avait dépassé la capacité d'accueil du presbytère. Le pasteur n'en croyait pas ses yeux.

Pour la nouvelle année, Jenny s'était fixé comme objectif de démarrer le groupe de soutien aux femmes victimes de violences conjugales. Mais deux adolescentes lui firent une demande inattendue, qui bouleversa ses plans. Elles lui confièrent qu'elles adoraient sa façon de s'habiller et de se maquiller. Elles rêvaient de lui ressembler et se demandaient si la jeune femme accepterait de leur apprendre. Des amies à elles étaient également intéressées. Autant le dire carrément, Jenny était leur nouvelle héroïne. Celle-ci fut très flattée de cet engouement pour sa personne. Mais comme leur requête était une affaire de coquetterie, elle demanda à Bill son avis sur la question. Il se montra étonnamment enthousiaste.

— Cela n'a rien à voir avec la religion, objecta-t-elle. Cela ne te dérange pas ?

— Mais non, pourquoi ? Tu es la femme du pasteur, pas le pasteur. Et en leur apprenant à se maquiller, rien ne t'empêche de leur parler de certaines valeurs, d'évoquer des sujets tels que la drogue et le sexe, ou d'aborder des questions qui leur tiennent à cœur. A mon sens, un tel atelier serait une excellente occasion d'amorcer un dialogue avec les jeunes du coin et de leur donner envie d'aller à l'église.

Jenny contacta donc les deux adolescentes pour leur annoncer qu'elle les accueillerait chez elle après le nouvel an. Elle leur proposa un créneau le vendredi après-midi afin de ne pas perturber leur vie sociale du samedi ni empiéter sur l'heure des devoirs. Les parents seraient ainsi moins susceptibles de s'opposer à ce rendez-vous hebdomadaire. Les jeunes filles furent enthousiastes. Toutes deux avaient quatorze et quinze ans, comme la plupart de leurs amies qui voulaient venir, à l'exception de l'une d'elles, un peu plus jeune.

Pour préparer ce nouvel atelier, Jenny demanda à Azaya de lui envoyer plusieurs ouvrages. Certes, elle avait souvent observé les maquilleuses exercer leur art délicat sur les mannequins, mais elle ne l'avait jamais pratiqué sur quiconque. Elle-même préférait rester au naturel la plupart du temps. Azaya lui promit que Nelson se chargerait de lui faire parvenir des échantillons de produits de beauté et la rassura sur leurs affaires professionnelles : aucun de leurs clients ne se plaignait de la nouvelle organisation. Jenny les appelait une fois par semaine pour garder le contact, et un peu plus souvent en cas de problème. Jusqu'alors, elle les avait bien gérés à distance, car Azaya et Nelson répondaient parfaitement à leurs besoins sur place.

La veille du réveillon de Noël, Bill célébra un office spécial avec des chants et, le 24 décembre, il y eut une messe de minuit. Celle-ci attira les foules. Le 25, Bill et Jenny rendirent visite à nombre de paroissiens, accordant une attention toute particulière aux personnes malades ou âgées. Ce fut une journée très gratifiante. Le soir, ils se souhaitèrent un joyeux Noël et échangèrent leurs cadeaux. Bill avait pris pour Jenny une veste bien chaude, un chapeau et de jolies bottes de cowboy en lézard noir avec une ceinture assortie. Ainsi qu'une paire de dés en peluche à accrocher au rétroviseur de son pickup jaune. Jenny lui avait acheté des bottes qui ressemblaient étonnamment à celles qu'elle venait de recevoir, deux gros pulls qu'il pourrait mettre lors de ses tournées, un appareil photo dont il rêvait depuis longtemps, des gants d'équitation et un Stetson noir identique à celui de Clay – Bill l'adorait, et il lui allait à ravir. Gus, qui grandissait à vue d'œil, eut droit à une nouvelle laisse. Timmie était venu le voir à plusieurs reprises. Lui et Bill devenaient de bons amis. Le jeune garçon avait confié au pasteur que son père lui manquait terriblement.

Leur ancienne vie leur paraissait désormais à des années-lumière, et il semblait difficile de croire que Bill n'était arrivé que trois mois plus tôt, et Jenny deux. Lorsque la jeune femme retourna à New York à la fin janvier pour préparer les défilés, elle eut l'impression d'atterrir sur une autre planète. A son plus grand soulagement, ses clients se portaient bien. Ils étaient heureux de la voir et appréciaient qu'elle ait fait le déplacement pour les aider. Au cours des semaines précédentes, elle s'était longuement entretenue avec eux par téléphone au sujet de leurs choix et avait même participé à distance à la sélection des mannequins pour les podiums.

Quand vint le moment de quitter New York, la jeune femme ne ressentit aucun regret. Elle était heureuse de rentrer chez elle, à Moose. Là-bas, tout le monde l'accueillit en lui disant qu'elle leur avait cruellement manqué. Gretchen tout particulièrement. Jenny lui avait rapporté des vêtements qui lui allaient à merveille, ainsi qu'un bracelet, qu'elle adora.

Dès son retour, Jenny mit en place l'atelier du vendredi après-midi avec les adolescentes : celles-ci souhaitaient apprendre la mode et le style en plus de l'art de se maquiller. Spontanées et pleines d'humour, elles n'eurent aucun mal à se confier à Jenny. Rapidement, elles parlèrent de garçons, de sexe, de drogue, de contraception, mais aussi de leurs relations avec leurs parents. Certaines projetaient de poursuivre des études supérieures et de quitter le Wyoming, d'autres étaient terrorisées à l'idée de s'éloigner du cocon dans lequel elles avaient grandi. Chaque semaine, de nouvelles adolescentes venaient grossir les rangs.

En un mois à peine, l'atelier comptait déjà quinze filles. En février, Jenny dut, victime de son succès, scinder le groupe en deux. Grâce à ses conseils, ses élèves paraissaient nettement plus soignées et plus élégantes : elles avaient des coupes de cheveux qui ressemblaient à quelque chose, des ongles impeccables, un maquillage discret et des tenues moins tape-à-l'œil. Même leurs parents étaient épatés.

Jenny savait s'y prendre avec les ados, et celles-ci le lui rendaient bien. Au moment de la Saint-Valentin, elles décidèrent d'organiser une fête-surprise pour leur coach afin de lui témoigner leur attachement. Elles préparèrent des cupcakes sur lesquels elles dessinèrent ses initiales et commandèrent des tee-shirts avec leur photo imprimée à l'intérieur d'un gros cœur. Elles se surnommaient entre elles « les filles de Jenny ». A Moose, être l'une d'elles vous plaçait très haut sur l'échelle sociale.

A la même période, Jenny lança le groupe de soutien aux femmes victimes de violences conjugales. Le démarrage fut aussi laborieux que pour les Alcooliques Anonymes, mais le bouche-à-oreille ne tarda pas à fonctionner, et, à la fin du mois de février, six femmes se retrouvaient dans son salon tous les lundis soir. Elles mentaient à leurs maris, qui les croyaient à un cours de broderie. D'ailleurs, « l'atelier de broderie » était le nom de code par lequel elles désignaient leur rendez-vous du lundi. Toutes les femmes des environs savaient ce qui se cachait derrière cette appellation. Jenny fut déçue que Debbie ne les rejoigne pas. Elle eut beau essayer de la convaincre, la jeune femme était persuadée que son mari la tuerait s'il apprenait qu'elle s'y rendait. Jenny cessa d'insister. Coquards et hématomes apparaissaient régulièrement sur Debbie, qui ne prétextait plus s'être cognée contre une porte ou être tombée de cheval. Elle savait que Jenny connaissait l'origine de ces bleus. Dès qu'il avait trop bu ou que les enfants lui tapaient sur les nerfs, faisaient trop de bruit ou le réveillaient, ce qui arrivait souvent, Tony se vengeait sur elle. Malheureusement, Debbie ne pouvait se résoudre à le quitter. Elle avait trop peur de sa réaction.

Assez tristement, l'histoire se répétait. En effet, sa mère avait été victime de violences conjugales jusqu'à la mort de son époux. Debbie avait grandi dans un environnement violent et croyait que c'était son destin de servir de punching-ball à son mari quand celui-ci avait besoin de se défouler. Elle n'avait pas d'argent, pas de travail, et nulle part où aller. Et puis, si elle partait, que ferait-elle de ses quatre enfants ? Aucune de ses deux sœurs ne pouvait l'accueillir avec toute sa famille. A vingt-quatre ans, elle se trouvait dans une impasse. Jenny en était bouleversée. Elle évoquait régulièrement cette situation avec Bill. Tous deux craignaient qu'une intervention de leur part n'envenime la situation.

Quelques jours après la Saint-Valentin, Jenny découvrit qu'elle était enceinte. Echaudés par leur première expérience malheureuse, le couple opta pour la prudence et ne laissa pas éclater sa joie. Ils n'annoncèrent la nouvelle qu'à Hélène et à Gretchen. Jenny continua à animer ses différents groupes et se sentait en pleine forme. Elle était suivie par un médecin de Jackson

Hole. Tout se passait bien, et elle était persuadée qu'elle ne ferait pas de nouvelle grossesse extra-utérine. Mais, par un dimanche après-midi paisible, alors qu'elle regardait un film pelotonnée contre Bill dans le canapé, la jeune femme commença à ressentir des spasmes dans le ventre. Dans la salle de bains, elle s'aperçut qu'elle saignait. Elle était alors enceinte de huit semaines. En revenant dans le salon, Jenny pleurait à chaudes larmes.

— Que se passe-t-il ?

Bill lui jeta un regard paniqué. Le souvenir de la fausse couche le hantait. Jenny appela le médecin, qui lui dit de venir immédiatement dans son cabinet. Par mesure de précaution, il la fit hospitaliser. Bill resta aux côtés de sa femme pour lui tenir la main et lui prodiguer des paroles rassurantes pendant la nuit. Ses spasmes s'accentuèrent, se transformant en contractions. Le matin venu, Jenny avait perdu le bébé. Blottie dans les bras de Bill, elle donna libre cours à ses sanglots. Sa vie n'était pas en danger, mais le résultat était le même : elle avait fait une fausse couche. Après un curetage, on la laissa rentrer chez elle. Elle se sentait au trente-sixième dessous. D'après le médecin, certaines femmes ne pouvaient pas mener leur grossesse à terme. C'était peut-être son cas, même si le diagnostic était difficile à poser. Le docteur leur conseilla d'envisager l'adoption, mais ni l'un ni l'autre n'en avaient pour l'instant envie. Ils n'étaient pas prêts à s'engager dans cette voie-là.

— Ce n'est pas la fin du monde, ma chérie, lui chuchota Bill tendrement.

Il était tout aussi effondré qu'elle mais se consolait en se disant que cette fois-ci, au moins, la vie de sa femme n'avait pas été menacée. Il en était reconnaissant. Cependant, deux faux espoirs en six mois... Il fallait encaisser le coup, et Jenny était profondément déprimée. Gretchen la remplaça pour la réunion du groupe des femmes battues. Ces dernières furent navrées d'apprendre que Jenny était souffrante, même si elles ignoraient les véritables raisons de sa convalescence. Une fois la séance terminée, Gretchen monta voir son amie. Elle s'assit au bord du lit.

— Je suis désolée, Jenny. La vie est injuste. La moitié des femmes de cette ville se sont mariées parce qu'elles se sont retrouvées enceintes alors qu'elles ne le voulaient pas. Et toi qui rêves d'avoir un bébé, tu n'y arrives pas...

Gretchen portait un pantalon que Jenny lui avait rapporté de New York. Il lui allait comme un gant. Décidément, les femmes de Moose étaient de plus en plus chics.

— Pourquoi vous n'essayez pas d'adopter, avec Bill ? Cela ne vous empêchera pas d'avoir un enfant biologique. Au contraire, peut-être que vous aurez moins la pression et que ça marchera.

— Si je retombe enceinte, il y a de fortes chances pour que je perde le bébé, répondit Jenny, la voix empreinte de tristesse.

— Il y a plein de filles qui se retrouvent au foyer Sainte-Marie-des-Montagnes et qui veulent confier leur enfant à l'adoption. Tu devrais leur parler, suggéra doucement Gretchen.

Jenny ne savait pas trop quoi en penser, mais il était hors de question qu'elle passe le reste de sa vie sans enfant. Après le départ de Gretchen, elle parla à Bill du foyer Sainte-Marie. Certaines mères célibataires avaient à peine douze ou treize ans. Aux yeux de Jenny, leur situation était littéralement tragique. Elle nota dans sa tête d'aborder une nouvelle fois le sujet de la contraception avec ses adolescentes du vendredi. Si l'une de ses protégées atterrissait à Sainte-Marie, elle ne se le pardonnerait pas.

Ce soir-là, après en avoir longuement discuté, Bill et elle en vinrent à la conclusion qu'il était bien trop tôt pour prendre la décision d'adopter. Jenny souhaitait tenter encore sa chance, même si elle savait que sa fausse couche n'avait rien à voir avec son mode de vie, car elle n'était ni stressée ni débordée. Elle s'efforçait de voir le bon côté des choses : cette expérience malheureuse avait été tout de même moins traumatisante que la précédente, et elle avait pu tomber enceinte avec un seul ovaire et une seule trompe.

Au cours de la semaine, Gretchen anima l'ensemble des groupes afin que son amie puisse rester coucher. Jenny avait besoin de repos mental. Finalement, elle quitta sa chambre vendredi pour retrouver ses adolescentes. Elle ne voulait pas les laisser tomber. Elle avait du nouveau maquillage pour elles, des piles de magazines, et un livre qu'elle souhaitait leur montrer. Ensemble, elles évoquèrent bien des sujets, dont la question de la contraception. Jenny leur rappela à quel point il était important d'assumer leurs actes. Pas question de s'en remettre à la chance ou aux phases de la lune pour se protéger. Si elles avaient une sexualité active, alors il leur fallait absolument un moyen de contraception. Toutes semblaient d'accord avec elle. Passer du temps avec ses élèves lui remonta un peu le moral. Pour la première fois de la semaine, elle se sentit mieux. Elle reprenait pied.

Après l'atelier, une fille nommée Lucy s'attarda chez elle. Elle était en seconde et avait laissé entendre à plusieurs reprises lors de leurs réunions que son père battait sa mère lorsqu'il avait trop bu. Jenny avait suggéré à la jeune fille de dire à sa mère de rejoindre l'un de ses groupes. Mais cela n'avait rien donné.

— Tout va bien à la maison ? s'enquit-elle en lui tendant un Coca.

Lucy haussa les épaules. Elle était jolie, avec ses yeux noirs et ses cheveux bruns. Elle avait quelque chose d'exotique, et, sans doute à cause de ses formes, elle semblait un peu plus femme que les autres. Jenny savait que cela n'était pas forcément facile à vivre pour une adolescente de son âge. Les garçons plus âgés avaient tendance à ne pas lâcher les filles comme elle, les poussant à faire des choses qui finissaient par leur échapper totalement. Jenny encourageait ses protégées à éviter les situations qui les mettaient mal à l'aise ou qui leur paraissaient dangereuses. Malheureusement, c'était loin d'être évident...

— A la maison, ça va, je dirais. Ces jours-ci, mon père s'est calmé. Ma mère répète tout le temps qu'il faut qu'on essaie de ne pas le mettre en colère.

Jenny savait que Lucy avait un frère aîné de dix-huit ans qu'elle n'avait pas vu depuis deux ans. Il s'était enfui de la maison et vivait à Laramie, où il travaillait pour un spectacle de rodéo. Cela avait plongé leur père dans une rage dont il n'était jamais sorti et qui s'abattait sur tous les membres de la famille. En particulier sur sa femme, à qui il reprochait d'avoir facilité la fugue de leur fils en lui servant de chauffeur. Ce que cet homme était incapable de voir était qu'il était parti à cause de lui.

— Jenny, reprit Lucy avec hésitation. Je crois que j'ai un souci. Du genre de ceux dont on a parlé ce soir.

Jenny devina qu'il s'agissait de contraception, ou alors d'un garçon insistant à qui il était difficile de résister, probablement par crainte qu'il ne perde son sang-froid ou parce qu'il était mignon. Toutes les jeunes filles du monde avaient les mêmes problèmes.

— Cela concerne un garçon ? lui demanda-t-elle doucement.

Lucy hocha la tête.

— En quelque sorte. C'est quelqu'un que j'aimais vraiment bien. On est allés ensemble à la soirée d'Halloween du lycée. Il est en terminale ; il ne savait pas que j'étais en seconde. Je lui ai dit que j'avais seize ans.

Avec le corps qu'elle avait, c'était facile à croire. Et elle n'était pas la première fille à mentir sur son âge pour attirer des garçons plus vieux.

— Mon père ne voulait pas que j'aille à cette fête, alors je lui ai menti aussi. Ma mère était au courant, par contre. Je lui dis toujours la vérité.

Jenny hocha la tête.

— C'est très important que quelqu'un sache où tu vas. Au cas où il t'arriverait quelque chose.

— Il m'est arrivé quelque chose, rétorqua Lucy amèrement, les yeux gonflés de larmes. Il avait une bouteille de bourbon dans la poche. J'en ai bu un peu, et ça m'a rendue malade. Et puis j'en ai bu plus. Je n'ai aucune idée de ce qui s'est passé ensuite. Je crois qu'on l'a fait, mais je ne m'en souviens plus. Il m'a ramenée à la maison, et je suis allée directement me coucher. Le lendemain, impossible de savoir si j'avais rêvé ou si c'était vrai. Et je ne voulais pas lui poser la question. Il ne m'a jamais rappelée, il n'a plus cherché à me revoir. Alors je me suis dit que peut-être je ne l'avais pas fait... Mais je crois qu'on a quand même... Je suis perdue !

Elle se mit à sangloter.

— Tu sais, Lucy, il existe un moyen d'être sûre, essaya de la rassurer Jenny. Si tu vas voir un médecin, il pourra te dire si tu es encore vierge.

A ces mots, Lucy souleva sa chemise, révélant une bosse, comme une petite balle ronde dans son ventre. Jenny s'efforça de ne pas paraître choquée. Elle ne voulait pas que l'adolescente se sente jugée.

— Après Halloween, je n'ai plus eu mes règles, reprit Lucy d'une voix faible. Je me suis dit que peut-être elles s'étaient arrêtées, parce que cela ne fait pas très longtemps que je les ai, et ça arrive parfois. Mais là, mon ventre n'arrête pas de grossir... Je ne peux même pas lui dire, il a changé d'école. Mon père va me tuer s'il l'apprend. Et il tuera ma mère aussi.

Lucy s'effondra à côté de Jenny, qui passa un bras autour d'elle. Elle fit un rapide calcul mental. On était en mars. Lucy était enceinte de cinq mois. Quatre jours plus tôt, elle-même avait perdu son bébé qu'elle désirait plus que tout, alors que cette jeune fille, qui ne se souvenait même plus d'avoir eu des rapports sexuels, allait avoir un enfant qui gâcherait sans doute son existence. La vie était cruelle. En attendant que l'adolescente retrouve son calme, Jenny réfléchit au moyen de lui venir en aide.

— Souhaites-tu que je t'accompagne quand tu en parleras à tes parents ? suggéra-t-elle.

Après un moment d'hésitation, Lucy hocha la tête.

— Ne laissez pas mon père faire du mal à ma mère, implora-t-elle. Il s'en prendra à elle.

— Cela n'arrivera pas, dit Jenny, en espérant avoir raison. Quand veux-tu que je vienne ?

— Demain ? Mon père sort, le samedi. Il va au bar avec ses amis. Ma mère et moi, on sera seules.

— A quelle heure ?

— Midi, ça irait ? Il sera déjà parti. Ma mère passe la journée à faire des lessives.

— Tu peux compter sur moi, dit Jenny.

Elle serra Lucy dans ses bras. Quelques minutes plus tard, la jeune fille prit congé. Jenny monta à l'étage pour tout raconter à Bill.

— La pauvre gamine ! s'exclama-t-il.

Les parents de Lucy ne fréquentaient pas l'église, mais le pasteur avait aperçu l'adolescente à l'atelier du vendredi après-midi. Les groupes animés par Jenny n'étaient pas réservés aux paroissiens, ce que le pasteur approuvait.

— Comment crois-tu qu'ils vont réagir ?

— Je n'en ai pas la moindre idée. Son père s'en prend à sa femme quand il a trop bu. Lucy n'a que quatorze ans, cette grossesse risque de ne pas lui plaire du tout... Je vais profiter qu'il ne soit pas là demain pour aller discuter avec la mère. Lucy n'aura sans doute pas d'autre choix que de mettre au monde son bébé ; elle est enceinte de cinq mois. C'est une aberration qu'une gamine de cet âge ait un enfant. Elle est encore si jeune !

Cette histoire aida le couple à relativiser ses propres problèmes. Le lendemain matin, Jenny se leva de bonne heure. Peu avant midi, elle était en route pour la maison de Lucy dans son pickup jaune. La jeune fille l'attendait à l'extérieur.

Elles entrèrent ensemble. La mère de Lucy, Maggie, était en train de plier du linge dans la cuisine en fredonnant. Lorsqu'elle aperçut Jenny dans la pièce, elle fut extrêmement surprise. Elle la connaissait de vue, et savait que sa fille participait à son atelier.

— Quelque chose ne va pas ?

Elle interrogea sa fille du regard.

— Tu as fait quelque chose de mal à l'atelier ?

Sa voix, accusatrice, était chargée d'angoisse. Lucy, dont les yeux s'emplissaient de larmes, secoua la tête.

— Non, absolument rien, répondit Jenny à sa place.

Cela troubla encore davantage la mère. Elle semblait être une femme nerveuse, et s'était empressée d'accuser sa fille. Lucy l'avait souvent répété au groupe : sa mère passait son temps à lui reprocher des choses.

— Je suis enceinte, déclara l'adolescente avant d'éclater en sanglots.

La jeune fille passa ses bras autour du cou de sa mère, qui se mit également à pleurer. Jenny les invita à la table de la cuisine. Elles reprirent tout depuis le début. Bouleversée, Maggie ne cessait de demander à Lucy comment elle avait pu faire une chose pareille. Mais c'était bel et bien arrivé. La nature, une bouteille de bourbon et un garçon particulièrement persuasif... Et à présent, un bébé dont personne ne voulait grandissait en elle.

Maggie dit que son mari allait les tuer toutes les deux. Jenny proposa d'être là quand elles lui annonceraient la nouvelle. La mère prit alors un air terrifié : cela risquait d'envenimer la situation. Elle remercia Jenny de son aide, mais il fallait à présent que le problème soit réglé en famille. Lucy irait à Sainte-Marie avant que les gens apprennent ce qui s'était passé. Et elle confierait son enfant à l'adoption. C'était terriblement déprimant.

Lorsque Jenny rentra chez elle, elle était bouleversée. Elle retourna le problème avec Bill dans tous les sens. Malheureusement, ils n'avaient aucune solution à proposer à cette famille en détresse.

Le lendemain matin, à huit heures, Lucy se présenta chez eux. Elle avait couru depuis sa maison. Sa mère allait l'emmener au foyer Sainte-Marie dans la matinée, comme elle l'avait dit. Son père ne voulait plus la voir jusqu'à ce qu'elle ait accouché et abandonné l'enfant. Quand il avait cherché à s'en prendre à elle, l'adolescente ne s'était pas laissé faire, et il s'était vengé sur sa mère, la frappant encore et encore.

Quand elle eut terminé de relater ces tristes événements à Jenny, Lucy la remercia, jetant ses bras autour de son cou, avant de repartir en courant chez elle, à l'autre bout de la ville. Jenny promit de lui rendre visite au foyer. Elle savait que les autres filles, ne la voyant pas pendant plusieurs mois, se douteraient de ce qui lui était arrivé. Lucy reviendrait peu de temps après son accouchement, en juillet normalement. Donner naissance à un bébé, l'abandonner quelques heures plus tard... Lucy ne serait plus jamais vraiment la même après une telle épreuve et passerait sans doute le restant de ses jours à se demander où était son enfant.

Cette tragédie hanta Jenny toute la journée. Le lendemain matin, elle alla voir Maggie. Elle la trouva en larmes dans sa cuisine, affublée d'un coquard. La femme lui jeta un regard désespéré. Comme de nombreuses victimes de violences conjugales, elle semblait avoir perdu tout espoir et n'entrevoir aucune issue à sa situation. Jenny compatissait. Elle lui parla de ses différents groupes et l'exhorta à venir. Maggie répondit qu'elle essayerait. Cependant, l'idée paraissait la terrifier. Aussi Jenny n'en revint-elle pas lorsqu'elle se présenta le soir même. Elle avait l'air pétrifiée, mais elle était là.

Le jour suivant, Jenny rendit visite à Lucy, qu'elle trouva déprimée, pour ne pas dire dévastée. Les religieuses, qui se montraient très prévenantes à son égard, dirent à Jenny que le médecin avait confirmé l'arrivée du bébé en juillet. Elles feraient en sorte de confier l'enfant à une bonne famille, et l'adolescente pourrait retourner chez elle tout de suite après l'accouchement.

Lucy s'accrocha à Jenny en sanglotant, l'implorant de ne pas la laisser au foyer. Mais c'était impossible de faire autrement. Jenny resta longtemps à ses côtés afin d'essayer de la consoler. Au bout d'un moment, Lucy se tourna vers Jenny, posant sur elle des yeux hagards.

— Vous adopterez mon enfant, Jenny ? Je sais que vous voulez en avoir un. Je ne veux pas que quelqu'un d'autre que vous s'en occupe. Je suis sûre que vous serez une mère formidable. Le bébé n'aura pas à savoir qui je suis. Mais moi, je saurai où il est.

Ces propos bouleversèrent Jenny, même si, assez bizarrement, la proposition pouvait paraître providentielle. Et si Gretchen avait raison ? Et si adopter cet enfant était la solution pour tout le monde ? Jenny ne savait plus quoi penser.

— Je vais en parler à Bill, promit-elle.

Quand Jenny prit congé, Lucy semblait apaisée. La femme du pasteur était profondément secouée par ce qu'elle avait vu au foyer. Une vingtaine de filles originaires des comtés avoisinants se trouvaient toutes dans la même situation : elles attendaient d'accoucher, d'abandonner leur enfant et de rentrer chez elles. Certaines paraissaient même plus jeunes que Lucy. Jenny alla immédiatement trouver Bill. Il était assis à son bureau, occupé à rédiger son prochain sermon. Il savait où Jenny avait passé l'après-midi, et l'inquiétude dans le regard de sa femme ne manqua pas de l'intriguer. Elle s'assit en face de lui.

— Elle aimerait que l'on adopte son bébé, dit Jenny d'une voix étranglée. J'ignore si ses parents seraient d'accord, mais c'est une idée. Cela ne nous empêchera pas d'avoir un enfant biologique, ajouta-t-elle tristement, se demandant si cela était vrai.

— Et toi ? C'est ce que tu veux ? demanda Bill avec douceur.

Son étonnement était manifeste. Adopter le bébé de Lucy ne leur avait jusqu'alors pas même traversé l'esprit. Etaient-ils vraiment prêts pour cela ?

— Prenons le temps d'y réfléchir, d'accord ? suggéra Bill posément. Nous pourrons en discuter avec ses parents dans quelques jours.

Jenny était entièrement d'accord avec Bill. Elle ne voulait en aucun cas se précipiter. Tout cela était arrivé si vite !

Ils passèrent le week-end à étudier la question. L'idée était séduisante. La solution semblait taillée pour eux, et arrangerait Lucy comme ses parents. Bill contacta donc ces derniers afin de convenir d'un rendez-vous. Lorsque, le dimanche suivant, ils se virent après la messe, le couple leur proposa d'adopter l'enfant. Maggie parut immédiatement soulagée. Le père voulut établir un contrat stipulant qu'ils ne dévoileraient jamais à personne qui était la mère biologique du bébé. Ils pourraient prétendre l'avoir adopté à New York. Les deux parties parvinrent assez aisément à un accord et s'engagèrent à en informer le foyer Sainte-Marie. Jenny souhaitait être présente au moment de l'accouchement, aux côtés de Lucy et de Maggie. Cela ne sembla pas poser de problème au père de la jeune fille. De toute évidence, il avait bu avant leur arrivée, et, à peine le marché conclu, il se rua hors de la maison en claquant la porte. Jenny serra Maggie dans ses bras. La pauvre femme était en larmes.

Après leur visite, Maggie se présenta de nouveau au groupe de soutien pour femmes battues. Cette fois-ci, tout en elle exprimait une profonde détermination. Elle déclara qu'elle ne voulait plus se laisser malmener par son mari. Et elle vivante, il était hors de question que cette brute lève la main sur leur fille lorsque celle-ci reviendrait à la maison. Au téléphone, Lucy avait confié à Jenny que ses relations avec sa mère s'étaient améliorées. Visiblement, le groupe de parole avait un effet bénéfique sur Maggie.

Plus tard dans la semaine, Jenny se rendit au foyer pour annoncer la bonne nouvelle à Lucy. Celle-ci parut profondément soulagée. Tout ce qu'elle souhaitait était de savoir son bébé entre de bonnes mains.

De leur côté, Bill et Jenny étaient sur un petit nuage.

— J'ai du mal à croire ce qui nous arrive, dit Jenny à son mari ce soir-là. Nous allons avoir un enfant !

Bill lui sourit et la prit dans ses bras. Ils avaient quatre mois pour se préparer au plus grand jour de leur vie : celui où ils ramèneraient leur bébé à la maison. Il importait peu à Jenny de ne pas le mettre au monde elle-même. Elle serait là au moment de sa naissance. Bill aurait aimé pouvoir assister à l'événement également, mais il ne souhaitait pas mettre Lucy mal à l'aise. Il lui faudrait donc attendre que le nouveau-né quitte la salle d'accouchement dans les bras de Jenny.

Le sort ne leur semblait plus si cruel. Ils avaient perdu deux enfants biologiques, mais voilà qu'une gamine de quatorze ans leur permettait de réaliser leur rêve. C'était le plus beau cadeau qu'on puisse leur faire. Jenny confia par la suite à Lucy que, chaque fois qu'elle la voyait, elle la remerciait intérieurement de ce présent. Désormais, quand ils se retrouvaient tous les deux, Bill et Jenny ne parlaient plus que de l'enfant à venir. La jeune femme finit par avouer à Gretchen qu'ils allaient adopter, mais précisa qu'ils ne connaissaient pas les parents biologiques. Son amie était ravie pour eux. Jenny en avait bien sûr parlé à sa mère aussi. Hélène se montra heureuse pour eux, quoique prudente. Elle espérait que tout se passerait bien. Car qu'adviendrait-il si la mère changeait d'avis ? Sa fille serait tellement déçue... Mais Jenny la rassura : cela ne se produirait pas.

La jeune femme déplaça son bureau dans un coin du salon. En mai, le couple commença à préparer la chambre du bébé. Et, tandis qu'ils attendaient l'arrivée du nouveau-né, Bill ne manqua aucune occasion de dire à Jenny qu'il l'aimerait jusqu'à la fin des temps.

9

Un matin de juin, alors que Jenny était occupée à peindre la chambre du petit, on sonna à la porte. Bill était allé voir Clay Roberts au sujet de réparations nécessaires à l'église ; ce dernier, en tant que président du conseil presbytéral, avait son mot à dire sur la question. La jeune femme descendit pour ouvrir et se retrouva nez à nez avec Debbie, entourée de ses trois enfants et son bébé dans les bras. Un énorme coquard la défigurait, et son bras était dans une écharpe.

— Aide-moi, Jenny ! la supplia-t-elle sans préambule.

Jenny s'écarta immédiatement pour laisser entrer toute la famille. Les bambins étaient en pyjama, et Debbie s'était visiblement habillée à la hâte. Mis à part un sac de courses rempli de couches et de quelques encas, elle n'avait emporté aucune affaire personnelle.

— Asseyez-vous, les enfants, dit Jenny. Je vais vous donner un jus de fruits.

Elle sortit du frigo diverses boissons, servit un café à Debbie, puis les deux femmes s'éloignèrent.

— Que s'est-il passé ? demanda Jenny, très inquiète.

— Il a dit qu'il allait me tuer, répondit Debbie dans un murmure rauque. Il pense que je l'ai trompé, ce qui est faux. Il est complètement taré ! L'un de ses amis est venu m'aider à réparer le berceau de Mikey. Il a dû lui en parler au bar, parce que, quand Tony est rentré, il m'a poussée dans l'escalier et m'a fait un œil au beurre noir. Je vais aller chez ma sœur à Cheyenne. Elle peut nous accueillir le temps que je trouve un travail. Je n'ai rien dit à personne. J'ai décampé quand il est sorti. Il est fou. Je crois qu'il est capable de me tuer. Il a commencé à prendre des amphétamines, et il boit en permanence maintenant. Je ne peux plus rester là-bas. Il va finir par faire quelque chose de très grave, à moi ou aux enfants.

Jenny était soulagée que Debbie trouve finalement le courage de partir. Jeune comme elle l'était, une nouvelle vie plus heureuse l'attendait sans doute quelque part.

— Comment comptes-tu te rendre à Cheyenne ? demanda-t-elle.

Elle lut dans le regard de Debbie que celle-ci était perdue. La jeune femme n'avait pas du tout planifié sa fuite. Elle s'était contentée de jeter des couches dans un sac, de prendre ses enfants et de déguerpir avant le retour de Tony. Or Cheyenne se trouvait à sept ou huit heures de route. Il y avait bien un bus, mais elle n'avait pas d'argent, et si par malheur Tony l'apercevait à la gare routière, il la forcerait à rentrer à la maison.

— Je t'emmène, dit Jenny sans hésiter.

Le temps était compté. Debbie avait une longueur d'avance sur Tony, qu'il s'agissait de ne pas perdre. Tony ne comprendrait pas tout de suite ce qu'il se passait. Il penserait d'abord que sa femme et ses enfants étaient sortis faire un tour. Il fallait donc en profiter.

— Vraiment ? Tu ferais ça ?

— Oui, on y va !

Elles prendraient la camionnette de Bill. Elle était équipée de sièges à l'avant et à l'arrière et de six ceintures au total. Bien sûr, il n'y avait pas de siège-auto pour le bébé, mais Debbie pourrait s'asseoir derrière et le tenir dans ses bras tandis que les plus grands seraient attachés. Voyager dans ces conditions serait de toute façon moins risqué que de rester dans leur maison.

Jenny laissa un mot à Bill : « Désolée d'avoir détourné ton véhicule. Tu peux prendre le mien. J'en ai pour un moment. Je t'appellerai dès que possible. Ne t'inquiète pas, tout va bien. C'est pour la bonne cause. Je t'expliquerai. Je t'aime, J. » Elle n'en disait pas plus, car que se passerait-il si Tony s'introduisait chez eux et découvrait son message ? Elle ne prit pas la peine de nettoyer la peinture sur ses doigts et attrapa son sac à main au vol. Puis elle aida Debbie à installer les enfants à l'intérieur. Elle voulait conduire la petite tribu hors de la ville le plus rapidement possible. Debbie avait enfin fait le bon choix. Ce n'était pas le moment de reculer ou de douter.

Jenny roula pendant deux heures, jusqu'à ce que les enfants crient famine. Elle fit alors une halte au Burger King et acheta de quoi manger. Après le repas, tout le monde s'endormit. Pendant de longues heures, Jenny eut le silence pour seul compagnon. Même Debbie avait succombé au sommeil. Elle s'était affaissée sur la banquette arrière, le bébé dans les bras. La ceinture de sécurité les protégeait. Jenny alluma la radio afin de se maintenir éveillée et se distraire un peu. Il était presque quatre heures de l'après-midi quand ses passagers se réveillèrent. Ils étaient sur la route depuis six heures, et il en faudrait au moins deux autres pour atteindre Cheyenne. Les enfants avaient encore faim, mais Debbie ne voulait pas s'arrêter.

La sœur de Debbie était son portrait craché ; elle donnait une bonne idée de ce à quoi ressemblerait la jeune femme dans quelques années. Elle accueillit sa cadette en la serrant très fort contre elle, puis remercia chaleureusement Jenny de l'avoir conduite jusqu'à elle. Dans le salon, une ribambelle d'enfants couraient dans tous les sens. La pièce était jonchée de jouets. Jenny aperçut le beau-frère de Debbie qui venait juste de rentrer du travail et regardait la télévision, une bière à la main. Elle ne s'attendait pas à ce que la maison soit minuscule à ce point. Comment deux familles allaient-elles pouvoir cohabiter dans un espace aussi restreint, même pour une courte période ? Mais la sœur de la fugitive s'était engagée à l'aider à trouver un emploi à Cheyenne si elle quittait Tony. Et le moment était enfin venu.

Une chose était sûre : Debbie ne devait plus jamais mettre les pieds à Moose. A l'heure qu'il était, Tony était probablement dans une rage noire. Il avait sans doute refait tout le film dans sa tête et était probablement en train de se dire que sa femme lui avait volé ses enfants – ce qui ne manquerait pas d'attiser sa colère.

Jenny ne voulut pas s'attarder ; un trajet de huit heures dans la nuit l'attendait. Elle laissa à la jeune femme tout l'argent qu'elle avait sur elle, soit moins de deux cents dollars. Debbie n'irait pas bien loin avec cette somme, mais c'était mieux que rien. Alors qu'elle était déjà sur la route, Jenny se dit qu'elle aurait dû lui faire un chèque. Elle s'arrêta à une station-service pour prendre de l'essence et en profita pour appeler Bill. Il décrocha à la première sonnerie. Il avait tourné comme un lion en cage, se demandant où elle pouvait bien être. Jenny l'avait appelé un peu plus tôt en allant à Cheyenne, mais le téléphone avait sonné dans le vide.

— Où es-tu ? Je suis mort d'inquiétude !

— Je suis désolée, mon amour. Debbie est venue chez nous avec ses enfants. Elle était sérieusement amochée, ça l'a décidée à s'enfuir. Elle m'a demandé de la conduire chez sa sœur à Cheyenne. Je viens de la déposer. Je rentre.

— C'est moi qui suis censé jouer les saint-bernards, pas toi ! Tu imagines, si son mari s'aperçoit que tu es dans le coup ? Qui sait comment il réagira ? Je veux que tu me promettes d'être extrêmement prudente. A partir de maintenant, verrouille tes portières. A quelle heure penses-tu arriver ?

— Je quitte juste Cheyenne. Je serai de retour dans sept ou huit heures.

Bill n'aimait pas la savoir seule au volant pendant de si longues heures. Mais telle était la situation. Heureusement, elle était une conductrice aguerrie.

— J'espère que Debbie restera à Cheyenne, déclara-t-il, inquiet pour la jeune mère.

— Mais oui. Elle ne reviendra jamais à Moose. Elle a bien trop peur de Tony.

— A ta place, je n'en serais pas si sûr. Les victimes de violences conjugales ont tendance à revenir vers leur tortionnaire. La dépendance est très difficile à briser.

C'est ce qu'il avait appris en travaillant avec des femmes battues. Nombreuses étaient celles qui retournaient vivre auprès de leur bourreau et finissaient par en payer le prix fort.

— Je ne pense pas que Debbie ressente le besoin irrépressible d'être avec lui. C'est juste qu'elle n'avait nulle part où aller, et la maison de sa sœur est vraiment minuscule. Il va falloir qu'elle trouve rapidement un travail.

— Jenny, rentre tout de suite. Et conduis prudemment.

Si elle roulait sans s'arrêter, elle serait à la maison vers trois heures du matin. Voire plus tard s'il y avait des embouteillages à la sortie de Cheyenne.

— Je te promets d'être prudente, lui dit-elle, et je m'arrêterai pour faire un somme si nécessaire.

Toute la journée, elle avait été tendue à l'extrême, soucieuse d'amener Debbie et les enfants à bon port. Sa mission était accomplie. Elle avait conduit Debbie vers une vie meilleure – tout au moins l'espérait-elle. Elle n'avait plus qu'une idée en tête : retrouver Bill. Elle acheta un café à la station-service, regagna son véhicule et alluma la radio.

Elle arriva à la maison à deux heures et demie du matin. Elle n'avait pas traîné. A l'instant où elle se glissa sous les draps, Bill se réveilla. Elle avait laissé tomber ses habits sur le sol. Elle ne portait que ses sous-vêtements et un tee-shirt lorsqu'il passa son bras autour d'elle.

— Dieu merci, tu es rentrée ! dit-il, sa voix ensommeillée brisant le silence nocturne. Je me suis fait un sang d'encre.

Bill ne s'était couché que vers deux heures.

— Je vais bien, dit-elle en se pelotonnant contre lui et en blottissant son visage dans le creux de son cou.

En moins de deux minutes, Jenny s'endormit. Le lendemain, elle se leva tard. Dans la cuisine, Bill était en train de préparer du café.

— Quelle journée ! dit-elle en s'asseyant à la table.

Bill lui tendit une tasse. Elle avait l'air épuisée. Les seize heures de route l'avaient assommée. Cela ne l'empêcha pas de se remettre à la peinture des murs de la chambre du bébé après le petit déjeuner. Bill et elle avaient acheté des meubles dans un magasin du centre commercial. Jenny les décora de pochoirs en forme d'ourson. Le résultat était vraiment adorable.

Le bébé arrivait dans tout juste cinq semaines maintenant. Lucy avait du mal à se représenter ce qui l'attendait. Elle avait peur, et n'était pas encore prête psychologiquement pour affronter la réalité de l'accouchement. Néanmoins, sa mère ainsi que Jenny s'efforceraient de l'aider à traverser cette épreuve, et le médecin de Sainte-Marie était un homme expérimenté et sympathique qui avait l'habitude de suivre des filles très jeunes. Il lui faciliterait autant que possible le travail et l'accouchement.

Ensuite, ce serait terminé. L'adolescente pourrait tourner la page et reprendre sa scolarité à l'automne. Le lycée avait fait en sorte qu'elle puisse passer ses examens à Sainte-Marie, et elle avait des devoirs à préparer tous les jours. Les religieuses lui disaient qu'avec le temps elle aurait l'impression que tout cela n'était jamais arrivé, qu'elle finirait par oublier. Jenny savait que c'était un mensonge, un mensonge encore plus gros que ceux inventés par le garçon qui l'avait poussée à coucher avec lui contre son gré. Comment pourrait-elle oublier qu'elle avait accouché à quatorze ans et mis au monde un enfant qu'elle avait été obligée d'abandonner ? Jenny ne pouvait rien imaginer de pire. Parfois, elle éprouvait de la culpabilité lorsqu'elle pensait que ce qui ferait son plus grand bonheur allait causer une telle souffrance, physique et émotionnelle, chez Lucy.

Maggie, de son côté, fréquentait assidûment le groupe animé par Jenny. Elle se sentait plus forte et plus sereine. Elle voulait à tout prix aider sa fille et la protéger lorsqu'elle reviendrait à la maison.

Deux semaines plus tard, Jenny achetait des couches et des articles de puériculture dans un magasin quand, soudain, Debbie entra avec ses enfants. Sa mâchoire s'en décrocha presque. Elle se précipita vers la jeune femme. Sans nouvelle d'elle depuis qu'elle l'avait déposée à Cheyenne, Jenny en avait déduit que tout allait bien.

— Mais que fais-tu donc ici ? murmura-t-elle. Pourquoi n'es-tu pas à Cheyenne ?

Elle tremblait pour elle. Tony savait-il qu'elle était revenue en ville ?

— Je n'ai pas trouvé de travail, répondit Debbie avec nervosité, en regardant par-dessus son épaule. Tony a débarqué chez ma sœur et m'a ramenée à la maison.

Ses yeux étaient comme deux puits de désespoir.

— Comment a-t-il su que tu étais là-bas ?

Debbie hésita un instant.

— Je l'ai appelé. Je n'avais pas assez d'argent pour nourrir les enfants. Ma sœur n'avait pas les moyens de m'aider. Et puis, si j'avais trouvé un emploi, je n'aurais même pas eu de quoi payer une nounou...

— Tu aurais dû m'appeler. Je t'aurais aidée.

Jenny s'en voulut de ne pas lui avoir laissé plus d'argent en quittant Cheyenne. Bill le lui avait bien dit : les femmes battues retournent souvent à leur tortionnaire, et tout se termine mal pour elles.

Debbie la supplia alors du regard :

— Ne t'approche pas de la maison. Ne me téléphone pas. Il me tuerait. Je t'appellerai si je peux.

A ce moment-là, Tony entra dans la boutique, l'air sûr de lui. Il tira Debbie par le bras. Passa devant Jenny comme s'il ne l'avait pas vue et n'avait que faire d'elle. Puis il demanda à sa femme de se dépêcher. Horrifiée, Jenny regarda Debbie rassembler ses enfants et sortir.

De retour à la maison, elle raconta cette rencontre fortuite et terrible à Bill, et plus tard à Gretchen. Son amie était venue voir la chambre du bébé.

— Pauvre gamine, lâcha-t-elle en secouant la tête. C'est vraiment un sale type. Il l'a toujours été. Elle aurait été bien mieux à Cheyenne, à mourir de faim chez sa sœur, qu'ici avec cette ordure.

— J'ai peur de ce dont il est capable, maintenant.

— Tu n'y peux rien, Jenny. Elle seule a le pouvoir de se libérer. Et il lui faudra certainement du temps. Personne ne peut le faire à sa place.

Ce soir-là, les deux amies animèrent ensemble le groupe pour femmes battues. Gretchen se débrouillait à merveille.

Le lendemain matin, Jenny prenait son petit déjeuner avec Bill quand elle reçut un appel de Gretchen. Sa voix était quasi méconnaissable.

— Mon Dieu, Jenny, tu avais raison ! lâcha-t-elle en pleurs.

Ce fut tout ce qu'elle fut en mesure de dire dans un premier temps.

— A quel propos, Gretchen ? Que se passe-t-il ?

— Il l'a tuée la nuit dernière. Tony a tué Debbie. Il est rentré soûl et l'a poussée du haut de l'escalier. Elle est morte des suites d'une hémorragie cérébrale ce matin. Je viens de croiser sa mère.

— Et les enfants ? demanda Jenny, paniquée.

— Ils vont bien. Ils sont avec leur grand-mère. Apparemment, c'est Tony qui a appelé la police. Il leur a dit qu'elle était tombée dans l'escalier, mais ils ont trouvé des preuves indiquant qu'il l'a tabassée avant de la pousser. Il est en prison, pour meurtre. Tu l'avais pressenti...

La voix de Gretchen s'étrangla.

Jenny fut dévastée par cette terrible nouvelle. Bill, quant à lui, n'était nullement surpris. En revenant à Moose, Debbie avait signé son arrêt de mort. Ce n'était pas la première fois qu'il voyait un tel drame se produire.

— J'aurais dû me montrer plus ferme à son égard, dit Jenny, désespérée. Je ne voulais pas la contrarier. Elle avait toujours si peur de l'énerver.

— Cela n'y aurait rien changé, répondit Bill en l'enlaçant. Tu n'aurais pas pu la convaincre de le quitter ou de garder ses distances avec lui.

— Quand elle est partie à Cheyenne, j'étais convaincue qu'elle ne reviendrait jamais.

Mais Debbie avait tenu deux semaines avant de craquer et de l'appeler. A présent, ses enfants n'avaient plus de mère, et, à vingt-quatre ans, elle était morte.

Toute la journée, Jenny se sentit déprimée. Elle décida d'aller voir Lucy pour penser à autre chose. La chaleur estivale éprouvait la future mère, qui, chaque fois qu'elle parlait de l'accouchement, se mettait à pleurer. Elle n'avait aucune envie de vivre cette épreuve. Elle s'accrochait à Jenny comme un jeune enfant, ce qu'elle était encore à bien des égards. Mais elle allait grandir. Et vite.

Sur le chemin du retour, Jenny passa rendre visite à Gretchen. Les deux amies parlèrent encore de la malheureuse Debbie. Pour changer de sujet, Gretchen demanda des nouvelles de la mère biologique de leur enfant. Tout ce qu'elle savait était que le couple allait adopter un bébé à New York en juillet. Elle ne se doutait pas un instant que cet enfant était celui de Lucy, qu'elle connaissait.

— Tout va bien se passer, répondit Jenny en souriant. Cela ne devrait plus tarder. Ils nous appelleront quand le bébé sera né, et nous irons le chercher pour le ramener à la maison.

— Ça m'étonne que tu ne souhaites pas être là pour la naissance, fit remarquer Gretchen.

Elle commençait à bien connaître Jenny. Elle et Bill étaient des personnes aimantes et chaleureuses. Qu'ils n'insistent pas pour être présents lorsque leur enfant naîtrait ne leur ressemblait pas.

— La mère s'y refuse. Elle est très jeune, répondit Jenny doucement.

Gretchen scruta longuement le visage de son amie.

— C'est-à-dire ?

— Elle a quatorze ans.

Jenny regretta immédiatement d'avoir répondu. Il serait bien idiot de tout compromettre en enfreignant les termes de leur contrat. Le père de Lucy était capable du pire et ne se souciait guère de l'enfant. Gretchen n'émit cependant aucun commentaire et cessa de lui poser des questions. Quelque chose l'en avait dissuadée, au grand soulagement de Jenny.

Pendant les jours qui suivirent, la fin tragique de Debbie fut sur toutes les bouches. Tony avait été envoyé à Jackson Hole. C'est là qu'on lui lirait son acte d'accusation et qu'il serait incarcéré. Jenny et Bill allèrent à l'enterrement de Debbie en compagnie de Gretchen et d'Eddy. Ses connaissances, ses amis d'enfance et ses anciens camarades de classe s'étaient tous déplacés pour lui rendre un dernier hommage. Ses enfants n'étaient heureusement pas là, mais, au premier rang, sa mère et ses sœurs semblaient inconsolables. Jenny n'avait jamais assisté à un enterrement aussi déprimant. Sur le chemin du retour, elle et Bill n'échangèrent quasiment pas un mot. Quel gâchis que cette existence brisée !

Une semaine avant la date prévue pour l'accouchement, les choses semblèrent s'apaiser. Jenny essayait de rendre visite à Lucy tous les jours. Un matin, alors qu'elle s'apprêtait à quitter la maison, elle apprit que des crues subites frappaient la région. Elle fut donc surprise de voir Bill seller Navajo.

— Où vas-tu ?

— Rendre visite à Harvey Adams. Il a une pneumonie ; je lui ai promis de passer.

Bill adorait son travail, et tous deux s'accordaient à dire que c'était le destin qui les avait conduits jusqu'ici. Ils avaient l'impression d'être à des années-lumière de New York et n'envisageaient plus du tout d'y retourner. Après neuf mois passés à Moose, ils se sentaient chez eux ici.

— Pourquoi tu n'attends pas que le temps se calme ?

— J'ai promis au docteur Smith de lui dire dans quel état se trouve Harvey. Peut-être qu'il devra se déplacer aujourd'hui aussi. Ses enfants aimeraient bien que Harvey vienne habiter plus près de la ville, mais il est têtu comme une vieille mule.

— Tiens, ça me rappelle quelqu'un ! lui dit-elle pour le taquiner avant de l'embrasser.

Navajo était un animal robuste, au pas assuré, habitué aux terrains difficiles. Jenny n'était d'ordinaire pas inquiète de savoir Bill à cheval dans les montagnes, sauf par mauvais temps. Mais le pasteur s'était même déplacé lorsqu'il neigeait, cet hiver. Et ce jour-là, entre les averses, le soleil brillait.

— Je serai de retour dans quelques heures, ne te fais pas de souci pour moi, la rassura-t-il. Quel est ton programme, aujourd'hui ?

— Je pensais aller voir Lucy, mais je crois que je vais rester dans les parages. Je dois appeler des clients, et il faut que je règle certaines questions avec Azaya. Le projet de Nelson commence à décoller, et il a de moins en moins de temps pour l'aider.

Jenny avait du mal à se concentrer sur son travail à New York. Sa vie était désormais ici, avec Bill, ses paroissiens, et, dans quelques semaines, leur bébé. Elle ne voulait pas faire défaut à ses clients, mais, depuis qu'elle s'était installée dans le Wyoming, ce n'était plus comme avant. Lors de son prochain passage à New York pour la Fashion Week de septembre, elle envisageait d'annoncer à tout le monde qu'elle arrêtait son activité. L'idée étant que, d'ici la fin de l'année, tout soit fini. Le moment était venu. Sa vie avait trop changé. Elle était passée à autre chose. Jamais elle n'aurait pu croire que cela se produirait un jour, mais pourtant, c'était le cas.

Bill lui sourit en franchissant le seuil, mais revint sur ses pas pour l'embrasser une dernière fois.

— N'oublie pas que je t'aime comme un fou, lui dit-il.

Il aurait tant aimé rester à la maison pour lui faire l'amour. Sa femme était plus belle que jamais. Chaque jour qui passait, il l'aimait davantage.

— Jusqu'à la fin des temps, c'est ça ? plaisanta-t-elle.

— Oui, c'est bien ça, mon amour.

Il hocha la tête, et, quelques instants plus tard, elle le vit passer sur son cheval. Elle étala des échantillons d'étoffe et des photos sur son bureau et appela Azaya. Tout à coup, elle se fichait bien de savoir s'ils utilisaient un imprimé ou des rayures, de l'organza ou du gazar. Le cœur n'y était vraiment plus.

Alors que Bill chevauchait en direction de la maison de Harvey Adams, le temps se dégagea, et le soleil apparut au milieu d'un ciel radieux. Le cheval le mena de son pas assuré le long d'un sentier qu'il connaissait par cœur. Bill pensait à Jenny. Il était si heureux avec elle. Il pensait à leur enfant aussi, et aux grands changements qu'ils s'apprêtaient à vivre. Le bébé de Lucy conférerait encore plus de sens à leur amour.

Il avançait à bonne allure, regardant les fleurs sauvages sur les collines alentour et plus bas dans la vallée, quand, soudain, une crue subite le surprit. Elle le balaya d'un coup, l'entraînant au bord du ravin avec Navajo, qui tomba dans la crevasse. Bill parvint à s'agripper à quelques branches. Tandis que l'eau se déversait en un torrent continu, il essaya de s'accrocher coûte que coûte. Mais ses mains glissaient. Lorsqu'il faisait chaud, il ne mettait jamais ses gants. Au moment où il lâcha prise, le pasteur leva les yeux vers le ciel et se sentit submergé par une vague de paix. Il cria aussi fort qu'il le put au soleil : « Je t'aime, Jenny. » Il voulait qu'elle l'entende. Il voulait que ce soient ses derniers mots. Bill se sentit ensuite tomber, porté par des trombes d'eau. Il n'avait pas peur. Quand il toucha terre au fond du ravin, l'amour profond qu'il éprouvait pour sa femme, plus puissant qu'un océan, le submergea.

10

Après sa conversation téléphonique avec Azaya, Jenny monta dans la chambre du bébé afin de ranger des affaires qu'elle venait d'acheter. Tout était prêt. Ne manquait plus que leur enfant. Elle s'affaira dans la maison, un sourire vissé aux lèvres, et lorsque enfin elle leva le nez trois heures plus tard, elle s'étonna que Bill ne soit toujours pas de retour. Mais il lui arrivait de passer beaucoup de temps avec certains paroissiens, et en particulier avec Harvey Adams, un vieil homme fort bavard, qui en plus d'être malade souffrait de solitude. Bill avait la patience d'un saint. Jenny savait qu'elle n'avait aucune raison de se faire du souci. Il finirait par rentrer tranquillement à la maison et s'excuserait de s'être absenté si longtemps.

A dix-sept heures, elle sortit une laitue du frigo et prépara une salade pour le dîner. Bill avait prévu de griller de la viande au barbecue. Une demi-heure plus tard, une voiture se gara devant la maison. Elle regarda par la fenêtre. C'était le shérif, qui venait pour la deuxième fois cette semaine. Il était passé l'autre jour pour la questionner au sujet de Tony Blackman. Il lui avait demandé ce qu'elle savait des violences qu'il avait infligées à Debbie. La police tentait d'évaluer si l'homme s'en prenait à elle régulièrement. Elle ne fut donc pas étonnée de voir le shérif. Néanmoins, lorsqu'elle lui ouvrit la porte et l'invita à entrer, son air grave la surprit.

— Bonjour, Clark, dit-elle avec décontraction. Bill n'est pas encore rentré. Il ne devrait pas tarder. Il est allé voir Harvey Adams, qui n'est malheureusement pas en grande forme.

Le shérif hocha la tête et ôta son chapeau avant de franchir le seuil.

— Jenny, il faut que je vous parle.

— Je sais. C'est encore au sujet de Tony, n'est-ce pas ?

Elle était lasse de ressasser cette histoire et n'espérait qu'une chose : que cet homme croupisse en prison afin de payer pour son crime.

— Cela concerne Bill, dit-il doucement. Il a été surpris par une crue subite en allant chez Harvey. Lui et son cheval sont tombés dans le ravin.

Il n'aurait pas pu le formuler plus simplement. Jenny le fixait de ses yeux incrédules.

— Qu'êtes-vous en train de me dire ?

Son esprit ne voulait pas comprendre.

— Il est mort, Jenny. Nous l'avons retrouvé au pied du ravin. Ils ont été emportés par les eaux.

Un instant, le shérif crut qu'elle allait s'évanouir. Il n'oublierait jamais son visage à ce moment-là, tandis qu'elle s'agrippait à son bras. On aurait dit qu'on lui avait arraché le cœur à mains nues.

— Je suis navré, terriblement navré. Bill était un homme formidable.

Il l'aida à s'asseoir sur une chaise. Elle ne le quittait pas des yeux.

— Vous vous trompez, dit-elle, comme si elle pouvait contester la réalité de ses propos et rembobiner le film. C'est impossible. Il y a erreur.

Son débit était rapide et elle secouait la tête.

— Non, Jenny, il n'y a pas d'erreur. Nous avons récupéré son corps.

Celui-ci, meurtri et cassé, était à la morgue. Son visage, en revanche, arborait un air serein, comme s'il dormait tranquillement. C'était très étrange. Il paraissait tellement en paix avec lui-même que Clark s'était demandé s'il priait au moment de la chute. Cet homme-là avait décidément tout d'un saint.

— Je suis sincèrement désolé, Jenny. Souhaitez-vous que j'appelle quelqu'un ?

La jeune femme n'était pas en mesure de réfléchir. Mais dès que le shérif fut parti, elle contacta Gretchen, à qui elle demanda de venir sur-le-champ, sans plus d'explications. Son amie pensa que, peut-être, la mère biologique de l'enfant qu'ils comptaient adopter avait changé d'avis. Pas un seul instant elle n'aurait pu imaginer que Bill était mort. Pourtant, lorsqu'elle aperçut le visage de Jenny, elle sut. On avait l'impression qu'une partie d'elle-même était partie avec son mari.

— Ils se trompent, j'en suis certaine, répétait Jenny en boucle tandis que Gretchen lui tenait la main. Bill ne me laisserait pas comme ça.

Mais si, la vie s'en était mêlée, sans se soucier de leur amour ni de leurs projets. Jenny resta prostrée de longues heures. Puis elle annonça la terrible nouvelle à Tom. Elle éclata en sanglots au téléphone. Il lui demanda quand aurait lieu l'enterrement, mais la jeune femme n'en avait aucune idée. Elle appela sa mère, qui ne put contenir son chagrin. Quelle perte pour sa fille ! Quelle tragédie ! En son cœur, une blessure ancienne était ravivée : la mort de son mari, quand Jenny n'était encore qu'une enfant.

Le jour suivant, Gretchen l'assista dans ses démarches. La cérémonie aurait lieu trois jours plus tard, à l'église Saint-Pierre-et-Saint-Paul. Un pasteur de Jackson Hole célébrerait la messe. Gretchen contacta Azaya. Celle-ci se chargerait de prévenir tout le monde à New York. Gretchen ne lâcha pas Jenny d'une semelle pendant ces trois jours. La jeune veuve affirmait sentir la présence de son mari à ses côtés. Elle répétait qu'il ne la quitterait jamais. Il le lui avait promis.

Jenny contacta Maggie pour lui dire que Bill était mort. Elle lui fit part de son désir d'adopter le bébé malgré tout. Cela ne changeait rien à leur projet. A part qu'elle élèverait seule l'enfant. Soulagée, Maggie relaya l'information auprès de Lucy le soir même. L'adolescente fut bouleversée.

Hélène vint soutenir sa fille. Jenny n'était que l'ombre d'elle-même. La famille de Bill arriva la veille de l'enterrement et fut logée dans un hôtel à Jackson Hole. Tom vint rendre visite à Jenny chez elle. Ensemble, ils donnèrent libre cours à leur chagrin. Il serra la jeune femme contre lui comme s'il s'agissait de sa propre sœur. C'était lui qui prononcerait l'éloge funèbre. Et Clay Roberts dirait quelques mots à la mémoire de Bill. Jenny s'en moquait bien. Aucune de leurs paroles ne pourrait rien lui apprendre de nouveau au sujet de Bill. Elle était incapable d'imaginer sa vie sans lui. Cette nuit-là, elle passa des heures dehors, assise sur une chaise, les yeux levés vers le ciel, se demandant où il était à présent. Quand deux personnes s'aiment, elles finissent toujours par se retrouver, répétait Bill. Elles montent d'abord au ciel, deviennent des étoiles, puis elles reviennent sur terre, dans une autre vie, et lorsque les amants se rencontrent, ils se connaissent déjà, reprennent leur histoire. Quand Bill lui avait fait part de sa théorie, Jenny l'avait trouvée un peu absurde. Mais aujourd'hui, c'était son seul espoir... Sans Bill, sa vie n'avait aucun sens.

Jenny avait dissuadé Azaya d'assister à l'enterrement. C'était trop compliqué de venir jusqu'ici, et elle serait suffisamment accaparée par la famille de Bill. Lorsqu'elle les vit le lendemain, ses parents paraissaient dévastés. Ils furent incapables de lui dire quoi que ce soit. Si ses deux frères s'étaient déplacés pour l'occasion, leurs épouses, elles, n'étaient pas venues. Pendant la cérémonie, Tom et Gretchen se tinrent à ses côtés, tandis qu'Hélène resta derrière elle. Jenny ne quitta pas des yeux le cercueil. Elle était sous le choc. Face à son immense douleur, tous se sentaient impuissants. Les parents de Bill auraient voulu qu'il soit enterré à New York, mais Jenny s'y était opposée. Son souhait était qu'il repose ici. Bill disait souvent que le destin les avait conduits à cet endroit précis, et elle le croyait. En fait, elle savait qu'il avait raison.

L'éloge que Tom avait préparé était très émouvant. Il évoqua leur enfance, et l'homme que Bill était devenu. Les nombreux paroissiens qu'il avait su toucher s'étaient déplacés. Timmie et sa sœur étaient là, accompagnés de leur tante. Eddy pleura toutes les larmes de son corps. Après la cérémonie, les gens se succédèrent chez Jenny. Ils vinrent lui manifester leur soutien, lui dire qu'ils partageaient sa peine. Mais leurs propos lui parurent creux. Comment pouvaient-ils comprendre ce qu'elle vivait ? Comment pouvaient-ils savoir ce qu'il représentait pour elle ? Elle ne cessait de penser au jour de leur rencontre, devant le Plaza, à New York. Et à la deuxième fois où ils s'étaient vus, dans cette station-service du Massachusetts. Cela avait été leur destin. Mais sans lui, plus rien de tout cela n'avait de sens. Sans lui, elle se sentait vide.

Gretchen mit la jeune veuve au lit. Le lendemain matin, la famille de Bill s'en irait dans l'Est. Jenny savait qu'elle ne les reverrait plus jamais, mais s'en moquait bien. Tom avait en revanche promis de venir de temps en temps. Sa mère repartirait le jour suivant, conformément à la volonté de Jenny. Elle voulait qu'on la laisse seule avec son chagrin. Tout ce qui comptait pour elle, c'était Bill. Il faisait partie d'elle. Sachant que Gretchen veillerait sur sa fille, Hélène s'était résignée à rentrer à Philadelphie. Son amie et ange gardien essayait d'être la plus discrète possible. Elle parlait peu pour respecter le besoin de solitude de Jenny. Elle se contentait d'être là.

Le jour suivant, Jenny alla rendre visite à Lucy. L'adolescente s'était fait énormément de souci pour elle. Lorsqu'elle vit le regard vitreux de Jenny, elle ne put retenir ses larmes. La jeune veuve la prit dans ses bras pour la rassurer. Tout irait mieux quand le bébé serait né. L'accouchement était prévu dans deux jours, et Lucy était énorme. Pétrifiée à l'approche du grand jour, elle n'arrêtait pas de pleurer. Jenny lui promit d'être là, à ses côtés, avec sa mère. Elle lui assura que tout se passerait bien.

Quand Jenny rentra chez elle, Timmie et sa sœur l'attendaient devant sa porte avec un bouquet de fleurs. Plus tard, Gretchen passa lui apporter le dîner et lui tenir compagnie. Toutes deux restèrent dehors jusque tard dans la nuit, à contempler les étoiles. Sans que Jenny lui eût dit quoi que ce soit, son amie devina qu'elle cherchait Bill. Jenny le guettait, là-haut, au firmament. Comme s'il l'attendait. Deux êtres, une seule et même âme… Gretchen se demandait bien comment son amie ferait pour vivre sans lui.

Jenny ayant insisté pour qu'elle rentre chez elle ce soir-là, Gretchen se plia à sa volonté.

— Comment va-t-elle ? s'enquit son mari quand il la vit apparaître, épuisée.

— Difficile à dire… C'est un peu comme si elle était morte avec lui. J'ignore ce qu'elle va devenir. Elle est totalement perdue…

Azaya, avec qui elle avait discuté, pensait que Jenny serait mieux à New York, où elle pourrait reprendre son activité. Gretchen n'en était pas si convaincue. Le couple s'était construit une vie ici, et elle avait le sentiment que Jenny souhaitait rester. Mais il lui faudrait trouver une autre maison quand le nouveau pasteur arriverait. Enfin, d'ici là, elle avait le temps… En revanche, elle savait que la naissance du bébé était imminente.

A quatre heures du matin, Jenny reçut un appel de l'hôpital. Elle avait promis à Lucy qu'elle serait là le jour J. Elle se leva. Dans sa tête, elle entendait la voix de Bill. Il lui disait qu'il était avec elle. Qu'il ne la quitterait jamais. Ces paroles, tel un mantra, lui apportaient du réconfort. Lorsqu'elle sortit, la pluie se mit à tomber. Elle préféra son véhicule à celui de Bill. Il fallait une demi-heure pour se rendre au foyer, et, comme l'infirmière lui avait dit que l'accouchement se passait vite, elle accéléra. Il y avait plusieurs virages en épingle sur le trajet, mais la vieille Chevrolet tenait bien la route. Alors qu'elle abordait le dernier virage, elle vit que Bill était assis juste à côté d'elle. Là, avec elle, dans le pickup. Il lui souriait.

— Que fais-tu ici ? lui demanda-t-elle, souriant elle aussi.

— Je t'avais dit que je ne te quitterais jamais, bécasse !

Elle souriait toujours quand elle perdit le contrôle de son véhicule. Des lumières approchaient. Elle se tourna vers Bill, guettant sa réaction. Il semblait paisible. Elle tendit la main vers lui. Le camion qui arrivait dans le sens opposé, lancé à toute allure, la heurta de plein fouet. Le pickup jaune disparut sous ses roues.

Bill et Jenny s'éloignèrent doucement du lieu de l'accident.

11

Maggie avait reçu l'appel de Sainte-Marie en même temps que Jenny. Elle enfila immédiatement des vêtements et saisit son sac. Son mari se réveilla et la regarda.

— Tu vas où, comme ça, au beau milieu de la nuit ?

Son ton était désagréable, comme chaque fois qu'il avait bu.

— Lucy est sur le point d'accoucher, l'informa-t-elle calmement.

— Je n'en peux plus de cette histoire. Qu'on leur laisse cet enfant et qu'on n'en parle plus !

Comme si un petit être pouvait être abandonné de la sorte et aussitôt oublié. Maggie se demanda si, aux yeux de son mari, sa vie à elle avait aussi peu de valeur que cela. Sans dire un mot, elle quitta la pièce. Elle sortit sous une pluie fine et se glissa dans sa voiture. Elle aurait pu proposer à Jenny de passer la prendre, mais elle n'y pensa pas. C'était un tel soulagement qu'elle souhaite encore adopter le bébé, malgré la mort de Bill. Cet enfant lui donnerait une nouvelle raison de vivre.

Maggie pria pour que sa fille traverse cette épreuve le mieux possible. Elle était trop jeune pour vivre une telle expérience. La naissance de Lucy avait été très traumatisante, et pourtant Maggie à l'époque avait dix ans de plus que sa fille aujourd'hui. A quatorze ans, rien ne préparait l'adolescente à ce qu'elle allait subir. La pluie obligea Maggie à ralentir. A l'approche de l'hôpital, un accident bloquait la circulation. Il y avait une ambulance et la police. Un camion était renversé sur la chaussée. Maggie expliqua à l'agent qui lui barrait la route que sa fille était sur le point d'accoucher. Ils la laissèrent passer. A peine arrivée à la maternité, on lui tendit une tenue de bloc avant de la guider à la hâte vers la salle de travail. Tout allait très vite. Lucy hurlait à la mort quand elle entra dans la pièce. Le bébé était prêt à sortir. L'adolescente saisit le bras de sa mère et l'agrippa de toutes ses forces.

— Où est Jenny ? cria-t-elle tandis qu'on la tenait pour qu'elle ne tombe pas de la table.

Ils finirent par l'harnacher. Lucy hurla de plus belle. Il fallait qu'elle pousse, sinon, ils devraient avoir recours aux forceps, ce qui serait encore plus douloureux. Mais il était impossible de la raisonner, elle souffrait trop.

— Je veux Jenny ! Elle avait dit qu'elle serait là !

— Elle arrive, dit Maggie avec un calme de façade.

Voir son enfant endurer de telles souffrances était insupportable.

— Ils l'ont appelée juste après moi. Il pleut et la route est bloquée, alors elle mettra peut-être du temps pour venir.

Mais le bébé n'avait aucunement l'intention d'attendre. Il se frayait déjà un chemin à travers le jeune corps de Lucy. Celle-ci criait. Elle avait la sensation de se noyer.

— Allez, Lucy, lui enjoignit le docteur d'une voix douce, il faut nous aider. Nous sommes là, avec vous. Allez, on fait sortir ce bébé ! Poussez, très fort.

Lucy souffrait trop pour l'écouter ou se sentir concernée par ses propos. C'était comme si elle était en train de mourir. Ils durent avoir recours aux forceps, ce qui occasionna une nouvelle salve de cris. Le temps avait manqué pour qu'on lui fasse une péridurale, et il était à présent trop tard.

— Vous ne pouvez rien faire pour la soulager ? implora sa mère.

Si seulement Jenny avait été là, à leurs côtés. Peut-être que cela aurait facilité les choses. Mais de toute évidence, quelque chose l'avait retardée.

— Une césarienne serait envisageable, mais je préférerais autant qu'on évite, expliqua le docteur avec calme. Cela pourrait se révéler problématique pour de futures grossesses. Je préfère qu'elle accouche par voie basse pour ce premier enfant.

Lentement, avec l'aide des forceps et au prix d'une douleur immense, la tête du bébé finit par émerger au milieu des hurlements de douleur. Avec sa touffe de cheveux bruns, il ressemblait à Lucy et à Jenny. Le nourrisson parut surpris d'être là. Lorsque le reste de son corps sortit, on vit qu'il s'agissait d'une fille. Lucy sanglotait. Sa mère lui caressait les joues pour la réconforter. On donna à la jeune fille un médicament pour calmer la douleur, puis on la recousit. Le bébé fut emporté dans la nursery, en attendant l'arrivée de Jenny.

Maggie resta avec sa fille jusqu'à ce que celle-ci finisse par sombrer dans le sommeil, en gémissant. La nuit avait été terrible, et sa mère savait que jamais elle ne l'oublierait. Tout cela pour un bébé que quelqu'un d'autre élèverait !

Le lendemain matin, quand Gretchen passa voir Jenny pour lui préparer le petit déjeuner, la jeune

179

femme n'était pas là. Pas plus que son pickup. Gretchen regarda autour d'elle, se demandant où elle pouvait bien être. Jenny n'avait laissé aucun message. Gretchen était sur le point de partir quand le téléphone sonna. Elle décrocha. C'était Maggie. Une intuition subite traversa son esprit : et si l'enfant était celui de Lucy ?

— Son pickup n'est pas devant la maison, se contenta-t-elle de dire.

— Je l'attendais hier soir, dit Maggie sans se justifier plus avant. Mais elle n'est pas venue.

La mère de Lucy était au bout du rouleau.

— Il y avait un accident sur la route, lança-t-elle.

Puis sa voix se perdit dans le néant, et le silence se fit à l'autre bout de la ligne.

— Oh mon Dieu ! s'écria Gretchen. Je vais contacter Clark.

Si quelque chose était arrivé à Jenny, le shérif le saurait. Quelques minutes plus tard, l'homme confirma les pires peurs de Gretchen.

— Elle a perdu le contrôle de son véhicule, dit-il, visiblement très ébranlé. Elle est entrée en choc frontal avec un semi-remorque dans un virage. Elle est certainement morte sur le coup.

Gretchen eut un haut-le-cœur. Jenny était décédée quatre jours après Bill. Une pensée se fit jour dans sa tête : n'était-ce pas ce que Jenny aurait souhaité ? Elle et Bill étaient faits pour être ensemble, pour toujours. Sa vie, sans lui, n'aurait pas eu de sens, malgré le bébé. Gretchen raccrocha, profondément secouée, et rappela Maggie pour lui annoncer la triste nouvelle. Les deux femmes pleurèrent à chaudes larmes. Gretchen contacta ensuite Azaya à New York. Celle-ci préviendrait Hélène et la famille de Bill. Devoir jouer les oiseaux de malheur auprès de la mère de Jenny était abominable. En une semaine, la tragédie avait frappé deux fois à la même porte.

Maggie resta assise un long moment à réfléchir en attendant que sa fille se réveille. Lorsque Lucy ouvrit les yeux, il était presque midi. Sa voix était éraillée à force d'avoir crié. Elle posa des yeux hagards sur sa mère. Conformément à ce qui était prévu, elle n'avait pas vu son bébé après la naissance. A quoi bon, puisqu'elle l'abandonnait ? Aussi doucement que possible, Maggie lui annonça la mort de Jenny. Lucy resta prostrée, sanglotant en silence. Les larmes roulaient le long de ses joues. Elle avait tant aimé Jenny ! Et à présent, son bébé n'avait plus personne pour l'adopter. Elle leva vers sa mère un regard empli d'angoisse. Un regard qui n'était plus celui d'une enfant.

— Maman, je peux la garder ? implora-t-elle.

Sans hésiter, sa mère acquiesça. Lucy pleura de soulagement. Tout ce qu'elle avait enduré la nuit précédente n'avait pas été vain. Elle élèverait son enfant.

— Mais, et papa ? s'inquiéta-t-elle.

Un éclair de panique se lut sur le visage de l'adolescente. Avec le même aplomb que quelques instants plus tôt, Maggie répondit :

— Je vais quitter ton père, Lucy. On se débrouillera toutes les trois, toi, moi, et le bébé.

Le moment était venu. Maggie était prête.

— Comment vas-tu l'appeler, cette petite fille ? demanda-t-elle alors.

— Jenny, dit Lucy, un sourire triste aux lèvres.

Sa mère se pencha au-dessus d'elle et l'embrassa.

12

Gretchen organisa les funérailles, aidée de Maggie sur place et d'Azaya à distance. La cérémonie eut lieu à l'église Saint-Pierre-et-Saint-Paul. Hélène fit évidemment le voyage. On aurait dit un fantôme. Gretchen la prit sous son aile. En état de choc, la mère de Jenny n'était pas en mesure de s'occuper de quoi que ce soit. Elle enterrait son unique enfant, et semblait aussi frêle qu'une brindille.

Tous ceux qui avaient participé aux groupes animés par la défunte assistèrent à la cérémonie. Les gens qu'elle avait touchés, à qui elle avait tendu une main ou aidés d'une manière ou d'une autre tenaient à être là. Cette femme avait beau n'être que depuis huit mois à Moose, ils avaient l'impression de la connaître depuis toujours. Jenny avait changé la vie de bien des individus, ici et ailleurs. Deux de ses clients vinrent en personne lui rendre un dernier hommage, et tous les autres firent parvenir d'immenses couronnes de fleurs. Le *Women's Wear Daily* lui consacra un article qui, tout en annonçant sa disparition, évoquait son grand dévouement, son talent et ses multiples contributions à la mode. Tom fut le seul représentant de la famille Sweet. Il paraissait sens dessus dessous.

C'était une belle journée ensoleillée. Jenny fut inhumée dans le petit cimetière qu'elle avait choisi pour servir d'ultime demeure à Bill. Les deux amants étaient de nouveau réunis, ils gisaient côte à côte, au milieu de fleurs sauvages. Après la cérémonie, les gens errèrent quelques instants autour de la maison, l'air perdus, avant de rentrer chez eux à la hâte. Cette demeure dont les deux habitants n'étaient plus là... c'était bien trop triste.

Hélène offrit d'empaqueter les affaires des défunts, mais Gretchen, sachant qu'elle n'était pas armée pour affronter une telle épreuve, lui suggéra de retourner à Philadelphie. Rester à Moose, un lieu chargé de tant de chagrin, ne pouvait que lui faire du mal. Hélène partit donc le soir même, tandis que Tom proposait à Gretchen de prolonger un peu son séjour afin de l'aider à vider la maison. Au fond de lui, il savait qu'il le devait à Bill. Il avait l'intention de ramener Gus, le chien, à New York, et de le garder. Ainsi, il emporterait une part de Bill avec lui. A la fin de la journée, Tom et Gretchen s'assirent dehors. Ils évoquèrent ensemble les disparus. Tom raconta que son frère, dès son plus jeune âge, s'était démarqué du reste de la famille.

— Bill a toujours était une bien meilleure personne que nous autres, dit-il doucement. Il m'a fallu des années pour m'en apercevoir. En fait, je ne l'ai compris que l'année dernière. Il valait dix fois plus que moi, mon frère et mon père réunis. Et il a eu tellement de chance de rencontrer Jenny. Il l'adorait.

— Elle aussi l'adorait, ajouta Gretchen.

— Il avait cette théorie un peu folle selon laquelle rien ne peut séparer deux personnes qui s'aiment profondément. A leur mort, elles deviennent des étoiles qui brillent au firmament, puis reviennent sur terre pour se retrouver. J'espère que c'est vrai pour eux deux. Ils le méritent.

Tom garda le silence un moment, puis il décida de confier autre chose à Gretchen, qui était devenue en peu de temps une véritable amie. Enterrer deux êtres si chers à leur cœur les avait rapprochés – même si lui n'avait côtoyé Jenny que très peu.

— J'ai beaucoup réfléchi, ces derniers mois. En rentrant, je vais demander le divorce. Le couple que formaient Bill et Jenny m'a permis de comprendre ce qu'est l'amour véritable. Dans la vie, on peut trouver son âme sœur.

Gretchen hocha la tête. Elle savait ce qu'il voulait dire. Eddy et elle s'étaient trouvés.

Tandis qu'ils étaient assis dehors, les yeux tournés vers le ciel, deux étoiles filantes apparurent côte à côte dans la nuit avant de disparaître.

— Je suis sûr que c'était eux, murmura Tom.

Gretchen sourit à travers ses larmes. Elle nourrissait le même espoir : qu'ils soient maintenant au paradis, tels deux astres réunis pour toujours.

Robert et Lillibet

2013

13

Lorsque l'aube parut, le bleu azur du ciel annonçait une journée chaude et ensoleillée. Les carrioles se succédaient déjà sur la parcelle dont la terre avait été fraîchement retournée. La veille, les hommes avaient coupé le bois, lequel était empilé et prêt à l'emploi. Les femmes, elles, cuisinaient depuis des jours.

Les enfants joueraient entre eux, les filles aideraient leurs mères à servir le repas et les garçons les plus robustes participeraient aux côtés de leurs pères au chantier. La construction d'une maison pour l'un des leurs était un événement festif chez les Amish. A la nuit tombée, une famille aurait un nouveau toit. Le jour suivant, on poserait les fenêtres et le parquet. Ceux d'entre eux ayant des compétences en plomberie se chargeraient d'installer un système de canalisation simple et des latrines à l'extérieur. Comme la communauté n'était pas raccordée au réseau électrique, le logement serait chauffé et éclairé au gaz.

Une odeur de bois coupé saturait l'atmosphère. A peine arrivés, les hommes se mirent à l'ouvrage. Ils criaient, chantaient, se hélaient... En milieu de matinée, un copieux repas les attendait sur de longues tables. Agrémenté de grands verres de limonade et de thé glacé pour étancher la soif intense des travailleurs.

Depuis l'enfance, Lillibet aimait assister à la construction des maisons. Ce jour-là, ses frères étaient occupés au chantier, tandis qu'elle servait le déjeuner avec les autres femmes.

Samedi soir, lorsque le soleil se coucha, la maison était sur pied. Elle fut achevée le jour suivant. Après la messe du dimanche, le travail reprit. De retour chez elle dans l'après-midi, Lillibet repensa à ce week-end fructueux. Au fil de ces deux jours, des quantités astronomiques de nourriture saine et savoureuse avaient été consommées. La jeune femme avait rôti seize poulets en tout, provenant de leur poulailler. Elle avait preparé des œufs durs et lavé les laitues de la ferme familiale. Sa journée n'était pas finie pour autant. Elle devait préparer le dîner de son père et de ses frères cadets. Les quatre aînés du clan, nés du premier mariage de son père, étaient beaucoup plus âgés qu'elle et rentraient chez eux ce soir auprès de leurs épouses et de leurs enfants. Une fois le repas terminé, Lillibet devrait encore traire les vaches, puis nourrir et abreuver le bétail.

Elle rechignait parfois à la tâche. Mais jamais lorsqu'il y avait un chantier dans la communauté. Cette fois-ci, on bâtissait un nouveau logis pour une famille qui se trouvait à l'étroit dans sa maison avec l'arrivée du sixième enfant. Jusqu'en quatrième, Lillibet et la mère de ces enfants avaient suivi leur scolarité ensemble dans la classe unique de l'école locale. Aujourd'hui, leurs vies n'étaient pas si dissemblables. En effet, depuis la mort de sa mère sept ans plus tôt, Lillibet prenait elle aussi soin des hommes de la maison. La seule différence était qu'elle n'avait ni mari ni enfants à elle, et qu'elle n'avait pas besoin d'un nouveau toit. Les deux jeunes femmes avaient bavardé

pendant le déjeuner. Les yeux de son ancienne camarade brillaient tandis que, serrant son dernier-né dans
ses bras, elle voyait son nouveau domicile se matériali-
ser devant elle en un temps record.

Quand vint la nuit, Lillibet se sentait fatiguée mais
satisfaite d'avoir contribué à un tel événement. Son
père et ses frères, épuisés par la journée, s'étaient couchés tôt. Allongée dans son lit, Lillibet pensa à la vie
qu'ils partageaient. Elle aimait sa communauté. Le sens
de la solidarité qui unissait les Amish lui donnait
l'impression de faire partie d'un tout encore plus
important que sa propre famille. Tandis qu'elle sombrait lentement dans le sommeil, son frère Markus lui
revint à l'esprit. Lorsqu'elle l'avait embrassé avant
qu'il n'aille se coucher, ses joues lui avaient paru brû-
lantes. Etait-il en train de tomber malade ? Le lendemain matin, il faudrait qu'elle l'examine plus
attentivement.

Quelques heures plus tard, Lillibet eut la réponse à
ses interrogations. Ses trois frères étaient couverts de
boutons. Il devait s'agir de la varicelle. Les garçons
étaient en piteux état, et il était fort probable qu'ils
aient contaminé d'autres gens la veille. Mais il était
trop tard pour y remédier. Cette maladie étant bénigne,
Lillibet ne s'inquiéta pas outre mesure. Elle savait en
revanche qu'elle devrait accomplir leurs corvées en plus
des siennes. Comme si elle n'avait pas déjà de quoi
s'occuper amplement... Mais c'était son devoir. Après
avoir servi le petit déjeuner à ses frères, elle alla à
l'étable pour la traite des vaches.

Lillibet était fine comme une brindille. Sa chevelure
blond platine dépassait de sa coiffe noire. Elle poussa la

dernière vache qu'elle venait de traire. Normalement, ses frères lui prêtaient main-forte. Agés de onze ans, Josiah et Markus étaient jumeaux. Willy avait quatorze ans. Et leur sœur, Bernadette, aurait eu dix-neuf ans. Malheureusement, elle avait succombé neuf années plus tôt à une pneumonie lors d'une épidémie. Lillibet était la seule fille survivante de la famille. Tous comptaient sur elle pour tenir le foyer.

Après le décès de sa première femme, son père, Henryk Petersen, avait épousé sa mère qui avait à l'époque à peine seize ans. Il avait déjà quatre fils, tous plus âgés que sa nouvelle compagne, Rebekah. Studieuse et réservée, celle-ci se révéla bien plus résolue qu'il ne l'aurait imaginé. Elle fut néanmoins une bonne épouse, qui lui donna cinq enfants et se montra toujours respectueuse à son égard. Et ce, en dépit de son indépendance d'esprit et de son appétit pour les livres, dans lesquels elle était plongée un peu trop souvent au goût de Henryk. Elle essaya de transmettre sa passion pour la littérature à chacun de ses enfants, mais seule Lillibet en hérita réellement. Les garçons ressemblaient plus à leur père. Lillibet était quant à elle une jeune fille rêveuse, ce qui ne l'empêchait pas d'être intelligente et travailleuse. Malgré les objections de son père, elle dévorait les livres que lui recommandait sa mère. Au fil des ans, Rebekah fit découvrir à sa fille tous les auteurs classiques : Jane Austen, Tolstoï, Shakespeare, Balzac, Proust, Henry James, Alexandre Dumas... Autant d'écrivains dont Lillibet se délectait. Henryk aurait préféré que ses enfants se cantonnent à la Bible, mais Rebekah s'était courageusement battue pour qu'ils aient accès à ce qui lui paraissait être des lectures essentielles.

La propre mère de Rebekah avait vivement encouragé ses enfants à se cultiver, tandis que son père, l'un des sages de la communauté, était un chantre de la tradition qui toute sa vie avait défendu des idées extrêmement conservatrices. En cela, Henryk lui ressemblait beaucoup. Et il ne s'était pas adouci avec les années. Bien au contraire, en vieillissant, il était devenu encore plus sévère. La mort de Rebekah y était pour beaucoup. Cette tragédie l'avait anéanti. Comme les autres membres de la communauté, Henryk avait publiquement pardonné l'homme qui avait assassiné sa femme et cinq petites filles lors de la tuerie de l'école de West Nickel Mines, sept ans plus tôt. Mais il n'avait pas retrouvé la paix intérieure.

Au moment du drame, Lillibet avait dix-sept ans et ne fréquentait plus l'école depuis quatre ans. Il n'était pourtant pas rare que Rebekah prête main-forte à l'institutrice de cet établissement, dont la classe unique accueillait les enfants jusqu'en quatrième. Elle avait eu le malheur d'être là le jour où un forcené armé jusqu'aux dents était entré dans l'école, avait pris en otage plusieurs personnes et avait tiré sur dix fillettes, parmi lesquelles cinq survécurent. L'homme avait ensuite retourné son arme contre lui. Dix jours plus tard, le bâtiment fut démoli. Six mois après, on inaugura dans les environs la New Hope School – l'école de l'espoir retrouvé. On fit en sorte de concevoir un bâtiment aussi différent que possible de celui qui avait servi de théâtre au massacre. Profondément bouleversés, les gens extérieurs à la communauté s'étaient montrés très solidaires. Les Amish étaient leurs voisins depuis des années et s'étaient toujours montrés serviables et honnêtes. La tuerie fut le premier et le seul acte de violence de leur histoire.

Lillibet et sa famille appartenaient au vieil ordre amish de Nickel Mines, une ville au cœur du comté de Lancaster, en Pennsylvanie. Leur mode de vie n'avait pratiquement pas évolué depuis que leurs ancêtres s'étaient installés dans la région plus de trois cents ans auparavant : pas de confort moderne, pas d'électricité, pas de téléphone, et interdiction formelle de conduire des véhicules motorisés. Le cheval et la carriole étaient leurs moyens de transport exclusifs, et ils cultivaient la terre à l'aide d'outils ancestraux. Une chose changea néanmoins après la tuerie : on installa deux téléphones, que l'on plaça dans des boîtes à la lisière des fermes. Avec instruction de ne les utiliser qu'en cas d'urgence.

Tout comme leurs aïeuls, Lillibet et les siens portaient des vêtements de couleur sombre, qui n'étaient dotés ni de fermeture Eclair ni de boutons. Le tablier gris que la jeune femme mettait pour traire les vaches était épinglé à sa robe de coton noire qui la recouvrait des chevilles aux poignets. Elle portait également des bottes montantes à lacets et des collants opaques en coton noir. Sa coiffe, noire elle aussi, qu'elle s'était contentée de nouer négligemment sous son menton à cause de la chaleur, était rigoureusement identique à celle de ses ancêtres. Son père, à l'instar de tous les hommes de la communauté, arborait le costume amish traditionnel, noir et austère, composé notamment d'un long manteau le dimanche et du fameux chapeau plat à larges bords en castor ou en feutre en hiver, en paille en été. Les jeunes gens étaient rasés de près jusqu'au mariage. Ensuite, ils laissaient pousser leur barbe. La moustache était proscrite. Les femmes ne coupaient jamais leurs cheveux, qu'elles nouaient en nattes ou en chignons et recouvraient d'une coiffe. Rien dans les coutumes des Amish ne laissait supposer qu'ils vivaient au XXIe siècle. Reclus dans leurs fermes, où ils restaient entre eux, ils n'étaient pas touchés par le monde moderne.

Les Amish étaient pieux, bien sûr : tous les dimanches, la messe, qui n'avait jamais lieu au même endroit d'une semaine à l'autre, durait trois heures. Hommes et femmes n'y assistaient pas ensemble ; ils devaient se tenir dans deux pièces différentes. Les Amish étaient intègres : ils n'acceptaient aucune aide de l'Etat et ne bénéficiaient ni de la sécurité sociale ni des allocations chômage. La solidarité était une valeur importante à leurs yeux. De nombreux garçons du Vieil Ordre servaient comme pompiers bénévoles. Mais à part ces quelques incursions dans le monde extérieur, les Amish ne se mélangeaient pas souvent avec les « Anglais ». C'était ainsi qu'on surnommait ceux qui n'appartenaient pas à la communauté. Henryk croyait fermement que leur monde était distinct de celui des Amish. Les Anglais n'avaient donc pas leur place chez eux. On les respectait, on faisait affaire avec eux lorsque c'était nécessaire, mais il était préférable de garder une distance de sécurité. Ainsi, les visiteurs ou amis anglais n'avaient pas droit de cité au sein de leur communauté. L'histoire, ainsi que leurs croyances religieuses, leur avait enseigné que les deux univers ne se fondaient pas. Les mariages « mixtes » étaient proscrits. Les quelques jeunes qui quittaient leur foyer revenaient rarement. Une fois qu'ils avaient été corrompus par le monde des Anglais, leur famille les bannissait. Parfois, ils étaient même excommuniés de façon officielle.

L'Ordnung, un ensemble de lois strictes, régissait l'existence des Amish, leur dictant ce qu'ils pouvaient faire ou pas. Ils le suivaient à la lettre. Il n'y avait pas de demi-mesure. Aucune entorse à la loi amish n'était tolérée. Henryk était l'un des membres les plus sévères du conseil des sages du Vieil Ordre. De son vivant, Rebekah était parvenue à le rendre plus tolérant, ou avait en tout cas essayé. Mais depuis sa mort, Henryk s'exprimait en allemand pennsylvanien, un dialecte germanique, marquant ainsi son attachement aux coutumes ancestrales. C'est dans cette langue qu'il s'adressait d'ailleurs la plupart du temps à ses enfants.

Tout en chassant les mouches qui lui tournaient autour, Lillibet vida les seaux de lait dans les grands pots métalliques qu'ils utilisaient pour acheminer leur production jusqu'à l'exploitation laitière voisine. Ces récipients, qu'elle déplaça dans la chambre froide, étaient lourds. Habituellement, il incombait à ses frères de les transporter.

A l'heure du déjeuner, la jeune femme alla voir comment se portaient les garçons. Ils étaient mal en point, et leurs boutons les démangeaient. La chaleur n'arrangeait en rien leur affaire. Elle leur prépara des compresses froides contre la fièvre. Depuis la mort de Rebekah, Lillibet tenait lieu de mère, de fille, de cuisinière, de domestique, d'ouvrière agricole et d'esclave pour les hommes de sa famille. Elle savait que c'était son devoir et ne se plaignait jamais.

Lorsque sa mère était morte, Lillibet était en âge de se marier. A cette époque, plusieurs prétendants l'avaient approchée. Mais entre la cuisine, le ménage, les corvées et l'éducation de ses trois frères, elle n'avait pas de temps à leur consacrer. Et elle avait le sentiment, à vingt-quatre ans, d'avoir assumé toutes les responsabilités inhérentes à un mariage, d'en avoir connu les aspects les plus négatifs. Elle n'avait aucunement l'intention de revivre cela pour quelque mari que ce soit. Surtout, personne de son entourage n'avait su toucher son cœur. Désirant ardemment l'épouser, plusieurs veufs, aussi âgés que son père à l'époque où il avait rencontré sa mère, étaient allés voir Henryk. Mais Lillibet les avait tous rejetés.

A présent, lorsque des prétendants abordaient la question avec lui, Henryk leur disait franchement que, certes, Lillibet était une belle fille, capable, sérieuse et intelligente, mais qu'elle n'était pas une jeune femme aimable, que les hommes étaient le cadet de ses soucis. Il en était venu à croire qu'elle préférait vivre avec lui pour veiller à l'éducation de ses frères, et avait choisi de rester célibataire jusqu'à la fin de ses jours. Ses seules passions étaient l'étude de la Bible et la lecture, un loisir qui lui plaisait plus que tout au monde. Lillibet passait des nuits entières à lire et relire à la lueur d'une bougie les ouvrages que sa mère lui avait légués. Et elle demandait à tout le monde autour d'elle de lui prêter des livres, peu importaient lesquels. Son père ne soupçonnait absolument pas l'existence de cette activité nocturne.

Son seul ami garçon était un ancien camarade de classe. Il s'appelait Friedrich – Freddie, pour les intimes. Sa mère avait nourri l'espoir autrefois que Lillibet tombe amoureuse de lui. Mais ils se connaissaient depuis trop longtemps, et Freddie était en outre trop jeune. Depuis, il avait épousé une jeune femme docile que Lillibet n'avait jamais vraiment appréciée. Le couple avait quatre enfants, et la vie de Freddie était désormais à des années-lumière de la sienne. Malgré tout, il arrivait encore que les deux amis discutent ensemble après le service religieux du dimanche.

Freddie l'adorait. Ils avaient partagé tant de bons moments lorsqu'ils étaient enfants. Son épouse disait que Lillibet était l'archétype de la vieille fille. Freddie, qui savait combien son amie travaillait pour pourvoir aux besoins de sa famille, était navré pour elle. Catapultée dans la peau de sa mère à dix-sept ans à peine, son existence était bien trop austère pour quelqu'un de son âge. Quel dommage que sa vie ait pris une telle tournure !

Lillibet prépara le déjeuner. Bientôt, son père rentrerait des champs. Il exploitait sa terre avec ses quatre fils aînés, et ses cadets commençaient à apprendre le métier. Puis elle se rendit au chevet de ses frères. Elle irait ensuite chercher les lourds pots de lait dans la chambre froide, qu'il lui faudrait transporter seule jusqu'à la laiterie Lattimer. Lillibet et ses frères parlaient un anglais moderne entre eux, mais, lorsqu'ils s'adressaient à leur père ou aux anciens de la communauté, ils respectaient la tradition et employaient des tournures plus formelles, tombées en désuétude. Lillibet aimait les livres dans lesquels les personnages s'exprimaient normalement, mais aussi ceux qui lui permettaient de découvrir des lieux exotiques comme l'Europe, l'Asie, l'Afrique, New York, Paris ou Londres. Autant de destinations qui la faisaient rêver, et qu'elle ne verrait jamais. Contrairement à son père et à ses frères, qui se satisfaisaient de leur existence étriquée à Nickel Mines, Lillibet avait hérité de sa mère une soif de connaissance qui lui donnait envie de parcourir le monde.

Willy parut inquiet pour sa sœur.

— Là-bas, quelqu'un t'aidera à porter les pots, lui dit-il.

Il était rare qu'il se montre aussi prévenant à son égard. En temps normal, il la taquinait sans relâche, lui donnant sans cesse du fil à retordre, cherchant continuellement le conflit. Les jumeaux, encore scolarisés, étaient plus obéissants.

— Je peux les porter toute seule, répondit Lillibet d'un ton ferme.

Elle était menue mais musclée grâce à de longues années de dur labeur à la ferme. On attendait d'elle qu'elle sache se débrouiller, et c'était ce qu'elle faisait. Willy se retourna et se rendormit. Depuis que Lillibet avait perdu sa sœur et sa mère, sa vie était cruellement dénuée de compagnie féminine. Ses plus proches amies étaient les personnages des romans qu'elle lisait avec voracité.

La jeune femme raffolait des œuvres de Jane Austen. Elle appréciait le cocktail bien dosé de sensibilité, de franc-parler et de romantisme de ces livres et tâchait de s'en inspirer lorsqu'elle écrivait, sans pour autant le copier. Car Lillibet souhaitait développer son propre style. Elle s'attelait à cette mission depuis des années, dans le silence et dans l'ombre. Elle empruntait des piles d'ouvrages à l'institutrice, une ancienne camarade de classe. Dès qu'elle le pouvait, celle-ci lui glissait discrètement quelques carnets vierges. Elle avait demandé un jour à Lillibet à quoi ils servaient. La jeune femme avait prétendu tenir un journal dans lequel elle consignait des anecdotes sur ses frères et des souvenirs de sa mère. Pur mensonge ! Voilà trois ans que Lillibet travaillait à un roman ayant pour principal protagoniste une fille originaire d'une ferme du Midwest qui n'était pas amish. Elle la suivait à New York, puis en Europe, où elle s'installait une fois adulte. Pour ces passages, Lillibet s'était appuyée sur ses lectures, sans vraiment savoir si ce qu'elle écrivait correspondait à la réalité. Elle s'était en revanche inspirée de ses propres émotions, de ses désirs et de ses rêves pour donner de l'épaisseur psychologique à son personnage, qui, en quittant son petit monde familier, faisait des rencontres excitantes, découvrait des lieux fabuleux et vivait de grandes passions. Elle tâchait d'insuffler à ses mots cette même tendresse doublée de profondeur qu'elle admirait tant chez Jane Austen, tout en leur donnant une saveur personnelle.

Elle venait de terminer le roman quelques semaines auparavant. Son manuscrit, soigneusement rédigé à la main, était contenu dans douze carnets. A présent, elle n'avait aucune idée de ce qu'elle pouvait en faire. Où fallait-il qu'elle l'envoie ? Qui lirait son livre ? Elle ne connaissait personne qui puisse l'aider. Et si on apprenait dans la communauté l'existence de cet ouvrage, elle serait mise au ban de la société. Elle avait donc caché les cahiers sous son matelas, où elle était sûre qu'on ne les trouverait pas. Sa chambre, avec pour tout mobilier une commode et un lit, ressemblait à s'y méprendre à une cellule de prison. A la nuit tombée, Lilli s'éclairait à la bougie. Un soir, l'un de ses frères cadets l'avait surprise en train d'écrire. Elle avait prétexté vérifier les finances de la ferme pour leur père, et le garçon avait semblé se satisfaire de cette explication. Son roman était un grand secret.

Si sa mère avait toujours été de ce monde, Lillibet l'aurait partagé avec elle. Rebekah aurait compris sa fille et aurait peut-être même été fière d'elle. Mais elle n'aurait pas été en mesure de l'aider à trouver un éditeur. Or, c'était ce que Lillibet souhaitait aujourd'hui. Elle voulait que son roman soit diffusé, qu'il connaisse le monde – ce qu'elle-même n'était pas autorisée à faire. Sa famille pouvait garder le contrôle sur elle, lui dicter son mode de vie, mais certainement pas étouffer sa voix. Lillibet voulait qu'on écoute ce qu'elle avait à dire. D'ailleurs, elle avait déjà des idées pour un prochain ouvrage. Les personnages nés de son imagination peuplaient son quotidien, qui, sans eux, aurait été désert.

Cependant, Lillibet ne savait pas si son roman avait une quelconque valeur littéraire. Personne ne l'avait lu. Sa voix était celle d'un oiseau chantant doucement au cœur d'une forêt solitaire. Son livre s'intitulait d'ailleurs *Quand chante l'hirondelle*. Lillibet se demandait s'il était condamné à croupir sous son matelas. Cette seule pensée la plongeait dans un désespoir et une tristesse infinis.

Rebekah avait été très proche d'une certaine Margarethe, qui était devenue pour Lillibet une sorte de tante adoptive après la mort de sa mère. C'était une personne très douce, qui avait prodigué son affection sans compter aux jeunes orphelins. Elle était veuve, avait dix enfants, et, à quarante et un ans – l'âge qu'aurait eu Rebekah aujourd'hui –, elle en paraissait au moins cinq de plus. Rebekah à l'inverse avait toujours semblé bien plus jeune qu'elle ne l'était en réalité. Lillibet avait hérité de cette qualité, ainsi que de son petit gabarit. A moins de la regarder de plus près ou de lui parler, on lui donnait seize ans alors qu'elle en avait vingt-quatre. Son visage possédait la douceur de l'enfance. Toutefois Lillibet pouvait se métamorphoser en une ravissante jeune femme aux yeux pétillants. Lorsqu'elle s'enflammait pour ses idées ou avait l'opportunité de les partager avec un tiers, elle devenait une tout autre personne, vivante et passionnée. Malheureusement, cela n'arrivait presque jamais. Fut un temps, Freddie et elle échangeaient énormément. Le garçon nourrissait alors une réelle curiosité à l'égard du monde. Mais à présent, ses seuls sujets de discussion étaient sa femme, sa ferme et ses enfants. Lillibet ne pouvait pas lui parler de son roman, pas plus qu'à Margarethe, qui était certes une femme chaleureuse et affectueuse, mais manquait cruellement d'ouverture d'esprit. Margarethe encourageait sans cesse Lillibet à respecter les traditions, à suivre son exemple et à éviter les conflits avec son père. En vérité, la jeune femme ne cherchait plus à le défier comme elle avait pu le faire quand elle était plus jeune. Désormais, elle mettait tout son cœur, toute son âme et toutes ses idées dans ce qu'elle écrivait, et cachait l'ensemble sous son matelas.

Ce matin-là, Lilli avait dit à son père qu'elle se chargerait de la livraison de lait et prendrait la carriole. Henryk lui avait donné son accord. Il lui avait rappelé de ne pas oublier de rapporter le fromage et recommandé de ne pas emprunter la route principale, même si les touristes ne la fréquentaient pas pendant la semaine. Il ne voulait pas que ses enfants soient photographiés ou tournés en dérision par les Anglais. Elle lui promit de rouler sur les petites routes.

Lillibet était excitée à l'idée de ce périple. Elle n'était allée à la laiterie qu'une seule fois dans sa vie, bien des années auparavant. Elle s'installa dans la carriole attelée au cheval « de tous les jours ». Le dimanche, pour se rendre à la messe ou lors des grandes occasions, ils se déplaçaient dans une carriole plus élégante, tractée par un autre animal. Tout le comté leur enviait ce véhicule, dans lequel la jeune femme adorait se promener avec son père. Ce cheval-ci avait le mérite d'être calme et très docile, et il était habitué aux routes fréquentées par les automobilistes. Lillibet n'était jamais montée dans une voiture à moteur de sa vie.

Malgré leur poids, Lilli parvint à hisser les pots de lait dans la carriole. Au cours du trajet, elle ne put s'empêcher de penser à son roman. Si un quelconque espoir de le faire publier existait, elle savait qu'elle ne

pourrait compter que sur son ingéniosité et son jugement pour réaliser son rêve.

C'était une belle journée. Avec cette chaleur, Lillibet
étouffait dans sa tenue sombre qui la recouvrait
presque intégralement. Elle aurait aimé pouvoir retirer
sa coiffe, mais n'osait pas. Elle la tira vers l'arrière et
détacha les rubans sous son menton. La coiffe glissa
vers sa nuque, révélant un visage adorable éclairé par
d'immenses yeux verts. Ses cheveux, d'un blond très
clair, étaient nattés en une grande tresse qui descendait
le long de son dos. Son père aurait été furieux de la
voir ainsi, sans couvre-chef. Lillibet se demanda à quoi
elle ressemblerait avec du fard. Elle avait déjà vu des
photos de femmes maquillées ou portant du vernis à
ongles dans des livres, mais n'avait jamais eu recours à
ce genre de coquetterie.

Son existence était exempte de toute frivolité. Sa
seule fantaisie était son imagination, fort fertile. Henryk
ne soupçonnait pas un instant la richesse de la vie intérieure de sa fille. Sans doute était-ce préférable qu'il en
soit ainsi. Elle gardait tout cela enfoui en elle, comme
un plumage étincelant caché sous une cape noire.

Une trentaine de minutes après avoir quitté la ferme,
elle arriva à destination. Elle avait laissé le cheval aller
à son allure afin de pouvoir profiter du paysage. En
apercevant la laiterie, elle remit sa coiffe et renoua les
rubans noirs sous son menton. Son visage était de nouveau couvert. Mais ses yeux pétillaient. Pour elle, cette
expédition était une véritable aventure.

Tandis qu'elle rangeait sa carriole devant la laiterie,
deux garçons s'avancèrent vers elle.

— Pourriez-vous m'aider, s'il vous plaît? leur
demanda-t-elle en souriant.

Ils hochèrent la tête, contents de pouvoir se rendre utiles. Ils ne savaient pas vraiment qui elle était, mais avaient reconnu le véhicule.

— Je viens de la ferme des Petersen, expliqua-t-elle. Mes frères sont malades et n'ont pas pu se déplacer.

Ils la regardèrent sans trop savoir quoi répondre. Lillibet se rendit dans l'immense grange afin de récupérer son fromage. A l'intérieur, elle aperçut les vaches, la salle de traite et les machines, et les énormes unités de stockage réfrigérées. L'établissement Lattimer était la plus grande laiterie de la région, et son père faisait des affaires avec elle depuis trente ans. Il s'agissait d'une maison solide et sérieuse.

Joe Lattimer aimait travailler avec les Amish, car c'étaient des gens honnêtes. Il aperçut la jeune femme depuis la fenêtre de son bureau. Debout dans la grange, à regarder ce qui l'entourait, Lillibet ressemblait à une enfant, ou en tout cas à une très jeune fille. Il ne la connaissait pas et elle l'intriguait, aussi décida-t-il d'aller à sa rencontre. Alors qu'il approchait, elle se tourna vers lui et lui sourit. Son visage dénotait de la curiosité et une grande ouverture d'esprit, et ses yeux laissaient deviner son intelligence. Malgré sa coiffe, Joe Lattimer vit tout de suite qu'elle était charmante. Et lorsqu'elle se mit à parler, il comprit qu'elle était plus âgée qu'elle n'en avait l'air. Puis ses yeux se posèrent sur ses vêtements amish, et de vieux souvenirs remontèrent à la surface.

Elle lui rappelait une jeune fille amish dont il était tombé amoureux il y avait quarante ans de cela. Elle accompagnait parfois son père à la laiterie. Mais on lui avait interdit de le fréquenter ou de lui adresser la parole. Elle s'était mariée six mois plus tard. Ensuite, Joe n'avait plus entendu parler d'elle. Il ne l'avait pas pour autant oubliée. Elle était une sorte de rêve qu'il avait gardé précieusement en lui, comme un symbole de son innocence perdue. Elle était cette inconnue qu'il avait ardemment désirée, mais qu'il n'avait jamais pu faire sienne. Il n'avait pas cherché à la retrouver, par respect pour elle.

— Puis-je vous aider ? demanda-t-il gentiment à Lillibet.

Joe Lattimer avait presque soixante ans et avait hérité de la laiterie de son grand-père et de son père, que Henryk avait connus et appréciés. Il regardait la jeune femme de ses yeux bienveillants, comme s'il la connaissait déjà.

— Je vous apporte le lait des Petersen, dit-elle d'un air timide qui s'évanouit rapidement. Mes frères sont tous malades, alors c'est moi qui suis chargée de vous livrer le lait. Demain, je viendrai avec le lait de chèvre. Mon père m'a demandé de ne pas oublier le fromage, expliqua-t-elle.

Il hocha la tête. Il venait de comprendre qui elle était. Elle ressemblait à ses frères, mais sa beauté troublante avait détourné son attention.

— Mais oui, bien sûr ! répondit-il en souriant. Vous êtes la fille de Henryk, n'est-ce pas ?

— Oui, je suis sa fille.

Le rire de Lillibet produisit un tintement semblable à celui de cloches qu'on entend sonner au loin, dans le vent.

— Je m'appelle Lillibet.

Joe Lattimer avait entendu parler de la tragédie qui avait coûté la vie à sa mère alors qu'elle était encore toute jeune – dans les trente-cinq ans environ. Il ne l'avait jamais rencontrée, mais on lui avait parlé de sa beauté. Il se souvenait vaguement aussi qu'il y avait eu une autre fille dans la famille.

— Mes frères ont attrapé la varicelle. Ils ne sont pas beaux à voir ! dit-elle, amusée.

Puis elle pencha sa tête sur le côté et lui demanda en souriant :

— Puis-je faire un tour ? Je ne suis venue qu'une fois ici.

— Mais je vous en prie ! Vous êtes ici chez vous, mademoiselle.

Joe savait que les femmes amish ne quittaient que rarement les fermes. Il fut cependant frappé par la curiosité de Lillibet. A peine lui avait-il donné son feu vert qu'elle délaissait la grange et allait explorer l'immense laiterie. Quelle charmante jeune femme ! pensa Joe en regagnant son bureau.

Alors qu'elle se promenait, Lillibet remarqua un banc sous un arbre. C'est là qu'on s'asseyait en attendant une livraison, ou pour faire une pause pendant la journée de travail. Sur ce banc se trouvait un livre. Lillibet s'assit et saisit l'ouvrage. Elle ne le connaissait pas. Elle le feuilleta, s'arrêtant pour parcourir quelques passages qui lui parurent plaisants. La tentation de le prendre était forte, mais elle ne voulait pas le voler à son propriétaire. Elle vit qu'il était corné et qu'une page avait été marquée. Elle tomba sur le nom de l'éditeur, et sur son adresse, à New York.

Tout à coup, elle eut le sentiment que le destin lui offrait l'opportunité qu'elle attendait avec tant d'impatience. Elle sortit un minuscule crayon et un morceau de papier de sa poche et nota le nom et les coordonnées de l'éditeur. Elle était convaincue que ce hasard était un signe venu du ciel, envoyé par sa mère qui souhaitait ainsi l'aider. Elle reposa le livre sur le banc et regagna le bâtiment principal, où elle partit en quête de M. Lattimer. Elle le trouva dans son bureau. Il fut fort surpris de la voir, hésitante, sur le pas de sa porte.

— Puis-je entrer ? demanda-t-elle poliment.

Il acquiesça en la regardant droit dans les yeux. Elle semblait honnête et franche, timide mais pas peureuse. Son malaise était compréhensible : il était rare qu'elle voie des gens extérieurs à sa communauté.

— Que puis-je pour vous, Lillibet ?

— Si je vous remets un colis, pourriez-vous l'expédier pour moi ? A New York ?

Cette ville était à ses yeux comme une autre planète, même si elle servait de décor à de nombreux romans qu'elle avait lus.

— Bien entendu ! Cela ne me pose aucun problème. On expédie des colis tous les jours.

— Je ne pourrai pas vous payer, précisa-t-elle, l'air embarrassée.

Joe Lattimer se leva. Elle paraissait minuscule à côté de lui. Il lui dit en souriant :

— Ce n'est pas un colis pour New York qui va nous ruiner. Du moment que vous n'envisagez pas d'envoyer un cheval ou un piano...

Ses propos l'amusèrent.

— Rassurez-vous, il n'y a que quelques carnets. Je peux vous les apporter demain, dit-elle, tout excitée.

Une flamme illuminait son regard, ce qui la rendait encore plus belle.

— Apportez-les, on s'en occupera. Vous saluerez votre père de ma part, dit-il en l'accompagnant jusqu'à la sortie.

Les deux garçons venaient de déposer le fromage dans la carriole. C'était un produit délicieux, élaboré à partir du lait de chèvre que leur fournissait la ferme

Petersen. Henryk disait toujours qu'il se vendait très bien. Les Anglais l'appréciaient.

— A demain, alors !

Joe Lattimer la salua de la main et retourna dans son bureau, où il resta assis un moment, perdu dans les souvenirs qu'elle avait ravivés. Dehors, Lillibet s'installa dans l'attelage de son père et secoua les rênes. Le cheval semblait pressé de rentrer, et il trotta jusqu'à leur arrivée. Lillibet était aux anges. Elle avait trouvé un moyen de parvenir à ses fins. Son livre allait voyager jusqu'à New York !

Le jour suivant, les frères de Lillibet étaient toujours souffrants. L'état de santé des jumeaux avait même empiré, et Margarethe promit de venir leur rendre visite dans l'après-midi. Même si cela n'avait rien de grave, les garçons s'apitoyaient sur leur sort. Willy aussi, bien qu'il n'eût pas autant de boutons que ses cadets.

Le matin, comme à l'accoutumée, Lillibet se chargea de traire les vaches. Deux de ses neveux, les fils de son frère aîné, lui prêtèrent main-forte. Ils avaient le même âge que les jumeaux. Ils portèrent les lourds récipients jusqu'à la carriole. Ce jour-là, il y avait en plus le lait de chèvre, qu'elle avait promis de livrer à la laiterie et qu'ils ne fournissaient pas tous les jours, contrairement au lait de vache. Après le déjeuner, la jeune femme se mit en route. Juste avant de partir, elle monta dans sa chambre, prit les douze carnets sous son matelas et les enveloppa dans l'un de ses tabliers, un modèle en lin gris tourterelle confectionné par sa mère. Lillibet gardait tous les tabliers qui lui avaient appartenu. Certains étaient effilochés et usés, mais ils possédaient une valeur sentimentale. Celui qu'elle avait choisi pour empaqueter ses cahiers était l'un des mieux conservés. Elle espérait que cela lui porterait chance.

Elle referma le paquet à l'aide d'une épingle, le plaça sous son bras comme s'il s'agissait de livres scolaires, dévala l'escalier d'un pas léger et posa son précieux chargement sur le sol de la carriole. Elle saisit les rênes, lança son cheval au trot. Personne ne l'avait vue. Tout le long du trajet, elle fut hantée par les carnets qu'elle s'apprêtait à confier à Joe Lattimer. C'était le jour le plus excitant de sa vie. Elle expédiait son livre à l'extérieur de son univers confiné. Quelques idées angoissantes lui traversèrent l'esprit. Et si le roman se perdait ? Et si on le détestait ? Et si l'éditeur le trouvait très mauvais ? Et si on se moquait d'elle ? Et si on disait qu'elle ne savait pas écrire ? Quoi qu'il en soit, Lillibet avait la conviction qu'il fallait prendre ce risque. Il était hors de question de faire machine arrière. De toute façon, le tablier de sa mère protégerait son livre.

Vingt minutes plus tard, elle arriva à destination. Tandis que les ouvriers agricoles prenaient les pots de lait, elle se rendit dans le bureau de Joe Lattimer avec son paquet soigneusement emballé. L'homme était à son ordinateur et leva les yeux vers elle en souriant. C'était la première fois qu'elle voyait une telle machine, mais elle devina tout de suite de quoi il s'agissait. Certains des enquêteurs qui étaient venus les voir après la tuerie utilisaient des ordinateurs portables. Mais l'appareil qu'elle avait en face d'elle était immense.

— C'est ce colis que vous souhaitez expédier à New York ? s'enquit Joe.

Elle hocha la tête. L'excitation la laissait sans voix et illuminait ses yeux.

— Très bien. Je le ferai partir demain, à la première heure.

Elle lui tendit le morceau de papier sur lequel elle avait noté de son écriture appliquée le nom et les coordonnées de l'éditeur new-yorkais.

— Quelle adresse dois-je indiquer pour l'expéditeur ? lui demanda-t-il.

Il se doutait de sa réponse. Si elle n'avait pas demandé à son père de se charger du colis, c'était qu'elle voulait que cela reste secret. Joe Lattimer n'y voyait rien de mal. Elle était majeure, après tout.

— Cela vous embête si on met l'adresse de la laiterie ? demanda Lillibet avec prudence.

— Absolument pas.

Il tendit la main pour prendre le paquet, qu'elle lui confia comme s'il contenait les joyaux de la couronne britannique.

— Ce qu'il y a à l'intérieur doit vous tenir à cœur, lui dit-il en la taquinant un peu.

Lillibet avait le plus grand mal à se séparer du paquet et garda les yeux rivés sur les carnets qu'il venait de récupérer.

— J'en prendrai soin comme de la prunelle de mes yeux.

— Merci, dit-elle, le souffle court.

Elle referma la porte derrière elle. Sur le chemin du retour, son cœur battait à se rompre. Elle avait l'impression d'avoir mis son propre enfant dans une boîte et de l'avoir propulsé quelque part dans l'espace sans savoir quand elle le reverrait ou s'il y aurait quelqu'un de l'autre côté pour l'accueillir. Envoyer ses carnets à New York était la chose la plus effrayante qu'elle ait jamais faite de sa vie. Mais elle savait qu'elle n'avait pas le choix. Sa mère aurait souhaité qu'elle soumette son roman à un éditeur. Et aurait été fière qu'elle ait franchi le pas, quelle que soit l'issue de son entreprise. Lillibet n'osait espérer voir un jour son manuscrit publié. Mais peut-être qu'avec de la chance et un petit coup de pouce du ciel cela se produirait. Pour l'heure, son roman était en route.

14

Lorsqu'il découvrit que l'ascenseur de l'immeuble où il travaillait était encore en panne, Bob Bellagio lâcha un juron. Depuis une semaine, il ne fonctionnait qu'un jour sur deux. Une vague de chaleur s'était abattue sur New York, provoquant des coupures intermittentes de courant. La maison d'édition qu'il avait créée se trouvait au cinquième étage d'un vieil immeuble situé dans le quartier de Tribeca. C'était suffisamment haut pour vous en faire baver si vous deviez prendre l'escalier. Des records de température avaient été battus dans la ville en ce mois de juillet. L'air conditionné au bureau s'était arrêté ce jour-là, tout comme le fax. Il aurait presque dû ne pas venir, mais Bob mettait un point d'honneur à se déplacer systématiquement, quelles que soient les circonstances. Il gravit péniblement les cinq étages et poussa la porte coupe-feu.

Il avait créé sa maison d'édition cinq ans plus tôt, à l'âge de trente et un ans. Comme pour d'autres choses dans sa vie, il avait dû se battre pour lancer son affaire et la maintenir à flot. Son catalogue comptait quelques jeunes auteurs remarquables, dont certains étaient peut-être trop avant-gardistes mais cependant pétris de talent selon Bob. Les critiques partageaient son point de vue, les lecteurs, un peu moins. Au cours de ces deux dernières années, deux succès modestes leur avaient permis de ne pas mettre la clé sous la porte et avaient insufflé de l'espoir à Bob. Aujourd'hui, il leur fallait un best-seller. Lui et ses collègues étaient à l'affût de la pépite qui les révélerait et les rendrait célèbres.

Parfois, Bob se demandait si les collaborateurs qu'il avait choisis n'étaient pas trop littéraires et exigeants pour dénicher des livres répondant au goût du grand public. Deux sortaient de Harvard, un de Yale, un de Princeton, et le dernier était un authentique prodige qui, bien que n'étant sorti d'aucune de ces grandes universités, était plus intelligent que tous les autres réunis. C'étaient des individus décalés, anticonformistes et brillants. Cependant, comme il n'avait de cesse de le leur répéter, Bob recherchait un succès commercial qui sauverait sa société, pas un coup de génie littéraire qui susciterait d'excellentes critiques mais ne se vendrait qu'auprès d'une poignée d'intellectuels de Princeton. Il craignait parfois que la haute idée que son équipe se faisait de la littérature – et que lui-même partageait – ne finisse par avoir raison de sa maison d'édition. Pour ne rien arranger, la concurrence était rude. En règle générale, les bons romans commerciaux tombaient dans les filets des grosses maisons. Petit éditeur indépendant, Bob avait de nobles idéaux mais fort peu d'argent à proposer aux auteurs.

Essoufflé par son ascension dans la fournaise, Bob se sentait oppressé. Si seulement il se mettait à pleuvoir ! L'immeuble était chaud comme un four, et son bureau, étouffant. On l'avait invité dans les Hamptons pour le week-end, mais il avait préféré rester chez lui pour travailler. L'un de leurs meilleurs auteurs venait de remettre son nouveau manuscrit, qui lui avait demandé trois ans, et Bob devait le lire. Il souhaitait aussi réfléchir à la possibilité de réduire certains coûts.

Bob était bien déterminé à mettre sa maison d'édition sur la route du succès. Il voulait prouver qu'il en était capable. Après des études à Harvard et à Columbia où il avait obtenu un diplôme de commerce, il avait travaillé pendant trois ans chez Knopf, un prestigieux éditeur, avant de se lancer. Monter sa propre société avait été une décision extrêmement excitante. Aujourd'hui, il devait la maintenir en vie jusqu'à ce que la réussite vienne enfin couronner ses efforts. Il savait qu'il y parviendrait. Il avait déjeuné avec un agent quelques jours auparavant et avait tout fait pour essayer de récupérer des projets stimulants. Son métier le passionnait.

Il passa devant le bureau de Patrick Riley, son collaborateur junior. Celui-ci avait rejoint l'équipe deux ans plus tôt, titulaire d'une maîtrise en littérature de la Renaissance obtenue avec mention très bien à Harvard. C'était une tête, et comme aurait dit la mère de Bob, il ressemblait à un lit défait. Agé de vingt-neuf ans, il écrivait un essai sur l'influence des philosophies décadentes de la Grèce antique sur nos sociétés modernes. Bob n'avait pas souhaité le publier. L'ouvrage obtiendrait un joli succès auprès de la mère de Pat, de sa grand-mère, de ses dix-huit cousins et de quelques professeurs de lettres de son université. Point final. Pat Riley avait beau être sacrément intelligent, ce livre-là était trop pointu pour réellement se vendre. Jusqu'à présent, le jeune homme avait cependant déniché de bons livres pour Bellagio Press : ils n'avaient certes pas suscité l'hystérie collective, mais s'en étaient sortis convenablement.

La chevelure sauvage de Pat était constituée d'un enchevêtrement de boucles dont l'ambition non encore réalisée était de devenir un jour des dreadlocks. Cette tignasse semblait ne pas avoir été approchée par une brosse ou un peigne depuis des années. Pat venait travailler tous les jours en jean troué, qu'il usait jusqu'à ce que le vêtement se désintègre. Il possédait une collection de tee-shirts déchirés et délavés pour l'hiver, et une autre tout aussi peu respectable pour l'été – des tee-shirts vintage à l'effigie de groupes, dont certains avaient appartenu à des rock stars. C'était en tout cas ce qu'il prétendait. Il était chaussé de Converse en lambeaux. Et très fier de dire qu'il avait cessé de porter des chaussettes au lycée, ce que Bob n'avait aucun mal à croire. Chaque jour, son employé se présentait au bureau avec des allures de naufragé. Et Bob semblait bien être le seul à s'en offusquer. Il lui arrivait d'ailleurs de déjeuner avec des agents qui arboraient le même genre de look. A vrai dire, Pat était tellement drôle, intelligent, incisif et doué que son apparence importait peu. Bob l'avait embauché pour son talent et son esprit, pas pour sa garde-robe, et lorsqu'il lui laissait entendre que, parfois, il pourrait faire des efforts vestimentaires, Pat se contentait de le regarder, hagard, et de secouer la tête.

En qualité de directeur de la maison d'édition, Bob s'efforçait quant à lui d'avoir l'air respectable, au cas où quelqu'un d'important viendrait les voir. Cela ne se produisait quasiment jamais, mais Bob soignait systématiquement sa présentation : pantalon clair en été, en flanelle grise ou en velours en hiver, ou un jean assorti d'une belle chemise... Il avait toujours un blazer ou une veste décontractée à portée de main, et une cravate dans un tiroir. Pat lui disait qu'il était désespérément bourgeois, alors que lui-même était un intellectuel pur jus, comme le démontrait son manque d'intérêt pour la chose vestimentaire. Bob ne prenait même plus la peine d'argumenter.

Bob était issu d'une famille traditionnelle. Chez les Bellagio, tout le monde avait suivi de brillantes études et réussissait dans la vie. Son père était neurochirurgien, sa mère était associée dans un grand cabinet d'avocats de Wall Street et son frère gérait des investissements chez Morgan Stanley. Bob était le seul à avoir osé monter sa propre affaire. A présent, il tentait vaillamment de prouver qu'il était à la hauteur de ce projet et se donnait à fond pour réussir. Parfois, il ne pouvait s'empêcher de douter. Mais ils avaient suffisamment d'argent à la banque pour tenir encore deux ans si chacun faisait attention et acceptait de ne pas être augmenté. D'ici là, Bob comptait sur un gros succès pour les propulser.

Cette maison d'édition était son bébé, sa petite amie, sa passion. Depuis qu'il s'était lancé dans l'aventure, elle était en réalité toute sa vie. Il avait tiré un trait sur les histoires d'amour, les relations amicales, le sport, les voyages, et même le sexe, à force de consacrer ses jours, ses nuits et souvent ses week-ends à son entreprise. Aucune femme n'était prête à consentir à autant de sacrifices. Cela ne semblait pas le déranger outre mesure. Et quand d'aucuns avaient essayé de lui présenter des filles pour tenter de le caser, il s'était systématiquement ennuyé. Son frère ne lui laissait pas de répit à ce sujet. Paul était marié à une avocate comme leur mère, et était père de deux enfants. Bob, de son côté, avait enchaîné les histoires sans lendemain et vécu seul au cours des dix dernières années.

— Si ça doit arriver, ça arrivera, répétait-il à son frère chaque fois qu'ils déjeunaient ensemble.

— Pas si tu ne forces pas un peu les choses, lui rappelait Paul. Il n'est guère probable qu'une belle femme sexy te tombe du ciel comme ça, dans les rues de Tribeca ! Il faut que tu sortes !

Selon Paul, Bob était passé de célibataire pas encore mûr pour une relation durable à ermite difficile et solitaire. Or il avait déjà trente-six ans, et le moment était amplement venu qu'il se marie et ait des enfants.

— Je n'ai pas de temps pour la drague. Je suis trop occupé à faire décoller mon affaire, expliquait Bob avec un grand sourire.

— Tu parles ! Tu as juste la flemme !

— Tu as peut-être raison. Mais dis-moi quel est l'intérêt que je sorte avec des femmes dont je me fiche ? Je sais très bien, après avoir passé cinq minutes avec elles, que je ne voudrai plus jamais les revoir. C'est une perte d'énergie !

— Avant de rencontrer la bonne personne, il faut environ quatre-vingt-dix-neuf flops. C'est comme ça que ça marche.

— Eh bien, réveille-moi au numéro quatre-vingt-dix-neuf, alors ! répliquait Bob avant de changer de sujet.

Il préférait parler travail avec son frère, écouter ses conseils en matière d'investissements plutôt que son avis sur sa vie sentimentale. De plus, quasiment aucun de ses anciens camarades de fac ne s'était marié. Certains avaient eu des enfants, mais sans passer par la case « mariage ». De cinq ans son aîné, Paul appartenait à une autre génération. Il adorait sa vie de famille, son existence paisible dans le Connecticut et ses trajets quotidiens en train pour se rendre sur son lieu de travail. Bob disait qu'il mourrait d'ennui si on l'obligeait à vivre de la sorte. Il possédait quant à lui un loft à Tribeca, à quelques encablures de sa maison d'édition, et il travaillait comme un fou. Il éprouvait même une certaine fierté à n'être jamais tombé amoureux. Le travail était sa passion.

Le désordre du bureau de Pat Riley fit presque tressaillir Bob. Comment pouvait-il s'y retrouver ? Disséminés un peu partout, des tas de papiers, des notes, des messages téléphoniques, des cartes professionnelles, de vieux gobelets en carton de chez Starbucks, et trois piles de manuscrits sur le bord de la table.

— C'est quoi, tout ça ? demanda Bob en fronçant les sourcils.

Brun aux yeux noisette, il n'était pas dénué de charme avec sa chemise bleue impeccable, son pantalon beige et ses mocassins. Aujourd'hui, lui non plus ne portait pas de chaussettes à cause de la chaleur, mais cela lui allait bien.

— C'est le tas des refus, répondit vaguement Pat.

Il cherchait désespérément quelque chose sur son bureau. On aurait dit un chat à l'affût d'une souris. Le tas des refus, comme il désignait cette pile, était constitué en fait des textes envoyés spontanément par les auteurs qui n'avaient pas d'agent. Habituellement, ces ouvrages étaient de piètre qualité. Les manuscrits adressés par les agents, dont le métier consistait à servir de filtre, étaient généralement de meilleure facture.

— Il faut que je les renvoie à leurs propriétaires, mais je n'ai pas encore trouvé le temps de le faire.

— Tu les lis ? lui demanda Bob, qui ne s'attendait pas vraiment à une réponse positive.

— Jamais, répondit Pat avec franchise. Je manque de temps. Les agents m'envoient tellement de choses que j'ai de quoi m'occuper pour les dix prochaines années.

Et il n'y a jamais rien d'intéressant dans ce qui nous arrive par la poste. Avant, j'essayais d'y jeter un œil, mais j'ai jeté l'éponge.

Bob hocha la tête. Il se fiait au jugement de Pat. Cependant, pour une raison quelconque, il se mit à regarder les manuscrits. Un gros paquet, au milieu de la deuxième pile, attira son attention. Il était enveloppé dans du tissu. Surpris, Bob l'examina.

— C'est quoi, cette histoire ? Les auteurs emballent leurs œuvres dans leurs caleçons avant de nous les faire parvenir ?

Comment prendre au sérieux une telle démarche ?

— Oui, je sais, c'est pathétique, commenta Pat. On nous a envoyé ça dans une espèce de chemisier. Une fille de ferme, qui vit dans l'Iowa. Je ne me souviens plus des détails.

— On retourne les manuscrits au bout de combien de temps ? s'enquit Bob.

Soudain, ce processus lui paraissait bien cruel. Les gens déversaient leur cœur dans des livres, les envoyaient à des éditeurs en priant pour être publiés, tout cela pour finalement les recevoir quelque temps après accompagnés d'une lettre type, qui leur conseillait de passer à autre chose ou de tenter leur chance ailleurs.

— Au bout de quelques mois, dit Pat en haussant les épaules. Celui-ci est arrivé il y a environ un mois. Il avait attiré mon attention. L'expéditrice a tout rédigé à la main.

— J'espère qu'elle l'a photocopié, ou qu'elle l'a conservé sur un ordinateur.

Bob ne put s'empêcher d'éprouver de la sympathie pour cette personne. Son manuscrit était enveloppé dans du beau lin gris, et tenu par des épingles droites. Il se piqua presque à l'une d'elles, qu'il ôta, découvrant ainsi les carnets. Il ignorait pourquoi, mais ce colis le fascinait désormais. L'étoffe avait été joliment cousue à la main, et, quand il la déroula, il comprit qu'il s'agissait d'une sorte de tablier. Celui-ci semblait taillé pour un enfant.

— Comme c'est étrange, murmura-t-il en ouvrant au hasard l'un des carnets, qui révéla une belle écriture ronde.

De toute évidence, l'auteur leur avait envoyé son manuscrit original. Et s'ils l'avaient perdu ou jeté ? Bob en eut presque des frissons. Il n'y avait aucune lettre d'accompagnement, juste l'adresse d'une ferme laitière dans le comté de Lancaster, en Pennsylvanie. Il écarquilla les yeux.

— Attends, cette fille n'est pas originaire de l'Iowa ! Elle vient de Pennsylvanie, et plus exactement du cœur du pays amish !

Bob souleva une nouvelle fois le tissu. Soudain, cela fit « tilt » dans sa tête : il s'agissait du tablier d'une jeune Amish.

— Merde, Pat ! Je parie que cette gamine est amish. Bon sang, et si on tenait un truc ? Elle écrit sans doute avec les pieds, mais ça vaut le coup de regarder son livre. Ce n'est pas si fréquent que ça, le récit d'une Amish vivant dans une ferme de Pennsylvanie.

— Ne t'emballe pas, marmonna Pat, qui était toujours en quête de ce qu'il avait perdu parmi les décombres jonchant son bureau. Si elle savait réellement écrire, elle ne nous aurait pas envoyé ses carnets emballés dans ses sous-vêtements.

— Si elle est amish, comme je le pense, elle n'a pas d'ordinateur, ni même de téléphone ou de fax. Il n'est pas exclu qu'on ait entre nos mains le seul exemplaire de son texte.

— C'est peut-être mieux comme ça, répondit Pat de manière cinglante.

Bob saisit la pile de carnets et le tablier.

— Je n'ai pas prévu de déjeuner aujourd'hui. Je vais en lire quelques pages avant que tu le renvoies. Ce sera peut-être amusant.

— Fais-toi plaisir ! dit Pat en sortant un dossier d'un tiroir.

Sur ce, Bob alla dans son bureau, où il laissa tomber les carnets sur la table. Il se retrouva avec le tablier gris clair entre les mains. Sans trop savoir pourquoi, il le tâta. Il se demandait si la femme qui l'avait porté était jeune ou âgée, et à quoi elle pouvait bien ressembler. Tout à coup, l'idée qu'elle était amish se mit à exercer une véritable fascination sur lui. Qui était-elle ? Pourquoi avait-elle écrit ce livre ? Il reposa délicatement le tablier sur son bureau et ouvrit le premier carnet. L'écriture, délicate et légèrement surannée, était néanmoins énergique. Peut-être était-ce un signe de la jeunesse de l'auteur ? La seule chose dont il fût certain sur cette personne était son nom. « Lillibet Petersen », avait-elle écrit sous le titre, en haut de la première page.

Bob se mit à lire, gagné peu à peu par la musique de ses mots. Le roman était rythmé, et le récit était porté par une voix puissante qui devint rapidement familière à l'éditeur. La façon qu'avait cette fille de manier la langue lui plaisait. Elle lui rappelait vaguement Jane Austen, mais possédait quelque chose de frais, de fort et d'inédit. Lillibet avait sans conteste un style. Bob se passionna bientôt pour les protagonistes de l'histoire. Le personnage principal était une jeune femme qui avait quitté la ferme familiale pour explorer le monde, en quête d'aventures. Les descriptions qu'elle faisait des gens, des lieux ou des situations étaient formidables. Bob passa au deuxième carnet. Lorsqu'il releva la tête un peu plus tard, il fut surpris de constater qu'il était dix-sept heures passées. Il lui avait été impossible d'arrêter sa lecture. Il resta un instant le regard perdu dans le vide, un sourire aux lèvres. Il avait la sensation étrange que Lillibet Petersen se trouvait avec lui dans la pièce. Il posa les yeux sur le tablier posé sur le bureau et sentit la présence d'une force irrésistible, comme si le destin avait décidé de s'en mêler.

Il passa un coup de fil important, signa quelques documents, puis mit les carnets de Lillibet dans un sac de course. A la dernière minute, il y glissa aussi le tablier. Il n'avait qu'une hâte : rentrer chez lui.

Vingt minutes plus tard, après avoir acheté une salade chez le traiteur, Bob était dans son appartement, installé dans le canapé, et se replongeait dans sa lecture. Tout à coup, il s'arrêta. Il sentait qu'il fallait qu'il lui envoie un message. Elle était si proche, il avait le sentiment de pouvoir quasiment la toucher en tendant le bras. Il se contenta de laisser courir ses mains sur le tissu du tablier.

— Lillibet, je ne te connais pas, mais je suis en train de lire ton histoire. Je t'entends, murmura-t-il.

Il resta sans bouger sur le sofa jusqu'à quatre heures du matin. Cela faisait des années que cela ne lui était pas arrivé. Habituellement, il lisait vite, mais dans le cas présent, il avait pris son temps, savourant cette histoire palpitante dans ses moindres détails. Les mots de Lillibet l'avaient totalement happé. Il était tombé amoureux de ses personnages, avait été bluffé par sa façon de dérouler l'histoire et tenu en haleine jusqu'à l'ultime phrase du roman. Il se demanda dans quelle mesure l'auteur avait été influencée par sa propre vie ;

quoi qu'il en soit, son livre était une pirouette littéraire magistrale, au terme de laquelle elle retombait sur ses pieds par un remarquable tour de force. Assis, le dernier carnet entre les mains, Bob repensa à tout ce qu'il venait de lire, et qui l'avait littéralement renversé. Qui qu'elle fût, cette fille ou cette femme de la campagne l'avait laissé sans voix. Et cela n'arrivait que rarement.

— Bon Dieu, Lillibet Petersen ! Qui es-tu ? Tes mots sont ceux d'un ange, tes idées sont géniales, je suis carrément sous le charme !

Bob se mit à rire. Ce roman était l'un des meilleurs qu'il ait lus ces dernières années. Et dire qu'il s'agissait d'un rescapé de la pile des refus, entièrement rédigé à la main et emballé dans un tablier ! L'éditeur, cependant, n'était plus certain que l'auteur soit amish. Il n'y avait aucune allusion à cette communauté dans le roman. Tous les habitants du comté de Lancaster n'étaient pas forcément des Amish. Peut-être n'était-elle qu'une banale fermière. Non, en réalité, rien en elle n'était banal. Cette inconnue était un écrivain remarquable. Il avait le sentiment que le destin avait placé entre ses mains un véritable joyau. Bob était passé des milliers de fois devant le bureau de Pat Riley, et jamais le tas des refus n'avait attiré son attention. Mais ce jour-là, il avait été envoûté par le manuscrit enveloppé dans un tablier. Oui, vraiment, c'était un coup du destin.

Il ne ferma pas l'œil de la nuit. Les carnets l'obsédaient. Samedi, il relut certains passages. Il alla ensuite se promener, fit un saut au bureau... Mais où qu'il aille, l'histoire de Lillibet le suivait. Il avait pris la décision d'appeler la laiterie lundi afin de parler à l'auteur de ce chef-d'œuvre. Ce fut le week-end le plus long de sa vie. Bob sentait que Lillibet attendait sa réponse et il souffrait de la faire ainsi patienter. Lundi matin, à la première heure, il téléphona de son domicile, les yeux fixés sur le tablier.

La personne qui décrocha lui dit qu'il n'y avait personne répondant au nom de Lillibet Petersen à la laiterie. Bob fut saisi de panique : et si elle avait utilisé un nom de plume ? Quoi qu'il en soit, l'adresse qu'elle avait mentionnée sur le paquet était forcément la bonne. Peut-être qu'un employé de la laiterie la connaissait ?

— Pourrais-je parler au responsable ou au propriétaire ? demanda Bob avec des papillons dans le ventre.

Il avait l'impression de tenir la fameuse pantoufle de vair entre ses mains et de devoir chercher dans tout le comté de Lancaster la propriétaire du soulier.

— Oui, je vais vous passer Joe Lattimer, répondit la voix.

Bob fut mis en attente et, trois minutes plus tard, Joe était à l'autre bout du fil.

— Oui, qu'est-ce que c'est ? dit-il sèchement.

Soudainement, Bob se trouva à court de mots. Il ne savait pas pourquoi, mais cette femme le bouleversait. Il avait l'impression d'être emporté par un raz-de-marée.

— Bonjour, je m'appelle Robert Bellagio. Je suis éditeur à New York. Nous avons reçu un manuscrit il y a un mois ou deux, qui nous a été adressé par une certaine Lillibet Petersen. J'ignore s'il s'agit de son vrai nom. Elle a donné en contact l'adresse de votre laiterie, mais votre réceptionniste ne semble pas la connaître. Cela vous dit quelque chose ?

Joe Lattimer écoutait en souriant. Il avait tout oublié de cette histoire jusqu'à ce que Bob lui rafraîchisse la mémoire.

— Oui, je connais Lillibet.

Bob exhala un long soupir de soulagement.

— C'est moi qui ai expédié ce colis pour elle. Ça fait un bail, je me souviens. Elle ne m'a pas dit de quoi il s'agissait. Je crois qu'il y avait des carnets dans un tablier. Alors, comme ça, elle a écrit un livre !

Visiblement, Joe était impressionné. La dernière fois qu'il avait vu Lillibet, c'était quelques jours après qu'il eut posté le paquet pour elle. Ensuite, son frère Willy avait repris les livraisons. La jeune femme n'avait plus eu de raison de revenir.

— Oui, elle a écrit un livre, confirma Bob. Et quel livre ! Y a-t-il un numéro de téléphone où je puisse l'appeler ? Je suis désolé de vous importuner avec cette histoire. Je ne savais pas comment la joindre autrement. Comme aucune lettre n'accompagnait son envoi, je n'ai que vos coordonnées.

— Vous ne me dérangez absolument pas. Mais je n'ai aucun numéro à vous donner. Il n'y a pas le téléphone chez son père.

Long silence à l'autre bout du fil. Bob se demandait s'il avait vu juste au sujet de son identité.

— Est-elle amish ? s'enquit-il avec prudence, craignant que sa question ne paraisse étrange.

— Oui. Elle appartient à la communauté amish du Vieil Ordre. Son père est l'un des anciens de l'Eglise. Si vous voulez mon avis, il n'est pas au courant pour le livre. Je suis certain que cela n'est pas en accord avec leurs croyances. Elle parle des Amish, dans son bouquin ?

Joe était curieux d'en savoir plus, surtout après avoir entendu les compliments de Bob.

— Non, il n'y est pas question des Amish. Mais votre adresse m'a mis la puce à l'oreille. Vous êtes au cœur du pays amish, n'est-ce pas ?

— Tout à fait. Ma famille et moi travaillons avec son père depuis trente ans. On achète son lait et on fabrique pour lui du fromage. C'est un Amish pur et dur. Un type bien, du reste.

Bob ne savait pas trop comment procéder.

— J'aimerais venir la rencontrer. Pensez-vous que cela soit envisageable ?

— Si j'étais vous, je n'essayerais pas. Les Amish sont des gens très bien élevés, mais ils ne se mélangent pas aux Anglais. Ils restent entre eux, et s'attendent à ce qu'on respecte leur choix.

Ces propos confirmaient ce que Bob avait lu au sujet de cette communauté. Il se trouvait dans une impasse. Comment allait-il pouvoir entrer en contact avec Lillibet ?

— Les Anglais ?

Ce terme l'avait interloqué.

— C'est comme ça qu'ils appellent les gens de l'extérieur. Ceux qui ne sont pas amish. Pour eux, on est tous des Anglais. Leur mode de vie n'a pas évolué depuis le XVIIe siècle. Ils sont encore nombreux à parler l'allemand, ou un dérivé de cette langue, comme leurs ancêtres quand ils sont arrivés dans le pays. Même leurs vêtements n'ont pas changé. Si vous vous présentez à la ferme, je doute que son père vous autorise à lui parler. Les Amish font tout pour préserver leurs femmes du monde extérieur. Je n'ai vu Lillibet pour la première fois que dernièrement, lorsqu'elle est venue livrer le lait parce que ses frères étaient malades. C'est là qu'elle m'a demandé de vous envoyer son livre. Elle a dû profiter de cette occasion providentielle.

— Pour moi aussi, cet envoi est providentiel, répondit pensivement Bob. Je me demande comment elle a eu mon adresse.

— Je n'en ai pas la moindre idée. Elle l'avait écrite sur un bout de papier.

— Quel âge a-t-elle ?

Joe réfléchit un instant.

— Une vingtaine d'années, j'imagine. Elle s'occupe de son père et de ses frères. Sa mère est morte lors d'une fusillade dans une école. Un forcené est entré dans l'établissement, armé, et a assassiné sa mère et cinq petites filles. Une terrible tragédie. Il y a sept ans.

— Je me souviens d'avoir lu des articles à ce sujet, dit Bob d'une voix étouffée.

A l'aune de cette information, l'éditeur comprenait davantage le manuscrit qu'il venait de lire et cernait mieux son auteur. Ce qu'il ne s'expliquait pas en revanche, c'était comment Lillibet pouvait décrire si bien des lieux où elle n'avait jamais mis les pieds.

— Si je vous envoie un mail, pensez-vous pouvoir l'imprimer et le lui remettre ? Je suppose qu'ils n'ont pas d'ordinateur...

La remarque amusa beaucoup Joe.

— Ah ça, c'est sûr que non ! Pas d'électricité, pas de téléphone, pas d'appareils électroniques... Certaines maisons amish n'ont même pas de système de plomberie. Il n'y avait pas d'ordinateur quand leurs ancêtres sont arrivés ici, dans les années 1600, alors ils n'en ont pas non plus aujourd'hui. Mais oui, évidemment, je peux imprimer votre message. Ses frères viennent ici tous les jours. Ce ne sont que des gamins, alors j'espère qu'ils n'oublieront pas de le lui donner. Ils ont à peine onze ou douze ans. Il faut juste que leur père ne voie pas le mot...

Bob n'avait pas imaginé être un jour confronté à ce genre d'obstacle. Il tenait entre ses mains un manuscrit formidable, écrit par une fille quasiment impossible à joindre, qui vivait comme au XVIIe siècle. Il avait l'impression d'être monté à bord d'une machine à voyager dans le temps. En réalité, ces écueils ne faisaient qu'accroître son désir de la trouver. Il mourait d'envie de se rendre en Pennsylvanie pour la rencontrer. Et il avait bien l'intention de le faire. Mais d'abord, il fallait qu'il entre en contact avec elle. Sans lui attirer d'ennui.

— Je vais tenter ma chance. Je vous envoie un mail d'ici peu. Merci infiniment de votre aide.

Il n'échappait pas à Bob que le propriétaire de la laiterie remplissait son rôle de messager de bon cœur. Il ignorait cependant que c'était pour lui une façon d'honorer son propre lointain passé. De plus, quelque chose en Lillibet avait touché une corde sensible chez Joe : il était bouleversé par ce que la jeune femme avait vécu lorsque sa mère était morte. Avoir un ami ne pourrait pas lui faire de mal.

— A votre service !

Joe n'avait nullement l'intention de courroucer Henryk Petersen. Mais après avoir permis à Lillibet d'acheminer son manuscrit jusqu'à New York, il était ravi qu'un éditeur ait aimé son livre. Cette nouvelle serait pour elle terriblement excitante.

— Je mettrai votre message dans une enveloppe, que je donnerai aux garçons quand ils passeront.

Bob le remercia une dernière fois avant de raccrocher. Puis il rédigea un message à l'intention de Lillibet. Il avait énormément de choses à dire à cette jeune femme, qu'il aurait voulu connaître mieux. C'était comme s'il était saisi d'une soif inextinguible la concernant. Toutefois, soucieux de ne pas l'intimider, il décida d'aller droit au but.

« Mademoiselle Petersen, j'ai eu l'immense joie de lire votre roman, qui est remarquable. J'aimerais venir à Lancaster afin d'en discuter avec vous. Je souhaite vous faire une offre pour le publier. Je vous prie de bien vouloir me dire où et quand nous pourrions nous rencontrer. Félicitations pour ce livre extraordinaire ! Cordialement, Robert Bellagio. » Il indiqua à la fin de son message les numéros et l'adresse mail où le joindre. Au vu de ce que le propriétaire de la laiterie lui avait révélé, elle serait probablement obligée de passer par lui pour lui répondre. Il envoya son mail. Il ne restait plus qu'à attendre.

Joe Lattimer imprima le message, le mit dans une enveloppe et inscrivit le nom de Lillibet dessus. Les fils Petersen se présentèrent juste avant midi. Joe alla à leur rencontre et leur donna la missive, leur demandant de la remettre en main propre – ce que les garçons s'engagèrent à faire.

Une fois sa mission accomplie, Joe passa à autre chose. Mais pas Bob Bellagio. Lillibet l'obséda toute la journée. Il alla discuter avec Pat Riley. Incroyable mais vrai, le bureau du jeune homme était plus en désordre que la fois précédente, comme si le chaos avait gagné du terrain au cours du week-end.

— Tu ne devineras jamais, Pat. J'ai lu le manuscrit qui était enveloppé dans le tablier. C'est un roman incroyable, écrit par une jeune amish. Je vais faire une offre. Enfin, si j'arrive à la contacter, ajouta-t-il, l'air nerveux.

— Qu'est-ce que tu veux dire par là ? Elle se cache ?

— Non, mais le résultat est le même. Tu connais les Amish ?

— Pas vraiment, dut admettre Pat. Je sais qu'ils s'habillent bizarrement, sont objecteurs de conscience et vivent en Pennsylvanie, c'est tout.

— Pour eux, le temps s'est arrêté au XVIIe siècle. Tout ce qui n'existait pas à l'époque où ils ont investi ce coin du monde n'a pas droit de cité dans leur vie d'aujourd'hui. Ils n'ont ni téléphone, ni voiture, ni ordinateur, ni télé, ni équipement électrique. C'est une secte religieuse très fermée, régie par les anciens. A moins que son père m'en donne l'autorisation ou qu'elle s'échappe, ce qui est peu probable, je n'aurai pas le droit d'approcher cette jeune auteur.

— Nom de Dieu ! C'est la prison !

Pat était frappé par ce qu'il venait d'entendre.

— Sans doute. Ils prétendent aimer ce mode de vie, et il paraît que ce sont des gens charmants. Mais j'ignore ce qu'ils pensent du fait qu'une femme puisse écrire un livre. Mon petit doigt me dit que cela ne va pas leur plaire...

— Quel obscurantisme ! lâcha Pat. Elle a quel âge ? Douze ans ?

— Une vingtaine d'années. Mais ils ne sont pas censés entrer en contact avec des gens de l'extérieur. Cette règle ne concerne pas uniquement les femmes, d'ailleurs. Je sens qu'on ne va pas s'ennuyer. Je lui ai envoyé un mail ce matin, que ses frères sont supposés lui remettre.

Bob raconta à Pat sa discussion avec Joe Lattimer.

— On se croirait dans un roman d'espionnage, ricana le jeune homme. Et tu as raison, c'est très XVIIe siècle. Peut-être devras-tu te battre en duel contre son père pour publier le roman. Ou contre son petit ami, si elle en a un.

— On verra bien ce que ça donne, conclut Bob.

Il n'avait pas dit à son employé qu'il était obsédé par cette fille. C'était fou. Recevoir un manuscrit entièrement rédigé à la main par une Amish en quête d'éditeur, ce n'était déjà pas banal. Mais ce roman était extraordinaire, et Bob était convaincu qu'il ferait un carton s'ils pouvaient le publier – ce qui n'avait pour

228

l'instant rien d'une évidence. En tout cas, Bob espérait de tout cœur pouvoir défendre ce texte. En attendant, le tablier de Lillibet était posé sur son bureau. Il l'avait emporté avec lui. Cet objet était devenu une sorte de porte-bonheur. Où qu'il aille, il fallait qu'il l'ait sur lui, pour qu'elle soit un peu avec lui. Comme un talisman.

Margarethe vint aider Lillibet à faire de la glace ce lundi-là. La jeune femme s'était dit qu'après avoir travaillé pendant des heures sous un soleil de plomb cela serait une agréable façon pour les garçons et son père de terminer leur journée. Les deux femmes bavardèrent de choses et d'autres. Margarethe annonça à Lillibet que deux de ses filles étaient enceintes. La plus jeune avait dix-sept ans. Lorsque Lillibet entendait ce genre d'histoires, elle se sentait terriblement âgée. Elle menait la vie d'une femme mûre depuis tant d'années déjà !

— Nathaniel Weiss peut se remettre à fréquenter des femmes, lança Margarethe, l'air de rien.

A tout juste trente ans, cet homme était veuf. Sa femme était morte en couches l'année précédente, laissant derrière elle cinq enfants.

— Tant mieux, dit Lilli, que cette information laissait visiblement de marbre.

— Il est bien de sa personne, essaya encore Margarethe.

Lillibet sourit.

— Non, merci ! répondit-elle simplement. J'ai élevé trois garçons, je m'occupe de mon père... Je n'ai pas besoin de cinq enfants de plus ni d'un mari. Dans quelques années, mes frères seront mariés et autonomes. Il ne me restera plus qu'à prendre soin de papa.

Pourquoi voudrais-je recommencer ? Ça te dirait, toi, de tout reprendre à zéro, et d'avoir dix enfants de plus ?

— Si c'est ce que Dieu veut, alors oui. Nous n'avons pas été conçus pour rester oisifs, Lilli, répondit doucement Margarethe.

— Je ne suis pas oisive. Je n'ai jamais de temps pour moi.

Elle aurait tant aimé pouvoir lire, rêver, écrire. Malheureusement, chaque instant de sa vie était rempli, consacré à autrui, et il en allait ainsi depuis ses dix-sept ans. Margarethe, elle, s'était mariée à seize ans et avait vingt-cinq ans d'enfants et de petits-enfants derrière elle. Son époux était mort depuis des années et lui avait laissé de nombreux hectares. Elle avait toujours pu compter sur la communauté, qui l'avait notamment soutenue dans l'éducation de ses enfants. Ces derniers étaient aujourd'hui des adultes capables de l'aider à s'occuper de la ferme.

— Tu aimerais te remarier ? lui demanda Lilli avec curiosité.

Elle ne voyait cependant pas bien l'intérêt de la chose. Margarethe n'en avait pas besoin. Elle n'était jamais seule.

— Pourquoi pas ?

— Avec quelqu'un comme mon père, par exemple ?

Lilli savait que son père appréciait Margarethe, même s'il ne s'était pas vraiment remis du choc provoqué par la mort de sa femme.

— Il ne m'en a jamais fait la demande. Cela nous convient bien, d'être amis. Et il t'a, toi. A quoi lui servirait une épouse ?

Sans compter que Henryk avait soixante-dix ans ; il n'était plus dans la fleur de l'âge. Il était néanmoins fort et énergique, et paraissait plus jeune. Margarethe s'était toujours dit que, si Lilli se mariait, son père serait peut-être tenté de prendre une nouvelle épouse. Toutefois, elle était très bien comme elle était. Dans la communauté, les femmes se tenaient compagnie, et les hommes rendaient service si elles avaient besoin de leur aide.

— Ton père était si amoureux de ta mère... Il lui a fallu des années pour tourner la page. Je ne suis même pas sûre qu'il y soit parvenu.

Lilli approuva ses propos en hochant la tête. Sa mère lui manquait, à elle aussi. Rebekah était tellement douce et sage, tellement belle, intelligente et drôle. Elle était unique. Elle avait le don de trouver le mot juste, d'agir avec à-propos. Lilli souhaitait de tout cœur devenir comme elle un jour.

Henryk et les garçons furent ravis de déguster les glaces lorsqu'ils rentrèrent à la maison. Margarethe resta pour le dîner. Elle vivait seule désormais, et avait donc plus de temps libre que les femmes qui s'occupaient d'enfants encore jeunes, comme Lilli, dont les corvées ne prenaient fin qu'une fois les garçons couchés. En hiver, c'était pire, puisqu'elle devait en outre les aider pour les devoirs.

Henryk et Margarethe bavardèrent ensemble un long moment. Lilli envoya ses frères au lit. Elle venait de leur souhaiter une bonne nuit quand Markus se souvint de quelque chose et bondit hors de son lit. Il saisit une enveloppe qui se trouvait dans la poche de son pantalon et la remit à sa sœur avec un sourire penaud.

— J'avais oublié de te donner ça. C'est de la part de monsieur Lattimer, à la laiterie.

Lilli, surprise, décacheta l'enveloppe avec empressement. Ce qu'elle lut la stupéfia. Elle se précipita dans sa chambre et s'assit sur son lit. Ses jambes tremblaient tellement qu'elle croyait sentir le sol se dérober sous ses pieds. Elle replia soigneusement le papier et le glissa sous son matelas sans faire de bruit. Elle descendit voir si son père avait besoin de quelque chose. Il s'était endormi sur sa chaise. Après une longue journée aux champs, il tombait de fatigue le soir. Elle le réveilla pour qu'il aille se coucher. Il sourit et lui caressa la main. Lillibet éteignit les lampes à pétrole et les bougies et monta elle aussi. Elle sortit la lettre de sa cachette et la relut.

Il fallait qu'elle retourne à la laiterie pour répondre à l'éditeur. Cependant, comment ferait-elle pour le voir ? Elle devait trouver un moyen. Allongée dans son lit, elle implora sa mère de lui venir en aide. Elle était convaincue que l'idée du roman lui avait été soufflée par Rebekah. Il fallait à présent que celle-ci la conduise jusqu'au bout du chemin.

15

Le lendemain, Willy alla travailler aux champs avec son père et ses frères aînés. Les jumeaux s'apprêtaient à partir à la laiterie lorsque Lillibet les arrêta. Elle leur annonça qu'elle les accompagnait, ce qui les surprit. Elle avait déjà sa coiffe sur la tête.

— Pourquoi ? Tu n'es pas obligée de venir !

Visiblement, ses deux frères se seraient bien passés de sa présence. La livraison de lait était l'un des seuls moments de la journée où ils ne l'avaient pas sur le dos. Leur sœur trouvait toujours une bonne raison de les gronder et passait son temps à leur donner des ordres. Sans compter que Willy leur criait dessus en permanence et prenait un malin plaisir à leur claquer les oreilles. C'était tellement plus drôle d'aller à la laiterie tout seuls !

— Ça m'amuse de faire le trajet avec vous, objecta Lilli. En plus, j'ai fini mes corvées.

Elle n'avait rien trouvé de mieux que ce mensonge pour se justifier. Elle avait glissé la lettre dans sa poche, afin d'avoir sur elle les différents numéros où joindre Robert Bellagio. Elle espérait que Joe Lattimer l'autoriserait à utiliser son téléphone. Elle était gênée de s'imposer de la sorte, mais il était sa seule fenêtre sur le monde extérieur. Lillibet voulait à tout prix contacter l'éditeur avant qu'il ne change d'avis à son sujet.

A la laiterie, la jeune femme envoya ses frères chercher le fromage de chèvre, puis se faufila dans le
bureau de Joe Lattimer, priant pour qu'il soit là. Elle
ne savait pas se servir d'un téléphone, et, de toute
façon, elle n'aurait jamais pris la liberté d'utiliser
l'appareil sans en avoir la permission. Or, Joe était là.

— Bonjour, monsieur Lattimer. Je vous prie de
m'excuser de vous importuner une nouvelle fois, dit-
elle doucement.

— Ah ! Lillibet ! Je me doutais bien que je vous
reverrais, après ce mail d'hier. Cette lettre, c'est
quelque chose ! Votre livre doit être vraiment spécial.

Il paraissait impressionné.

— Souhaitez-vous lui envoyer une réponse ? proposa-
t-il.

— Pourrait-on l'appeler ? demanda-t-elle, le souffle
court.

Joe Lattimer hocha la tête, prit le papier qu'elle lui
tendait, composa l'un des numéros et lui tendit le
combiné. Ça sonnait. Quelqu'un décrocha presque
aussitôt. Lillibet ne savait pas trop quoi dire. Ses mains
tremblaient.

— Pourrais-je parler à monsieur Bellagio, s'il vous
plaît ? dit-elle avec prudence.

Elle était stupéfaite par la qualité de la connexion.
On aurait cru que la femme à l'autre bout du fil se
trouvait dans la même pièce qu'elle. Lilli s'était dit
qu'il faudrait peut-être parler fort, mais constatait à
présent que cela n'était pas nécessaire.

— Je vais voir s'il est là.

Puis, silence. Lillibet jeta un regard paniqué à Joe
Lattimer.

— Je crois qu'elle est partie.

— Elle vous a sans doute mise en attente, lui expliqua-t-il. Attendez un peu. Elle va revenir.

Et en effet, une minute plus tard, la femme était de retour.

— Je vais vous le passer. Qui dois-je annoncer ?

— Lillibet Petersen, articula-t-elle distinctement.

Elle espérait qu'il se souviendrait de son nom. Il était sans doute un homme très occupé. Peut-être aurait-il oublié qui elle était...

La réceptionniste joignit Bob dans son bureau et lui fit savoir qu'une certaine Elizabeth Petersen était en ligne. L'éditeur prit immédiatement l'appel.

— Mademoiselle Petersen ?

La voix de cet homme... Où l'avait-elle entendue ? Son timbre était des plus familiers.

— Oui, c'est moi, dit-elle, tandis que son cœur battait la chamade.

— Mademoiselle Petersen, j'aimerais vous rencontrer. Votre livre me plaît énormément. Je veux le publier.

Son ton était résolu. La jeune femme attendit avant de répondre, comme pour s'imprégner de sa voix.

— Je vous remercie, monsieur.

A l'autre bout du fil, Bob écoutait. Elle semblait si fragile. Peut-être avait-elle peur ? Il ne savait pas que Lillibet n'avait jamais parlé au téléphone. Pour elle, cette conversation tenait de la magie.

— Quand puis-je venir vous voir ? demanda-t-il avec douceur.

— Je ne sais pas...

Elle n'osait lui avouer qu'il lui serait impossible de le rencontrer, qu'elle n'était pas libre de ses mouvements. Elle craignait que cela ne remette en question la publication de son roman.

— Je ne sais pas si... quand je pourrai.

A ces mots, ses yeux s'emplirent de larmes.

— Mon père est très strict, ajouta-t-elle faiblement.

— Je comprends.

Bob ressentit une envie irrépressible de la serrer dans ses bras. Il avait beau ne pas la connaître, il voulait à tout prix la protéger.

— Peut-être pourrions-nous nous voir à la laiterie, avec monsieur Lattimer ? proposa-t-il. Est-ce que cela serait plus simple pour vous ?

— Oui, je vais essayer, promit-elle.

— Ce vendredi vous conviendrait-il ?

Cela serait compliqué, mais Lilli était prête à remuer ciel et terre. Malgré tout, les choses pouvaient mal tourner. Comment justifierait-elle ce déplacement ? Pour qu'elle puisse accompagner ses frères à la laiterie, il faudrait que toutes les étoiles s'alignent dans la bonne position.

— Il faudra que je trouve un moyen de sortir, répondit-elle franchement. Ce n'est pas simple. J'ai beaucoup de travail à la ferme. Je dois m'occuper de mon père et de mes frères.

— Oui, bien sûr.

Bob s'efforçait de se représenter son quotidien. L'univers de cette fille était à des années-lumière du sien.

— Quelle heure vous arrangerait ?

— Généralement, mes frères viennent le matin. Disons onze heures. En tout cas, avant midi.

— Je serai là à partir de dix heures, promit-il. Comme ça, si jamais vous arrivez plus tôt... Venez quand ça vous arrange. A vendredi ! Ah, une dernière chose, Lillibet... Merci pour votre roman formidable. Et merci d'accepter de me rencontrer. Votre livre a tout d'un best-seller.

— Je l'espère, dit-elle d'une voix presque inaudible, sans réellement saisir ce que cela signifiait pour lui, ni même pour elle. Merci à vous. Je suis désolée que les choses ne soient pas plus simples.

Sans savoir pourquoi, elle faisait confiance à cet homme. Elle avait l'impression de le connaître.

Lui aussi partageait ce sentiment étrange...

— Ne vous inquiétez pas. On va se débrouiller, la rassura Bob.

Lillibet le remercia une dernière fois avant de raccrocher. Bob resta assis derrière son bureau un long moment. La voix de cette fille l'avait profondément touché. Elle semblait si jeune, si réservée. Bob avait le pressentiment insensé que cette rencontre allait bouleverser sa vie. Il ferait en sorte que tout se déroule sans accroc, dans les meilleures conditions possibles pour elle.

A des centaines de kilomètres de là, Lillibet regarda Joe Lattimer d'un air éberlué.

— Il vient vendredi. Il veut publier mon livre.

Joe hocha la tête. Il avait deviné.

— Comptez-vous en parler à votre père ?

Joe était désormais son complice, un membre actif de la conjuration. D'une certaine façon, cette affaire lui paraissait juste, en plus d'être terriblement excitante. Et si le livre faisait un tabac ?

— Oui, mais pas tout de suite. Je ne veux pas qu'il m'arrête dans mon élan. Parce qu'au début il ne comprendra pas.

Peut-être ne comprendrait-il jamais, d'ailleurs. Mais qu'il puisse la rejeter lui semblait inenvisageable. Après tout, elle ne quittait pas la communauté. Elle ne partait pas. On allait juste publier son roman. Rien de plus. Néanmoins, elle savait que cela ne plairait pas du tout à son père. Elle ne nourrissait aucune illusion à ce sujet.

— Je trouve cette histoire palpitante, dit Joe Lattimer avec sérieux. Vous pouvez être fière.

— Je suis surtout terrifiée ! répondit-elle le plus sincèrement du monde.

Il lui sourit.

— Mais non, voyons ! Je suis certain que tout ira bien. Votre père sera sans doute contrarié dans un premier temps, mais ça passera. Vous n'avez rien fait de mal.

Elle hocha la tête. Si seulement il disait vrai !

— Nous nous verrons donc vendredi, j'imagine.

— Si je trouve un moyen de sortir... murmura-t-elle.

Elle remercia Joe et alla chercher ses frères. Ils arrivaient justement de derrière la grange. Sur le chemin du retour, Lilli ne pipa mot. En repensant au coup de fil qu'elle venait de passer, son cœur battait à se rompre. Elle devait coûte que coûte trouver une excuse pour les accompagner vendredi.

Mercredi midi, Bob Bellagio retrouva son frère dans un restaurant de Wall Street. Paul lui parla d'un gros coup sur lequel il était, ainsi que de la belle opération boursière qu'il venait de réaliser pour l'un de ses clients. Il évoqua également la réussite scolaire de son fils. Tout était parfait dans son existence. Ou du moins était-ce l'impression qu'avait Bob, qui, de son côté, se battait pour garder sa maison d'édition à flot, n'avait pas de vie sentimentale, ne s'était jamais marié et n'avait pas d'enfants. Il n'avait même pas de chien, alors que Paul en avait deux. En plus, celui-ci avait épousé la femme parfaite, qui savait mettre ses clients dans sa poche lorsqu'elle les rencontrait, et qui élevait leurs enfants de manière irréprochable, les accompagnant dans toutes leurs activités – lesquelles couvraient un large éventail allant du piano au surf en passant par les cours de mandarin. Comme si cela ne suffisait pas, elle faisait du bénévolat auprès d'associations engagées pour la cause des femmes et gérait leur foyer avec l'efficacité d'une horloge suisse. Dès qu'il était avec son frère, Bob souffrait d'un complexe d'infériorité, comme si, d'une certaine façon, il avait raté sa vie. Sa seule ambition était de publier des livres, ce qui paraissait bien léger au regard de tout ce que Paul et son épouse avaient accompli. Bob rêvait de dénicher un best-seller qui prouverait que les efforts qu'il avait déployés ces cinq dernières années n'avaient pas été vains.

— Je pense avoir décroché le gros lot cette semaine, lança-t-il avec enthousiasme à la fin du repas.

Depuis qu'ils s'étaient attablés, il n'avait été question que de Paul. Cela se passait souvent comme cela, sauf lorsque son frère faisait la liste de tout ce qui n'allait pas dans la vie de Bob et qu'il devait changer. Leur relation fonctionnait de la sorte depuis l'enfance. L'aîné était parfait. Le cadet, pas à la hauteur. C'est ainsi que leurs parents les voyaient également. En tout cas, Bob en avait l'intime conviction.

— Un livre écrit par une Amish. Je suis tombé dessus complètement par hasard. Je vais faire sa connaissance après-demain.

— Génial !

Paul semblait content pour lui. En général, il se montrait enthousiaste quand Bob lui parlait de ses projets. Dans un premier temps, en tout cas. Car souvent, un peu plus tard, la déception et les réserves ne manquerait pas de s'immiscer dans ses propos.

— Quel genre de livre peut bien écrire une Amish ?

— Un roman exceptionnel. Cette fille est une sorte de Jane Austen des temps modernes. Non, mieux que ça, encore.

— Et tu penses que ça va se vendre ?

Paul était inquiet pour son frère. Il travaillait tant depuis des années, sans que cela ait réellement porté ses fruits jusqu'à ce jour.

— Oui, comme des petits pains !

Bob se sentait étrangement confiant. Un peu comme s'il avait trouvé le Graal. Ou acquis des pouvoirs magiques. Il avait l'absolue certitude que le livre de Lillibet connaîtrait un immense succès.

— C'est qui, cette fille ?

— Je sais juste qu'elle est amish, qu'elle est âgée d'une vingtaine d'années et qu'elle a du talent à revendre.

— C'est une ancienne amish ou elle l'est encore ?

— Elle l'est encore.

— Eh bien, ça promet d'être intéressant ! Tu pourrais lui apprendre à se servir d'un robinet, ou lui faire traire une vache sur un plateau de télévision. Tu sais déjà comment l'utiliser pour ta promo ? C'est une espèce de petite Heidi, non ?

Bob détestait la façon qu'avait son frère de parler des gens. En cela, il ressemblait beaucoup à leur mère, qui, en une seule phrase, pouvait réduire ses proches à néant.

— Je ne l'ai pas encore rencontrée. Nous avons juste discuté au téléphone.

— Au moins, elle en a un. Pendant quelques instants, j'ai bien cru qu'elle vivait au Moyen Age.

— Non, en fait, elle n'en a pas.

Bob lui souriait. Les propos de son frère ne parvenaient pas à le déstabiliser. Il disposait d'une arme secrète. Une certaine Lillibet Petersen, qui avait une plume remarquable.

— Elle m'a appelé de la laiterie du coin. C'est là qu'on s'est donné rendez-vous. Enfin, si son père la laisse venir.

Bob s'amusait bien en lui racontant tout cela, même si, en réalité, il n'était pas entièrement serein.

— Et si son père le lui interdit ? demanda Paul, intrigué.

— Je la retrouverai. Je ne vais pas passer à côté de ce livre après l'avoir sauvé de la pile des manuscrits refusés. Je pense que c'est le destin.

— Oh mon Dieu, Bob ! Ne me dis pas que tu as le béguin pour cette fille ! Tu attends trente-six ans pour tomber amoureux, et c'est une Amish qui te fait tourner la tête ! Dis-moi que je me trompe, je t'en prie !

— C'est son livre que j'aime. Et quand tu le liras, toi aussi tu l'aimeras.

— Peut-être, tu es un bien meilleur juge que moi en matière de littérature. Mais ne t'avise pas de la ramener à la maison !

— Et pourquoi cela ?

— Maman serait dingue ! Je ne crois pas qu'elle soit prête pour une Amish.

L'idée de présenter une jeune Amish à sa mère, l'une des avocates les plus redoutables de la ville de New York, amusa beaucoup Bob.

— Qui sait, ça pourrait la dérider un peu.

— Contente-toi de décrocher ce livre. Laisse cette fille dans sa ferme. En plus, si ça se trouve, elle est moche. Et trop jeune.

— Je pourrais toujours l'adopter ! lâcha Bob en prenant l'addition.

C'était à son tour de payer.

— Je te raconterai…

— Ah oui, s'il te plaît. Et garde à l'esprit que nous sommes censés épouser des femmes qui ressemblent à notre mère.

Paul avait suivi ce précepte à la lettre. C'était assez effrayant d'ailleurs.

— J'ai essayé d'éviter ce piège pendant trente-six ans, dit Bob sur le ton de la confidence, si rare avec son frère. Je ne pense pas que cette équation fonctionnerait avec moi.

— Oui, enfin, de là à choisir une Amish, c'est un peu extrême…

Les deux frères sortirent du restaurant.

— Bon, amuse-toi bien à la laiterie ! ajouta Paul d'un air contrit.

Perdu dans ses pensées, Bob retourna au travail. Il avait hâte de faire la connaissance de Lillibet vendredi. Il se demanda si on pouvait tomber amoureux d'un auteur en lisant son œuvre… Peut-être que oui. Après tout, on avait déjà vu des choses plus étonnantes se produire.

16

Vendredi matin, Willy partit travailler dans les champs avec leur père à l'aube. Markus se réveilla avec un mauvais rhume. Lillibet lui apporta un remède à base de plantes qu'elle avait concocté elle-même, accompagné d'une tasse de thé au miel. Elle lui ordonna de rester au lit. Elle aida Josiah à traire les vaches et à charger les pots de lait dans la carriole. Puis elle lui annonça, comme si elle venait d'y penser, qu'elle l'accompagnerait. L'heure tournait, et ils étaient en retard, à son plus grand désespoir.

— Je peux y aller tout seul, dit-il d'un air ennuyé.

— Moi aussi, suggéra-t-elle. Peut-être préfères-tu rester avec Markus ?

L'idée sembla le séduire. C'était lassant de se rendre tous les jours à la laiterie. La perspective de rester jouer à la maison ne lui déplaisait pas.

— Ça ne m'embête pas de m'occuper de la livraison toute seule, je l'ai fait quand vous avez eu la varicelle. Tout s'est bien passé. Papa ne dira rien.

— D'accord, dit-il en sautant du véhicule avec un grand sourire.

Il décampa sans se retourner. Convaincue qu'elle y était pour quelque chose, Lillibet remercia intérieurement sa mère de son aide. Elle avait mis une robe noire neuve et un tablier bleu clair impeccable. Elle n'avait pas osé revêtir ses habits du dimanche, de peur d'attirer l'attention. Il était presque onze heures lorsqu'elle secoua énergiquement les rênes, faisant partir le cheval au galop.

A cette allure, il ne lui fallut que quinze minutes pour arriver à destination. Elle vit Joe Lattimer s'adresser à un grand brun, qui portait une veste bleu marine et un pantalon en toile. Les deux hommes la regardèrent arrêter son cheval, descendre de la carriole et demander aux garçons de la laiterie de décharger pour elle les pots de lait. Elle se dirigea ensuite vers eux. Bien qu'elle sache que c'était impossible, elle avait la nette impression d'avoir déjà vu Robert quelque part. Il la fixait du regard. La timidité de Lillibet s'était soudain envolée. Quand elle arriva près de lui, elle eut le sentiment de retrouver un ami.

— Mademoiselle Petersen, dit-il en lui tendant la main, qu'elle serra.

Leurs yeux se rencontrèrent. Ceux de la jeune femme, immenses et verts, illuminaient son visage couleur de miel. Quelques mèches blondes dépassaient de sa coiffe.

— Lillibet, prononça-t-il, comme s'il la connaissait.

Elle lui sourit.

— Monsieur Bellagio, bonjour. Merci de vous être déplacé. Veuillez m'excuser de mon retard. La matinée a été chargée.

— Vous êtes venue seule, remarqua Joe Lattimer, surpris.

— Markus est malade, et Josiah a décidé de rester jouer à la maison. J'ai eu de la chance, ajouta-t-elle. Aujourd'hui, mon père déjeune à la ferme de mon frère aîné. Tout s'est enchaîné à merveille.

— Très bien. Je vous laisse parler affaires, dit Joe en s'éclipsant.

Bob mena Lillibet jusqu'au banc où elle avait trouvé le fameux livre avec son adresse. Deux mois plus tard, les voilà qui s'asseyaient à l'endroit précis de cette découverte providentielle. Lillibet avait l'impression de rêver les yeux grands ouverts.

Bob l'observait. Il était abasourdi. Elle était pleine de vie. Chaussée de bottines noires à lacets, elle marchait d'un pas déterminé. Ses yeux pétillaient. Il se l'était représentée tout à fait autrement. Elle était plus jeune, plus hardie et bien plus jolie qu'il n'aurait pu l'imaginer. Avec ses habits qui lui allaient à merveille, elle ressemblait à une poupée d'un autre temps. Ils parlèrent de son livre. Cachée derrière sa coiffe, elle lui jetait des regards pleins de malice. Finalement, elle détacha les rubans et libéra sa chevelure.

— Désolée, je ne devrais pas, mais il fait vraiment trop chaud aujourd'hui.

Ses cheveux, semblables à des fils d'or, étaient d'une rare beauté. Les yeux plongés dans ceux de Bob, elle lui souriait, intriguée.

— Je ne parle presque jamais à des Anglais, avoua-t-elle. C'est comme cela que nous appelons les gens qui ne sont pas amish. Il est extrêmement rare que je quitte la ferme.

— Oui, je sais.

Il avait la même impression qu'au téléphone d'avoir déjà entendu sa voix quelque part. S'étaient-ils déjà rencontrés ? C'était impossible, et pourtant...

— Souhaitez-vous jeter un œil au contrat ? lui demanda-t-il, réorientant la discussion sur un terrain professionnel.

Elle hocha la tête. Les termes du contrat étaient limpides. L'éditeur lui proposait une avance de vingt-cinq mille dollars, et quinze pour cent de droits d'auteur. Il précisa qu'il s'agissait là d'une proposition tout à fait correcte pour un premier roman d'un écrivain inconnu du grand public. Pour Lillibet, il s'agissait d'une fortune. Anticipant la signature du contrat, Bob avait apporté le chèque, qu'il lui tendit. Eberluée, elle fixa le morceau de papier.

— Que vais-je faire de cet argent ? murmura-t-elle.

— Le mettre à la banque, j'espère, répondit-il en lui souriant.

Lillibet était catapultée dans le monde moderne, et Bob lui servait de guide dans cet univers inconnu. Il était très ému. Il ressentait le même désir de la protéger que lorsqu'il avait refermé son livre. Elle était un curieux mélange de jeunesse et de sagesse, de vulnérabilité et de force. La douceur et la hardiesse, les traditions et l'originalité se mêlaient en cette jeune femme en une combinaison détonante.

— Je n'ai pas de compte bancaire.

Bob n'était pas vraiment surpris de l'apprendre.

— Nous en ouvrirons un pour vous, ici, à Lancaster. Comme cela, l'argent sera à votre disposition. Je suis sûr que M. Lattimer saura nous conseiller un établissement sérieux.

Lilli hocha la tête. Cette idée lui plaisait. L'éditeur lui tendit alors un stylo, et elle signa son contrat en deux exemplaires. Un pour elle, un pour lui. C'était la transaction la plus facile que l'éditeur ait réalisée de sa vie, et elle concernait le meilleur livre qu'il ait jamais acheté.

— Je vous remercie, souffla-t-elle en rangeant le contrat et le chèque dans sa poche.

— Il faudra retravailler un peu le texte, que l'un de mes collaborateurs est en train de relire. Je suis tout à fait disposé à vous aider, si vous le souhaitez. Je pourrais revenir, ou vous pourriez passer dans nos locaux à New York.

A ces mots, la jeune femme écarquilla les yeux.

— Et comment je ferais ?

— Lillibet, souhaitez-vous que j'en parle à votre père ?

— Non, il faut d'abord que j'évoque le sujet avec lui. Ce livre va le mettre en rage. Et il ne me laissera pas aller à New York. Il faut que je trouve le moment opportun pour tout lui expliquer. Je ne veux pas être bannie...

Elle semblait presque terrorisée.

— Bannie ?

— Notre communauté est régie par un ensemble de lois qu'on appelle « Ordnung ». Ce sont les anciens, nos sages, qui décident de ces règles. Si quelqu'un commet un acte vraiment répréhensible, on peut le forcer à partir et à ne jamais revenir. Je ne veux pas que cela m'arrive. Je veux vivre ici.

Le visage ceint de son halo de cheveux blonds, elle le regarda de ses yeux pétillants.

— Mais j'aimerais voir New York. Peut-être que papa m'autorisera à faire le voyage un jour, s'il comprend que je n'ai rien écrit de mal dans ce texte.

— Votre livre n'est offensant pour personne, la rassura Bob. C'est un roman magnifique. Et si vous veniez, nous organiserions tout pour vous. Une voiture avec chauffeur pourrait passer vous chercher ici. Et à New York, je m'occuperais personnellement de vous.

Lillibet acquiesça. Elle lui faisait entièrement confiance ; elle ne doutait pas un instant qu'il soit un homme bien. En convaincre son père ne serait en revanche pas une mince affaire.

Soudain, Bob se souvint de la banque.

— Souhaitez-vous que nous allions à la banque tout de suite ? Vous pourriez ainsi encaisser le chèque.

De la sorte, si par malheur le pire se produisait, elle aurait au moins de quoi se retourner.

— Si vous pensez que c'est possible...

Ils allèrent voir Joe Lattimer, qui leur suggéra de choisir un autre établissement que celui de son père. Il leur en indiqua un qui se trouvait à environ trois kilomètres de la laiterie.

— Très bien, merci, dit Bob. Venez, Lillibet.

Elle hocha la tête et le suivit dehors. Il s'était garé sous un arbre. Lillibet regarda la voiture, puis Bob.

— Je ne suis jamais montée dans une voiture auparavant.

— Je vous promets de vous ramener dès que nous aurons déposé le chèque.

Il ouvrit la portière pour elle, la fit asseoir et lui expliqua comment attacher sa ceinture de sécurité. Lorsqu'il mit le contact et que le véhicule démarra, Lillibet ne put retenir un gloussement. Bob la regarda.

— Je n'ai jamais rien fait d'aussi fou de ma vie, lâcha-t-elle.

Elle se mit à rire de plus belle, et lui aussi. Bob était soulagé qu'elle n'ait pas peur. Visiblement, elle s'amusait bien.

Ils trouvèrent la banque sans difficulté. Bob se gara juste devant le bâtiment tandis que, fascinée, Lilli observait les passants. Il attendit qu'elle ouvre la porte et qu'elle sorte, mais elle ne bougea pas. Elle se contenta de le regarder.

— Je ne sais pas ce que je dois faire maintenant, dit-elle.

Tant de nouveautés l'étourdissait. Bob se pencha au-dessus d'elle pour lui ouvrir la portière. Il avait l'impression d'avoir atterri avec elle sur une autre planète.

— Maintenant, vous sortez. Enfin, d'abord, il faut détacher votre ceinture.

Ils pénétrèrent dans la banque, le plus naturellement du monde. Pourtant, le tableau qu'ils offraient – lui en veste et pantalon en toile et elle dans ses vêtements traditionnels – n'avait rien de banal.

Les employés de l'établissement avaient l'habitude de la clientèle amish. Comme Bob se porta garant, le responsable de l'agence ferma les yeux sur le fait qu'elle n'avait aucune pièce d'identité. Il ne leur fallut pas plus de dix minutes pour lui ouvrir un compte courant, qui pourrait évoluer en compte épargne ultérieurement si elle le souhaitait. On lui remit un chéquier temporaire. Le définitif serait envoyé par la poste, à l'adresse de la laiterie.

— Mon père ferait une crise cardiaque si le carnet arrivait à la maison ! expliqua-t-elle à Bob tandis qu'ils sortaient.

Dans la rue, Lilli remarqua un glacier. Elle regarda Bob avec un air espiègle. Elle passait très rapidement de la femme à l'enfant, ce qui ne manquait pas de troubler le jeune homme.

— Je peux faire un chèque pour une glace ? demanda-t-elle avec beaucoup de sérieux.

— Oui, mais ce n'est pas nécessaire. Je serais ravi de vous inviter pour fêter notre contrat.

— Ce serait vraiment très aimable de votre part, monsieur Bellagio.

Lilli commanda un cornet chocolat-banane, et Bob, deux boules de glace chocolat-marshmallows-noisettes.

Après quoi, ils se rendirent tranquillement à la voiture en savourant leur crème glacée. Désormais, Lillibet était une femme titulaire d'un compte en banque sur lequel se trouvaient vingt-cinq mille dollars. Et elle mangeait une glace achetée dans un magasin. En quelques minutes, elle avait parcouru bien du chemin.

— Tout cela risque de m'attirer de nombreux ennuis, dit-elle tandis qu'ils regagnaient la voiture.

Bob n'avait pas besoin qu'elle le lui dise pour s'en douter.

— Le trajet en auto. Le contrat, le livre, l'argent... Peut-être même cette glace !

— J'espère qu'ils vous laisseront tranquille pour la glace.

Il lui ouvrit la portière et elle s'installa dans le vehicule. Il s'inquiétait pour elle.

— Vous êtes sûre que ça ira, Lillibet ? Je ne veux pas que vous ayez des problèmes.

— Je crois que je peux gérer la situation. Dans un premier temps, je n'en parlerai à personne. Et ma mère veillera sur moi.

Elle jeta sur lui un regard triste et grave. Elle sentait que lui aussi veillerait sur elle, comme s'ils étaient amis depuis longtemps.

— Vous savez où me joindre, reprit-il. En cas de problème, appelez-moi de la laiterie. Si vous avez besoin de quoi que ce soit, je prends ma voiture et j'arrive. Vous n'avez rien fait de mal, Lillibet. Au contraire. Vous avez écrit un livre fabuleux.

— J'aimerais tant pouvoir en parler à ma mère. Mais elle sait. Elle m'a aidée à vous trouver, et c'est grâce à elle si tout cela est possible.

Bob se gara devant la laiterie et coupa le moteur.

— Je voulais que vous soyez mon éditeur. C'est pour cela que je vous ai envoyé mon livre.

— Et je devais vous trouver moi aussi, c'était écrit. Je suis sûr de cela. Dans la vie, rien n'arrive par hasard.

Elle acquiesça avant de sortir de la voiture, cette fois-ci sans son aide. Il la raccompagna jusqu'à la carriole.

— Merci pour tout, dit-elle en posant sur lui un regard profond.

— Merci à vous, Lillibet. Je vous préviendrai lorsque nous serons prêts à retravailler le texte avec vous.

Le livre n'était programmé que dans un an, alors ils avaient du temps devant eux.

— Je vous enverrai un mail à l'adresse de M. Lattimer. Appelez-moi s'il y a quoi que ce soit, répéta-t-il.

Elle hocha la tête, monta dans la carriole et saisit les rênes. Elle se pencha ensuite doucement et lui embrassa la joue, comme une enfant.

— Merci. J'ai passé un très bon moment en votre compagnie.

Elle avait déjà remis sa coiffe et s'éloignait. Bob crut que son cœur allait se briser en mille morceaux. Il eut envie de se précipiter derrière elle. Elle lui échappait, s'engouffrant dans son monde à elle, dans un autre siècle où il ne pouvait pas la suivre. Au virage, elle regarda par-dessus son épaule pour le voir. Elle s'évanouit ensuite de son champ de vision.

Bob retourna voir Joe Lattimer pour le remercier.

— C'est une gentille fille, dit celui-ci en posant sur l'éditeur un regard empreint de mélancolie. Il y a fort longtemps, j'ai connu quelqu'un qui lui ressemblait. Lillibet a bien du courage. Cela ne va pas être facile avec son père.

Ils en étaient tous deux conscients. Mais parfois, dans la vie, les choses finissaient bien. Jusqu'à présent, tout s'était déroulé sans accroc. Et Joe était ravi pour la jeune femme, d'autant que Bob lui paraissait quelqu'un d'honnête.

— Il est sévère à ce point-là ?

— Vous n'imaginez pas ! C'est malgré tout un homme juste. Cette histoire de livre ne va pas lui plaire. Je ne pense pas que cela soit en phase avec leur culture. Et les femmes n'ont pas vraiment le droit de s'éloigner de la maison. C'était très courageux de sa part de vous suivre aujourd'hui. J'espère que tout se passera bien pour vous deux, dit Joe avec sincérité. Vous pouvez compter sur ma discrétion.

Bob le crut sur parole ; il savait que Joe Lattimer ne ferait rien qui puisse porter préjudice à Lillibet.

Quelques minutes plus tard, Bob démarra sa voiture et partit. Cela avait été le jour le plus beau, le plus étrange et le plus bouleversant de sa vie. Sur le chemin du retour, il imagina Lilli chez elle, avec son père et ses frères. Il se demandait à quoi elle était occupée à cet instant précis – mais il avait bien du mal à se le représenter, tant le monde auquel elle appartenait était différent du sien. En la revoyant en train de manger sa glace, il esquissa un sourire. Cette rencontre était un don du ciel.

17

Lilli rentra chez elle sans encombre. En tout, elle ne s'était absentée que deux heures, qui avaient suffi pour qu'elle signe son contrat et dépose l'argent sur un compte – deux événements qui changeaient à eux seuls sa vie entière. Après avoir caché le chéquier, les papiers de la banque et le contrat sous son lit, elle alla porter une soupe à Markus.

Quand son père rentra des champs, il était de bonne humeur. Tout se passa normalement jusqu'au dimanche après-midi, après le service religieux qui s'était tenu dans la maison de l'un de leurs voisins.

Alors que la jeune femme mettait la table du dîner, son père souhaita lui parler. Il demanda aux garçons de sortir.

— Tu es allée à la laiterie deux fois cette semaine, Lillibet, dit-il calmement.

Un sentiment d'angoisse lui serra la gorge. Et si quelqu'un l'avait aperçue avec Bob ? Et si on l'avait vue monter dans sa voiture ? Il lui serait impossible de se justifier.

— C'est vrai, papa. Comme j'avais fini mes corvées, j'ai décidé d'accompagner les garçons l'autre jour. Et quand Markus a été malade, Josiah voulait rester jouer ici, alors c'est moi qui ai assuré la livraison. J'y suis allée aussi quand les jumeaux ont eu la varicelle.

— Tu fréquentes un Anglais qui travaille à la laiterie, ma fille ? L'un des employés de Joe Lattimer ? Je sais, tu es en âge de sortir avec des garçons depuis bien longtemps. Au départ, je ne t'ai pas poussée à le faire, parce que j'avais besoin de ton aide pour élever tes frères. Et tu as eu de nombreux prétendants, que tu n'as jamais considérés avec clémence. Alors je me suis dit que tu préférais vivre ici. Certaines femmes ne souhaitent pas se marier.

Son regard se durcit.

— Mais je ne tolérerai pas que tu fréquentes un Anglais, Lilli. Tu sais très bien ce que dit l'Ordnung à ce sujet. Tu dois te marier avec un Amish. Il est interdit de sortir de la communauté.

— Je n'essayais pas de sortir, papa, dit-elle nerveusement en pensant à l'argent qu'elle avait à la banque. Je n'étais en train de flirter avec personne à la laiterie. J'avais juste envie de me promener en carriole.

— Je pense qu'il est temps que tu aies un mari et tes propres enfants. Les garçons grandissent. Dans un an, les jumeaux auront terminé l'école.

— Je n'ai pas envie d'élever une nouvelle fois des enfants, avoua-t-elle avec sincérité. Je fais cela depuis sept ans, depuis la mort de maman.

— Mais il te faut des enfants à toi, énonça-t-il avec fermeté.

Jamais il n'avait tenu ce genre de propos auparavant.

— Je n'en veux pas, papa. Pas plus que d'un mari. Je suis très bien comme je suis.

— Ce n'est pas naturel que tu t'occupes uniquement de ton père et de tes frères, il te faut ta propre famille, martela-t-il. Klaus Mueller est un homme bien. Il ferait un très bon époux pour toi. Il se sent prêt à se remarier.

Le désespoir envahit Lillibet.

— Papa, cet homme a cinquante ans.

— Et alors ? J'avais pratiquement trente ans de plus que ta mère quand je l'ai épousée. Cela ne nous a pas empêchés d'être heureux. Et il te faut quelqu'un de plus âgé que toi. Tu es trop raisonnable pour un homme jeune.

— Je suis trop raisonnable pour épouser quelqu'un que je n'aime pas, rétorqua-t-elle simplement.

A vrai dire, elle n'était jamais tombée amoureuse et pensait que cela ne lui arriverait plus maintenant.

— Tu apprendras à l'aimer. Quand nous nous sommes mariés, ta mère me connaissait à peine. Son père estimait que j'étais un bon choix pour elle, et il ne s'est pas trompé. Elle n'était alors qu'une enfant. Toi, tu es déjà une femme. Tu finiras par aimer ton époux, si c'est un homme bien. Le fait que tu t'ennuies au point de trouver le temps d'aller te promener en carriole avec tes frères est la preuve qu'il te manque quelque chose.

— Oui, en effet, dit-elle à mi-voix.

En écoutant son père, Lillibet se rendait compte qu'elle ne pouvait plus lui mentir.

— C'est autre chose qui m'intéresse. Maman m'aurait comprise, elle, et je crois même qu'elle m'aurait soutenue dans ce projet. Papa, ce que je souhaite faire ne m'empêche pas de rester à vos côtés.

Henryk était perdu. Il n'avait aucune idée de ce dont elle parlait. Comment s'en étonner ? Ce qu'elle voulait dépassait de loin tout ce qu'il pouvait imaginer.

— J'ai écrit un roman, papa. Cela m'a demandé trois ans. C'est un bon livre, qui ressemble à ceux que maman me prêtait quand elle était encore là. Il ne parle pas de nous. Il n'y est absolument pas question des

Amish. C'est juste l'histoire d'une fille ayant grandi dans une ferme qui, une fois adulte, part à la découverte du monde.

— C'est ce dont tu rêves ? Découvrir le monde ?

Henryk paraissait sous le choc.

— Non, je suis heureuse ici. Je veux simplement écrire. Rien dans l'Ordnung ne le proscrit.

En vérité, Lillibet voulait voyager aussi, mais c'était trop tôt pour l'avouer.

— Je connais l'Ordnung mieux que toi. Ce qu'il te faut, c'est une maison et des enfants. Comme ça, tu n'auras plus de temps à perdre avec tes histoires et tes romans. Tu cherches de la lecture ? Prends la Bible. Tout le reste est superflu. Je veux que tu oublies ce livre dont tu me parles.

— Impossible, papa, murmura la jeune femme. Je l'ai envoyé à une maison d'édition new-yorkaise et il a beaucoup plu. Il sera publié l'année prochaine.

— Quoi ? Je te l'interdis ! s'emporta-t-il en tapant du poing sur la table. Comment as-tu osé faire une chose pareille derrière mon dos ?

— Je suis désolée, papa. J'aurais dû vous le dire plus tôt. J'ai beaucoup prié. Et je pense que maman m'aurait encouragée à aller au bout de ce projet.

Ses propos étaient à la fois courageux et insensés.

— Jamais ta mère n'aurait permis une chose pareille sans mon consentement. Elle était une femme obéissante. Je ne t'autoriserai pas à publier un livre, Lillibet. Préviens ton éditeur.

— Non, papa, répondit-elle doucement. Je veux le publier. Je n'ai rien fait de mal.

— Rien ? Tu m'as désobéi ! Je te le répète, Lillibet, je t'interdis de publier ce livre. Et d'écrire. Tu étudieras la Bible, et tu te marieras quand je t'aurai trouvé un époux. Il est temps.

— Vous ne pouvez pas m'obliger à me marier, ou à arrêter d'écrire.

— Tu veux aller vivre avec les Anglais ? C'est ça que tu veux ?

Lilli refusait de céder aux menaces de son père.

— Non, je veux vivre ici, dans votre maison, avec vous et mes frères. Je me fiche de finir vieille fille. Mais je n'arrêterai pas d'écrire. La survie de mon âme en dépend.

— Ton âme dépend de Dieu, un point c'est tout. Je ne t'autoriserai pas à publier un livre tant que tu vivras sous mon toit. Maintenant, va dans ta chambre. Ce soir, tes frères et moi préparerons le dîner. Je ne veux plus entendre parler de ce roman. As-tu passé un accord avec l'éditeur ?

— J'ai signé un contrat, répondit-elle calmement.

Elle avait de plus en plus d'aplomb.

— Eh bien, écris-leur pour dire que tu as changé d'avis. Ils ne peuvent pas te contraindre à publier.

— Et vous, vous ne pouvez pas me contraindre à ne pas publier, répliqua-t-elle, les yeux noirs de colère. Je me suis montrée honnête envers vous. Je vous en ai parlé.

— Tu annuleras ce contrat. Est-ce bien clair ? Je te bannirai si tu me désobéis.

— Vous ne pouvez pas m'obliger à partir. Je resterai.

Lorsque Lilli quitta la pièce pour se rendre à l'étage, Henryk tremblait de rage. Aucun de ses enfants ne lui avait jamais tenu tête. Les garçons avaient entendu leur père taper du poing sur la table et attendaient à l'extérieur que la tempête se calme. Ils savaient que quelque chose de terrible avait dû se produire, mais aucun d'eux n'aurait pu soupçonner que leur sœur avait écrit un roman. Lillibet ne descendit pas pour le dîner. Ce soir-là, elle resta éveillée pendant des heures. Rien ni personne ne l'empêcherait de publier son roman. Pas même son père. Elle était plus déterminée que jamais à aller au bout de sa démarche. Le matin, elle descendit et se livra comme d'habitude à ses corvées.

Son père ne remit pas le sujet sur la table pendant plusieurs jours. Mais il finit par lui demander si elle avait écrit à la maison d'édition pour rompre son contrat.

— Non, et je n'en ai pas l'intention, lui répondit-elle posément.

Ils entamèrent une véritable guerre des nerfs. Pendant les deux semaines qui suivirent, son père refusa de lui adresser la parole. Désespérée, Lillibet se tourna vers Margarethe.

— Henryk s'en remettra, la rassura-t-elle. Ta mère aurait été fière de toi.

Lilli fut très étonnée d'entendre de tels encouragements dans la bouche de Margarethe, une femme bien plus soumise que sa mère ne l'avait été. Et pourtant, elle la soutenait. Elle considérait que c'était un tournant majeur pour Lillibet. Et puisque la jeune femme ne souhaitait avoir ni mari ni enfants, il lui fallait quelque chose d'autre dans sa vie.

Mais Henryk ne voulut rien entendre. Il passait son temps à réprimander sa fille et à l'intimider. Ses menaces de bannissement se firent de plus en plus véhémentes. Aussi Lillibet, terrorisée à l'idée d'être exclue, finit-elle par céder. Au début du mois de septembre, elle écrivit une lettre à Bob Bellagio dans laquelle elle lui expliquait la situation. Elle concluait son courrier en disant qu'elle ne pouvait l'autoriser à publier son livre et elle lui rendait l'argent. Dans l'enveloppe, elle glissa un chèque du montant de l'avance qu'elle avait touchée. Elle se rendit à pied à la laiterie et demanda à Joe Lattimer d'envoyer pour elle le message.

De retour à la maison, Lillibet raconta à son père ce qu'elle venait de faire, jetant sur lui des yeux emplis de haine. Mais Henryk s'en moquait. Elle ajouta que s'il l'obligeait à se marier, elle quitterait d'elle-même la communauté. Elle monta dans sa chambre et n'en sortit pas pendant trois jours. Puis elle retourna à ses corvées et à sa vie d'esclave, arborant en permanence un regard mort. Margarethe confia à Henryk qu'elle s'inquiétait énormément au sujet de sa fille et qu'elle pensait qu'il se fourvoyait. Pour toute réponse, il lui répliqua qu'elle n'était plus la bienvenue chez lui.

Dès qu'il ouvrit la lettre et vit son écriture fébrile, Bob comprit que Lillibet avait un problème. Après avoir lu le courrier, l'éditeur eut envie de tout casser. Le désespoir de la jeune femme le rendait malade. Sa réaction fut sans appel : il déchira le chèque en deux et se rendit dès le lendemain à la laiterie. Une fois sur place, il demanda à Joe Lattimer l'adresse de la jeune femme.

— Il s'est passé quelque chose ? s'enquit celui-ci en remarquant le regard désespéré de Bob.

— Son père s'oppose à la publication du livre. Je veux lui parler en personne.

Bien qu'il pensât qu'une telle initiative était vaine, Joe hocha la tête. Henryk était un homme obstiné, profondément attaché aux traditions archaïques. Malgré tout, il indiqua à l'éditeur l'adresse des Petersen, priant pour que sa décision soit la bonne.

Lillibet préparait le dîner quand Bob frappa à la porte de la cuisine. Lorsqu'elle lui ouvrit, elle le regarda comme si elle venait de voir un fantôme.

— Que faites-vous ici ?

Bob la trouva amaigrie et très abattue.

— Je suis venu m'entretenir avec votre père afin de le convaincre au sujet du roman.

— C'est impossible, répondit-elle avec amertume. Il a menacé de m'exclure de la communauté.

Bob sortit le chèque déchiré de sa poche et le lui donna. Il posa sur elle un regard empreint de gravité.

— Lillibet, souhaitez-vous publier ce livre ?

En dépit du contrat, il ne l'obligerait pas à le faire. L'enjeu était bien trop risqué pour elle.

— Oui, répondit-elle dans un murmure. Je le souhaite. Mais je ne veux pas partir. Je n'ai nulle part où aller. Je ne connais que cette vie-ci.

Bob regarda autour de lui. Il avait l'impression d'avoir voyagé dans le temps et d'être arrivé au xvııe siècle.

— Laissez-moi lui parler.

Lilli était loin d'être convaincue que cela changerait quoi que ce soit, mais elle le fit attendre avec une tasse de thé dans le petit salon. Elle retourna ensuite dans la cuisine pour terminer de préparer le repas. Elle préférait éviter que son père les voie ensemble à son retour.

Henryk arriva une heure plus tard. Lilli lui annonça qu'il avait de la visite. Surpris, il entra dans le petit salon, suivi de sa fille. Bob se leva immédiatement et tendit la main en arborant un air solennel et respectueux. Henryk la serra, ignorant à qui il avait affaire.

— Monsieur Petersen, je m'appelle Robert Bellagio. Je suis éditeur, et j'aimerais publier le livre de votre fille. C'est un roman remarquable, qui ne porte en aucun cas préjudice à votre communauté, puisqu'il n'y est pas question des Amish. Les lecteurs ne pourront ressentir qu'une immense admiration à l'égard de votre fille et salueront la qualité de l'éducation des jeunes femmes amish. Si vous le lisiez, je suis sûr que vous éprouveriez une immense fierté. Je souhaitais vous le dire en personne. Je respecte votre mode de vie, mais j'aimerais que Lillibet puisse publier son roman. Je pense que c'est important pour elle.

— Ce qui devrait être important pour elle, c'est d'obéir à son père. Quand elle le fera, je serai fier d'elle. Nous avons des règles ici, des lois, qu'il est primordial de respecter.

Il regarda Bob avec une expression féroce, puis se détendit un peu et l'invita à s'asseoir. Il ne voulait pas se montrer incorrect envers cet homme.

— J'apprécie que vous soyez venu jusqu'ici pour me parler, reprit-il. Mais je n'autoriserai pas ma fille à publier ce livre.

— Je comprends que cela puisse vous gêner, monsieur. Mais y a-t-il quelque-chose que je pourrais faire qui rendrait l'affaire plus acceptable pour vous ? demanda Bob posément.

Les deux hommes étaient en train de s'évaluer mutuellement. Chacun avait trouvé un interlocuteur à sa hauteur, mais Lilli sentait d'ores et déjà que Bob ne l'emporterait pas. Son père était un adversaire redoutable, et c'était lui qui fixait les règles du jeu.

— Ne pas publier ce livre, c'est tout. Lillibet est ma fille et me doit le respect.

— Ce que vous lui demandez représente un immense sacrifice. Elle a consacré trois années de sa vie à ce roman, qu'elle a écrit la nuit, à la main.

— Elle n'aurait pas dû. Elle a des choses plus importantes auxquelles se consacrer, comme s'occuper de ses frères et de moi.

Bob trouvait que Henryk était un vieillard égoïste, mais garda cet avis pour lui. Il se contenta de hocher la tête. Il ne voulait pas envenimer la situation, car Lillibet en pâtirait.

— Accepteriez-vous de vous joindre à nous pour le dîner ? proposa Henryk contre toute attente. Vous avez fait une longue route pour venir me voir. Ce livre doit représenter beaucoup pour vous.

— Oui, en effet, ce roman compte beaucoup pour moi.

— Je suis désolé de vous décevoir, alors. Vous n'aviez aucun moyen de connaître notre réaction lorsque Lillibet vous a donné son accord pour la publication. C'était malhonnête de sa part. Vous joindriez-vous à nous pour le dîner ? demanda-t-il de nouveau.

Bob accepta. Il voulait rester aux côtés de Lillibet. Ce qu'il voyait dans cette maison le choquait profondément. Ce n'était pas la simplicité archaïque de leur mode de vie qui le dérangeait, mais le pouvoir absolu qu'exerçait Henryk sur sa fille. Le vieil homme pensait qu'une vie de servitude suffisait à la satisfaire, qu'elle ne méritait pas plus. Joe Lattimer ne s'y était pas trompé en lui laissant entendre qu'il était têtu, revêche et englué dans les traditions.

— Ce serait pour moi un honneur.

Henryk hocha la tête puis lui demanda s'il souhaitait visiter la ferme. Bob lui répondit qu'il en serait ravi. Les deux hommes sortirent et disparurent. Les genoux tremblants, Lilli s'assit à la table de la cuisine. Willy, resté jusque-là à l'étage, descendit.

— Qu'est-ce qui se passe encore ?

Les garçons étaient tous las de la guerre qui opposait Lilli à leur père, et qui durait depuis un mois.

— Mon éditeur est là. Il est venu parler à papa afin de tout lui expliquer.

Willy se mit à rire.

— Papa l'a emmené dehors pour le tuer ?

Sa propre blague le faisait glousser.

— C'est possible, dit-elle en souriant.

Pendant ce temps-là, Bob posait à Henryk des questions pertinentes sur leur façon de gérer la ferme, sans électricité ni aucun équipement moderne. Le vieil homme l'éclaira sur leur mode de vie : le mot d'ordre en était la simplicité. Pour tout un tas de raisons, ils le considéraient comme le meilleur possible. Bob trouva cela fascinant. Dans une certaine mesure. Car il ne pouvait suivre Henryk jusqu'au bout. Certes, les femmes avaient une place dans leur société. Mais le rôle qu'on leur attribuait était traditionnel et archaïque. Toutes les décisions importantes appartenaient aux hommes. Ils avaient le dernier mot sur tout, quels que soient les sujets, et exerçaient un pouvoir absolu sur leurs filles et leurs épouses. Lilli, par exemple, n'avait aucune des libertés auxquelles elle aspirait. Henryk prétendait que les femmes étaient heureuses comme cela, et Bob était convaincu que le vieillard le pensait sincèrement. C'était un homme honnête et franc, animé par des convictions et des croyances profondes.

De son côté, Henryk se mit à apprécier Bob, qui manifestait du respect envers leur communauté. Lorsqu'ils rentrèrent pour dîner, une heure plus tard, tous deux paraissaient détendus.

Ils passèrent une soirée étonnamment agréable, tous ensemble. Bob se montra fort sympathique à l'égard des garçons. Ils échangèrent des informations sur leurs mondes respectifs. L'éditeur voulait en savoir davantage sur les Amish, et les frères de Lilli lui posèrent une multitude de questions sur ce qu'il faisait et sur les endroits qu'il avait visités. Ce fut un repas très animé. Au moment où son invité s'apprêtait à prendre congé, Henryk le remercia chaleureusement de sa visite. Bob espérait quant à lui que la graine qu'il avait semée porterait ses fruits. Pour l'instant, rien ne semblait l'indiquer.

— Merci d'être venu, c'était courageux de votre part, murmura Lilli en le raccompagnant à sa voiture.

Son père l'y avait autorisée, preuve de la confiance qu'il octroyait à Bob.

— J'aurais aimé partir avec vous, dit-elle tristement.

Elle tenait ce genre de propos pour la première fois. C'était un cri du cœur.

— J'aurais aimé que vous veniez, répondit-il en cherchant son regard. C'est un sacré bonhomme, votre père.

— Comme vous dites.

— Lilli, honnêtement, si vous me le demandez, je ne publierai pas votre livre. Je n'ai nullement l'intention de gâcher votre vie pour des pages remplies de mots.

— Non, je souhaite continuer.

Ses yeux exprimaient une grande détermination.

— Et si votre père vous exclut ?

— Je ne pense pas qu'il en ait le droit. Si on en arrive là, j'irai vivre chez Margarethe, une amie de ma mère. Elle m'acceptera, je pense.

En vérité, Lillibet n'en avait pas la certitude. Si son père parvenait à convaincre le conseil des sages de l'exclure, personne ne pourrait l'aider ou n'oserait le faire, de peur de subir le même sort. La jeune femme préférait se dire que son père n'en viendrait pas à une telle extrémité. C'était un homme dur, mais elle savait qu'il l'aimait. Assez pour la punir, trop pour la bannir.

— Venez à New York, lança Bob avec un sourire en coin. Je pense que ça vous plaira.

— J'aimerais connaître cette ville un jour. J'aimerais ne serait-ce qu'y passer...

— Vous en aurez l'occasion.

Bob serra sa main dans la sienne. Il n'osa lui déposer un baiser sur la joue, de peur qu'on ne les observe.

— Nous devons encore travailler ensemble votre texte.

Lilli acquiesça, sans vraiment savoir comment ils procéderaient. Bob se glissa dans sa voiture et mit le contact. Il la regarda un long moment avant de partir. Tandis qu'il s'éloignait, elle le salua de la main. Il avait le sentiment de l'abandonner. Il détestait devoir la laisser à son existence moyenâgeuse, sous l'autorité de son père, sans personne pour la comprendre, lui parler ou la protéger des rudesses de son monde. C'était un sentiment étrange. De son côté, Lilli avait l'impression d'être sur la berge tandis que son bateau larguait les amarres. Elle aurait souhaité plus que tout être sur ce navire, avec celui qu'elle considérait désormais comme son seul véritable ami. Lorsqu'elle rentra chez elle et monta dans sa chambre, des larmes coulaient sur ses joues. Cet endroit n'était plus sa maison. C'était devenu une prison.

18

Le lendemain de la visite impromptue de Bob, Henryk s'adressa à sa fille avec plus de douceur. La venue de Bob, qu'il interpréta comme une authentique preuve de respect à son égard, n'avait pas été vaine. Cet homme lui paraissait quelqu'un de bien. Malgré tout, il s'étonnait qu'il ne soit pas marié à son âge – mais les Anglais étaient des gens étranges. Par ailleurs, il était rassuré sur un point : l'éditeur n'essayerait pas de courtiser Lillibet. Il était trop sensé et respectait trop les Amish pour s'aventurer dans ces eaux-là. L'intérêt qu'il portait à sa fille lui semblait professionnel, pas sentimental. Cela étant dit, Henryk avait beau tenir l'Anglais en estime, il ne lui donnerait pas son accord pour la publication du livre, ni aujourd'hui ni jamais. En tant que chef de famille, il avait pris sa décision, et Lillibet se plierait à sa volonté. Elle n'avait pas d'autre choix, elle n'avait nullement envie d'être bannie. Henryk s'était montré on ne peut plus clair à ce propos.

Lilli ne chercha pas à discuter avec son père. Mais elle aussi avait pris sa décision. Elle ne s'opposerait pas à la publication de son livre et gageait que la bonté de son père le dissuaderait de prendre des mesures radicales. Elle savait qu'il l'aimait, et ce sentiment était réciproque. Il serait en colère, à coup sûr, mais de façon transitoire. Lui et les garçons avaient bien trop besoin d'elle. Lillibet reprit donc sa routine et fit profil bas – d'autant plus que le livre n'était programmé que dans un an.

Elle attendait les instructions de Bob pour la suite. Pour l'heure, ils n'avaient pas trouvé de solution idéale. Lillibet préférait qu'il lui fasse parvenir ses corrections et commentaires à Lancaster afin qu'elle revoie son texte seule avant de tout lui renvoyer par l'intermédiaire de Joe Lattimer. De son côté, Bob estimait que la jeune romancière avait besoin d'être guidée. Par conséquent, pour cette première fois au moins, il était souhaitable qu'elle soit épaulée en direct par lui-même ou par la personne qui était en train de relire son livre.

Après la signature du contrat, Bob avait confié le manuscrit de Lillibet à Mary Paxton. A la fin du mois de septembre, celle-ci vint le trouver avec ses corrections. Il y en avait moins que prévu, même si un léger polissage et de menus changements étaient nécessaires. Mary était fort surprise que le texte soit aussi abouti. L'aisance avec laquelle Lillibet décrivait des choses qui ne lui étaient pas familières – les voyages en avion par exemple, des villes et des pays inconnus, les pensées des personnages, leur façon de se vêtir, leurs choix de vie – avait énormément impressionné Mary. Lillibet faisait preuve d'un très grand discernement pour une si jeune femme et semblait capable de se projeter parfaitement dans la tête des autres, ainsi que dans des situations qu'elle n'avait jamais vécues. Elle était écrivain dans l'âme, et sans conteste dotée d'un immense talent, comme Bob l'avait décelé.

— Il n'y a que quelques jours de travail, le rassurat-elle en s'asseyant en face de lui.

Cette manœuvre lui demanda un effort considérable : Mary était enceinte de jumeaux, dont la naissance était prévue deux semaines plus tard ; elle avait l'impression qu'elle allait exploser d'une minute à l'autre. Tout l'été, elle avait souffert de la chaleur, et elle commençait à trouver le temps très long. Bob lui avait confié le roman de Lillibet, car il s'était dit que les deux femmes auraient des atomes crochus.

— Pourra-t-elle venir ici rapidement ? demanda Mary, l'air préoccupée. Demain, par exemple ?

Elle plaisantait – enfin, pas tant que cela...

— J'ai prévu de faire du trampoline aujourd'hui, histoire de secouer un peu ces deux-là.

Mary souhaitait prendre un congé de trois mois pour s'occuper de ses bébés, qui étaient ses premiers enfants. Comme nombre de futures mères, elle ne savait pas du tout ce qui l'attendait, ce qui, avec des jumeaux, était deux fois plus angoissant.

— Je ne suis pas certain qu'elle puisse venir, répondit Bob, soucieux. Que dirais-tu de lui communiquer tes remarques et suggestions par mail ?

Bien sûr, Bob avait révélé à Mary que Lillibet était amish. Mais il avait omis de lui préciser que son père s'opposait à la publication du livre. Son équipe n'avait pas besoin de le savoir.

— Je ne pense pas que ce soit une bonne idée de commencer de façon aussi impersonnelle, déclara Mary d'un air pensif. Elle pourrait ne pas comprendre à quoi riment nos corrections. Une fois que nous aurons pris nos marques ensemble, pourquoi pas, mais je veux qu'on parte sur de bonnes bases. Ce roman est trop génial pour qu'on ne s'en donne pas la peine.

Bob exhala un long soupir. Il prit le temps de réfléchir et dit :

— Cela ne va pas être simple pour elle de venir. Sa famille a besoin d'elle à la ferme. Et, soyons réalistes, cette fille n'est jamais sortie de Lancaster. Ses proches risquent de ne pas voir tout cela d'un bon œil.

C'était une façon très édulcorée de décrire la réaction probable de Henryk. « Explosion nucléaire » aurait sans doute été une formule plus adaptée.

— Et puis, pour elle, venir à New York, ça serait comme débarquer sur Mars. Je préférerais lui proposer une initiation plus douce au monde moderne. Elle n'a jamais quitté sa ferme et sait à peine se servir d'un téléphone. Elle est montée pour la première fois dans une voiture avec moi. Un séjour à New York risque d'être une expérience extrême pour cette fille.

— Eh bien, à moins qu'elle soit sage-femme, je ne peux pas aller la voir, déplora Mary. Et je pense qu'il est réellement important qu'on se rencontre.

Même si le problème lui semblait insoluble, Bob partageait entièrement son point de vue. Il écrivit donc une lettre à Lillibet ; un mail impliquait l'intervention de ses frères, et il préférait éviter. Il espérait juste qu'elle recevrait le courrier avant que son père ne mette la main dessus.

Deux jours plus tard, la jeune femme lui téléphona de la laiterie. Au son de sa voix, Bob comprit qu'elle était paniquée.

— Comment ferais-je pour venir à New York ? lui demanda-t-elle.

Ce périple lui paraissait impossible à organiser – à Bob aussi, d'ailleurs. Elle ne pouvait quand même pas disparaître pendant une semaine...

— Je suis trop âgée pour le *rumspringa*, dit-elle.

— Le *rumspringa* ? Qu'est-ce donc ? demanda Bob, amusé.

— Pardon, il s'agit d'un terme amish. Nous ne recevons le baptême qu'une fois adultes, lorsque nous sommes en âge de choisir notre mode de vie et d'adopter les coutumes amish. Certaines familles autorisent les adolescents à prendre du bon temps avant la cérémonie. Il y en a qui vont jusqu'à fumer et boire, fréquentent des Anglais, conduisent des voitures... C'est une façon très libérale d'aider les jeunes à comprendre ce à quoi ils renoncent en embrassant la culture amish. Mais personne de ma famille n'a jamais fait ça – mon père nous aurait sans doute tués ! De toute façon, à ses yeux, passer une semaine à New York n'a rien à voir avec le *rumspringa*. Il verrait plutôt cela comme une plongée dans Sodome et Gomorrhe !

Tous deux éclatèrent de rire. Le concept de *rumspringa* parut intéressant à Bob. D'ailleurs, nombreuses étaient les traditions amish qui lui semblaient sensées et bien pensées. C'était la position extrême et la rigidité de la vieille garde, à laquelle Henryk appartenait, qui rendaient la vie de Lillibet difficile. Tant que son père serait de ce monde, rien ne changerait pour elle.

— Mes parents non plus n'étaient pas très partants pour ce genre de rites, plaisanta Bob. A Princeton, la coutume voulait que, aux premiers flocons, les bizuts courent tout nus autour du campus. Dans le feu de l'action, moi et un copain, on est allés jusqu'à un bar de la ville. La police a mis un terme à notre escapade, et mon père a dû venir de New York pour payer ma caution. Il m'a coupé les vivres pendant deux mois.

Cette anecdote amusa énormément Lillibet.

— Je crois que c'est un peu plus osé que notre *rumspringa*. Bon, que fait-on ? Est-il important que je me déplace pour travailler avec votre collègue ?

— Elle le pense, en tout cas. Et elle ne peut pas venir, car elle doit accoucher de jumeaux dans deux semaines, peut-être même avant. Mary est plus douée que moi pour retravailler les textes, et c'est elle qui a relu votre roman.

— Il va donc falloir que je m'arrange, répondit Lilli, effrayée mais déterminée.

— Je suis désolé, vraiment.

— Pourquoi seriez-vous désolé de m'offrir la chance de ma vie ?

Bob était rassuré qu'elle considère encore la publication de son livre de façon aussi positive.

— Une voiture avec chauffeur vous conduira jusqu'ici. Et vous serez logée dans l'hôtel qui se trouve à deux pas du bureau. Nous prendrons en charge tous vos frais, et je pourrai vous raccompagner à Lancaster, si vous le souhaitez. Ou bien nous procéderons comme à l'aller.

Une voiture avec chauffeur était sans doute la meilleure solution car, ainsi, son père ne penserait pas qu'elle avait passé la semaine avec lui, dans son appartement ou ailleurs.

— Serai-je en sécurité à l'hôtel ? s'enquit-elle, d'une voix trahissant son manque d'expérience.

— Bien évidemment. C'est un très bon établissement. Et je vous ferai visiter New York.

Cette perspective était extrêmement excitante pour Lillibet. Il faudrait juste qu'elle survive à la furie et aux menaces de son père d'ici là…

— Quand pourriez-vous venir ?

— Je ne sais pas… Cette semaine ? La semaine suivante ?

Comment allait réagir son père ? Elle n'avait pas l'intention de lui mentir. Elle lui dirait qu'elle avait décidé de ne pas renoncer à la publication de son livre et qu'elle se rendait à New York pour plusieurs jours afin de retravailler le texte avec ses éditeurs.

— Le plus tôt sera le mieux, étant donné l'état de Mary. Si vous la voyiez, elle est au bord de l'explosion !

— C'était pareil pour ma mère quand elle attendait Markus et Josiah. Bon, disons vendredi, alors.

On était mardi.

— Vous me voulez pour combien de temps ?

Il n'osa pas lui répondre « pour toujours », même pour plaisanter. Pourtant, c'était exactement ce qu'il ressentait. Mais il ne souhaitait pas brouiller leur relation professionnelle avec des sentiments qu'il n'avait aucun moyen d'expliquer et qui, peut-être, seraient incompréhensibles pour la jeune femme. Lui-même avait du mal à comprendre ce qu'il se passait dans son cœur.

— Pourquoi ne pas prévoir un séjour d'une semaine ? Si vous finissez avant, vous rentrerez plus tôt. Et cela ne vous ferait pas de mal de prendre un peu de temps pour vous.

Puisque de toute façon elle allait payer cher sa désobéissance, autant aller jusqu'au bout. Qu'elle parte cinq jours ou une semaine n'y changerait rien : son père serait furieux.

— Un chauffeur viendra vous chercher vendredi matin, dit Bob simplement.

— Envoyez-le plutôt à la laiterie. Je demanderai à Willy de m'y déposer. Je préfère ne pas trop narguer mon père en montant dans une voiture sous ses yeux.

Elle repensa au jour où ils s'étaient rencontrés, au trajet jusqu'à la banque, chez le glacier… Son père aurait été profondément choqué s'il avait su, mais le souvenir de ce qu'ils avaient partagé était précieux pour Lillibet.

— Je m'en occupe, lui assura Bob.

Puis, délaissant sa casquette d'éditeur pour enfiler celle d'ami, ce qu'il était aussi, il ajouta avec douceur :

— Bonne chance avec votre père. Je prendrai bien soin de vous quand vous serez ici.

La jeune femme n'en doutait pas un instant. Elle raccrocha puis remercia Joe Lattimer de lui avoir permis d'utiliser son téléphone. Depuis qu'elle avait envoyé son manuscrit à New York, sa vie semblait bien compliquée. Joe espérait ne pas avoir mal agi en l'aidant. Il ne voulait pas qu'elle soit bannie.

Lillibet grimpa dans la carriole et se mit en route pour la ferme. Elle était venue livrer le lait seule, de son propre chef. Son père n'était pas là quand elle était partie. Sur le chemin du retour, la jeune femme s'arrêta chez Margarethe. Depuis qu'elle était intervenue auprès de Henryk en faveur de la publication du roman, elle était toujours *persona non grata* chez eux. Elle manquait à Lilli, qui était passée lui rendre visite à plusieurs occasions. Elle éprouvait le besoin urgent de parler à quelqu'un et raconta tout à son amie.

Margarethe lui concocta une infusion avec la menthe fraîche de son jardin. Elle avait également préparé des petits pains chauds, qu'elle servit avec sa fameuse confiture de pêche.

— Papa va me tuer, lâcha Lilli, inquiète.

Avec ce voyage à New York, elle était arrivée à un véritable tournant. Soit elle y allait et s'attirait les foudres de son père, soit elle abandonnait l'idée de publier son livre. Elle était convaincue que Margarethe lui dirait que le risque encouru était bien trop important et lui recommanderait de tout arrêter tant qu'il en était encore temps. Lilli la regarda avec de grands yeux tristes. Sa coiffe noire était posée sur ses genoux, et sa tresse descendait tout le long de son dos.

— Bien sûr, tu as le choix, avança prudemment Margarethe. Et ton père est un homme buté, nous le savons parfaitement.

Elle sourit tristement. Henryk ne lui avait pas parlé depuis des semaines, alors qu'ils étaient très proches l'un de l'autre.

— Ton père croit réellement agir pour ton bien. En tant que membre du conseil des sages, il doit se montrer fidèle à ses croyances et à l'Ordnung. Mais selon moi, il y a plus en jeu ici que ton père, le conseil et l'Ordnung. Il s'agit de ton cœur, de ton existence. Nous n'avons pas tant d'occasions que cela de prendre des décisions susceptibles de changer notre façon de vivre. Et encore moins quand on est mariées. Tu es jeune et libre, et bien que tu doives le respect à ton père, il te faut honorer ton âme et Dieu. J'ai la conviction qu'Il t'a offert cette chance et ce talent, et tu ne devrais pas les gâcher.

« Je veux te dire les mots que ta mère aurait prononcés, je pense. Pourtant, tu sais qu'elle et moi, nous n'étions pas toujours d'accord. Elle avait bien plus de cran, mais là, je suis d'accord avec elle. Vas-y, Lilli, poursuis tes rêves, écoute ton cœur. Si le livre est important pour toi, va à New York. Va au bout des choses, ne passe pas à côté. Sinon, tu le regretteras toute ta vie. Tu deviendras amère. Ton père s'en remettra. Il n'a pas le choix.

Lilli la regarda, abasourdie. Margarathe lui disait de prendre le chemin de la liberté, quelles qu'en soient les conséquences. Cette fois-ci, cependant, Rebekah ne serait pas là pour l'aider à recoller les morceaux. Il faudrait que Lillibet se débrouille seule. Elle se sentait prête à le faire.

— Merci ! s'exclama la jeune femme en se précipitant dans les bras de Margarethe. Merci !

Ce soir-là, Lilli commença à préparer calmement son voyage. Le jour suivant, pendant que son père travaillait à la ferme de son frère avec Willy et que les jumeaux étaient à l'école, elle prit la carriole et se rendit à la laiterie. Là, elle demanda si quelqu'un pouvait l'emmener en ville. L'un des ouvriers agricoles l'y conduisit. Elle entra dans une boutique de vêtements pour femmes. Elle emporterait ses habits amish, mais souhaitait acquérir des pièces plus « anglaises » afin de ne pas trop attirer l'attention à New York. La vendeuse se montra très attentionnée à son égard. Lorsqu'elle apprit qu'elle se rendait dans la grande ville pour des raisons professionnelles, elle lui donna de précieux conseils. Lilli acheta une jupe noire, des chemisiers, une robe bleu nuit, une autre rouge, et des chaussures plates qui ressemblaient à des chaussons de danse légers comme l'air. Les boutons et les fermetures Eclair la fascinaient. Elle trouva une petite valise dans laquelle elle pourrait tout ranger. Elle emporterait avec elle la cape noire qu'elle mettait l'hiver, mais elle prit aussi un manteau bleu foncé. Il lui allait à merveille et lui tiendrait chaud si le temps se rafraîchissait. Pour compléter sa garde-robe, elle ajouta deux paires de collants fins. C'était la première fois qu'elle en voyait. Quand elle les essaya, elle eut l'impression que ses jambes étaient nues. Rien à voir avec les épais collants noirs en coton qu'elle portait depuis toujours ! Elle régla ses achats par chèque.

Une fois rentrée chez elle, Lilli plaça ses articles dans la valise, qu'elle cacha sous son lit. Personne ne l'avait vue partir ni revenir. Elle se sentait malhonnête ; pourtant, elle ne faisait rien de mal.

Jeudi soir, Lillibet annonça la nouvelle à son père. Elle attendit la fin du repas pour demander à lui parler. Elle resta assise sans rien dire jusqu'à ce que les garçons montent dans leur chambre. Son père demeura impassible tant qu'il ne sut pas de quoi il s'agissait. Il pensait qu'elle avait abandonné l'idée du livre, mais n'en était pas certain. Parfois, elle se montrait aussi têtue que lui.

Finalement, une fois seuls, elle se tint debout devant lui, tremblante, quoiqu'il ne pût le voir car elle serrait les bords de son tablier. C'était un de ceux que sa mère avait confectionnés pour elle. Ce bout de tissu lui donnait du courage.

— Papa, j'ai deux choses à vous dire. D'abord, je vais les autoriser à publier mon livre. Il n'y a aucun mal à cela, selon moi. Je pense que maman aurait approuvé ma décision. Et puis, je vais aller à New York pour revoir mon texte avec mes éditeurs. Je vais travailler avec une collaboratrice de Bob Bellagio. Elle est sur le point de mettre au monde des jumeaux et ne peut donc venir jusqu'ici. C'est à moi de me déplacer. Je serai de retour dans une semaine, peut-être même plus tôt. Rien n'aura changé. Tout recommencera comme avant. Mais il faut que je le fasse, papa. Et je vous aime infiniment.

Elle tint ces propos dans le dialecte allemand qu'ils parlaient souvent à la maison, afin de lui montrer qu'elle ne l'abandonnait pas, pas plus que leurs traditions. Lorsqu'elle eut fini sa tirade, un silence de mort s'abattit sur la pièce. Henryk fronçait les sourcils, ne disait rien, ne bougeait pas. Finalement, au bout de cinq minutes, il se leva et s'adressa à elle en anglais, d'une voix forte et distincte qui se répercuta contre les murs :

— Si tu vas à New York, inutile de revenir, Lillibet. J'en parlerai aux sages, et tu seras exclue. Tu ne peux pas me désobéir, vivre comme les Anglais et rester dans notre communauté. Si tu pars, tu n'es plus chez toi ici.

Ces mots, d'une violence inouïe, la frappèrent au visage tels des coups de poing. Comment pouvait-il la rejeter alors qu'il l'aimait tant ? Lilli ne voulut pas voir qu'il était capable d'exécuter sa menace. Elle avait la conviction que le souvenir de sa mère arrêterait son père au dernier moment.

— Je reviendrai, papa. Dans une semaine, au plus tard.

Elle refusait de se laisser gagner par la peur. Henryk ne répondit pas. Il passa devant elle en furie, gravit l'escalier d'un pas lourd et claqua la porte de sa chambre. Après avoir éteint les bougies et les lampes, Lillibet monta également. Elle prépara pour le lendemain une robe en laine noire toute simple, avec sa coiffe d'hiver, sa cape et ses bottines noires. Quels que soient les vêtements qu'elle porterait, les anciens ou les nouveaux, elle savait qu'elle serait toujours amish. C'était un choix, qu'elle avait fait lors de son baptême. Elle reviendrait chez elle.

19

Vendredi matin, Lillibet se leva avant l'aube et alla réveiller Willy. Elle ne voulait pas le mêler à tout cela ni lui attirer des ennuis avec leur père, mais il fallait qu'il la conduise à la laiterie en carriole. C'était son seul moyen de locomotion, et sa valise était bien trop lourde pour qu'elle la transporte à pied sur une telle distance. Elle en avait discuté avec son frère la nuit précédente, et il était d'accord. L'idée de savoir sa sœur sur une route déserte ne lui plaisait pas. Il arrivait toutes sortes de choses aux gens, surtout aux filles qui se déplaçaient seules la nuit.

— Tu reviendras ? lui demanda-t-il, les yeux agrandis d'angoisse.

— Oui, je te le promets. Je ne m'absente qu'une semaine.

— Tu penses que papa va te bannir ?

Lillibet tâcha de le rassurer.

— Non, je ne crois pas. Il m'aime. Il est juste très fâché. Mais j'ai écrit ce roman, et je veux le publier. Je n'ai rien fait de mal.

— Tu parles de nous dedans ?

— Non, c'est juste l'histoire d'une fille.

Aux yeux de Willy, tout cela paraissait ennuyeux et ne lui semblait pas mériter un tel ramdam.

Lillibet n'osa pas se préparer un thé, de peur de réveiller son père et les jumeaux en faisant du bruit. Willy et elle sortirent et traversèrent la pelouse fraîche de la rosée du matin jusqu'à l'écurie. Willy attela le cheval à la carriole et posa la valise de sa sœur à l'arrière du véhicule. Ils partirent le plus discrètement possible. Tous deux ignoraient que leur père était réveillé. Lorsqu'il les entendit prendre la route, il s'assit dans son lit et se mit à pleurer.

Comme convenu, la voiture et son chauffeur attendaient Lillibet à la laiterie. La jeune femme serra Willy dans ses bras. Ses frères cadets étaient de vrais casse-pieds, mais elle les aimait, et ne s'était jamais éloignée d'eux.

— Tu vas me manquer. Sois sage, et occupe-toi bien de papa et des garçons. S'il arrive quoi que ce soit, préviens M. Lattimer. Il sait où me joindre en cas d'urgence.

Mais elle ne pensait pas que cela serait nécessaire. Ils avaient déjà eu leur lot de tragédies dans la vie. La foudre ne frappait pas deux fois au même endroit.

— Rapporte-moi quelque chose de New York, lui demanda Willy avec un petit sourire timide.

Son frère n'était plus vraiment un enfant, mais pas encore tout à fait un adulte. C'était un adolescent dégingandé, dont le devoir était à présent de travailler à la ferme aux côtés des hommes. Comme sa mère de son vivant, Lillibet aurait aimé que la scolarité des jeunes soit plus longue. Malheureusement, cela n'était pas dans les traditions amish.

— Compte sur moi, Willy !

L'instant d'après, il reprit la route. La carriole disparut du champ de vision de Lilli en un éclair. Le chauffeur lui ouvrit la portière. Elle monta à l'arrière, attacha sa ceinture de sécurité comme Bob le lui avait montré et s'installa confortablement pour admirer le paysage qui défilait derrière la vitre. Le soleil se levait sur les fermes du comté de Lancaster. Elle regardait, les yeux grands ouverts, essayant d'imaginer à quoi ressemblerait New York. Elle avait écrit sur cette ville, mais, cette fois-ci, cela serait différent. Elle y serait en personne, dans le monde réel.

Ce matin-là, Bob se réveilla avant que l'alarme de son réveil ne se déclenche. Il pensait à Lilli. Pourvu que tout se soit bien passé et que son père ne l'ait pas enfermée dans sa chambre ! Elle avait en théorie pris la route tôt et serait à New York peu avant midi. L'attente promettait d'être longue pour Bob.

Il se leva et se rendit dans le petit bureau qu'il avait aménagé chez lui. Le tablier de Lilli, bien plié sur sa table, semblait le regarder. Il était là depuis que Bob avait découvert le manuscrit pour la première fois. Entre-temps, l'éditeur avait relu le livre à plusieurs reprises. Afin de pouvoir l'annoter, mais aussi, parfois, pour le simple plaisir d'« entendre » Lilli. Elle avait une voix singulière. Chaque fois qu'il se plongeait dans ses mots, il avait l'impression de mieux la comprendre, de saisir une autre de ses facettes. Il prit le tablier. Pour une raison qu'il ignorait, toucher quelque chose qu'elle avait porté le rassurait. C'était comme si son esprit avait imprégné le tissu de son essence. Bob n'avait aucun moyen de le prouver, mais il était convaincu que leur rencontre était due au destin. La façon étrange dont elle avait choisi sa maison d'édition en trouvant un livre sur un banc. Et cette inexplicable impression de déjà-vu...

Au travail, Bob fut soulagé d'apercevoir Mary Paxton qui marchait vers lui d'un pas lourd. Elle aussi attendait avec impatience l'arrivée de la jeune romancière amish.

— Je suis content que tu sois encore là.

— Moi aussi, répondit-elle en souriant. Je vais essayer de garder ces deux petits gars au chaud, le temps de terminer le travail sur le roman.

Le manuscrit, qui avait été dactylographié et enregistré sur un disque dur, se trouvait sur son bureau, avec ses notes. Mary était sur le pied de guerre. Bob souhaitait rendre à Lillibet ses carnets, en guise de souvenir. Elle lui avait révélé avoir une idée pour son second roman.

Bob s'assit derrière son bureau. Il but un café en regardant par la fenêtre, incapable de chasser Lillibet de son esprit.

Son frère Paul lui téléphona dans la matinée pour prendre de ses nouvelles.

— Alors, comment va ton Amish? Son père s'est amadoué?

— Ça, je ne sais pas. Mais, à l'heure où je te parle, elle est en route pour New York. Elle vient pour retravailler son texte.

— Cela promet d'être intéressant! Elle avait déjà quitté sa ferme avant?

— Jamais, répondit Bob avec un petit sourire.

Il était impatient de lui montrer la ville. Il savait ce que cela représentait pour elle. Le rêve devenait enfin réalité.

— J'espère qu'elle ne va pas débarquer ici pieds nus ! plaisanta Paul.

Il passait son temps à se moquer des gens, à critiquer tout et tout le monde – une habitude héritée de leur mère. Il se croyait malin, alors qu'en réalité il était simplement impoli. Bob ressemblait davantage à leur père. Il se demandait souvent comment ce dernier, très doux, faisait pour supporter les remarques caustiques de sa femme. Peut-être qu'après quarante ans il ne les entendait plus.

— Pieds nus, non, je ne pense pas. Elle portera des chaussures montantes à lacets, une coiffe et un tablier. Si jamais tu souhaites la rencontrer, viens !

Mais Bob regretta immédiatement son invitation. Il ne voulait pas que Paul se montre désagréable à l'égard de Lillibet, ni qu'il heurte ses sentiments.

— Non, je te laisse la petite Heidi. Ce n'est pas mon genre !

Lillibet n'avait jamais rien vu d'aussi beau. Elle se sentait comme Dorothée à son arrivée au pays d'Oz. Alors que la voiture traversait le pont George Washington et entrait dans Manhattan, elle retint son souffle. Elle admira les silhouettes chatoyantes des gratte-ciel qui se découpaient sur l'horizon, repérant même l'Empire State Building. Elle eut la curieuse impression de rentrer chez elle après une longue absence.

Comme convenu, le chauffeur contacta Bob lorsqu'ils atteignirent le sud de Manhattan. Il passa le téléphone portable à Lillibet, qui fixa d'un air perplexe l'appareil.

— Comment ça marche ?

— Il faut parler, c'est tout ! répondit-il.

— Où ?

Le chauffeur regarda cette extraterrestre dans sa drôle de tenue amish et lui indiqua le récepteur. A l'autre bout du fil, Bob entendait leur conversation et sourit. La semaine que la jeune fille s'apprêtait à vivre promettait d'être riche en découvertes pour elle. Lilli plaça prudemment le téléphone contre son oreille.

— Bonjour, dit-elle.

— Bienvenue à New York, Lillibet, lança Bob chaleureusement.

— Ah, Bob ! Cette ville est magnifique. C'est encore plus beau que dans mes rêves !

Les rayons du soleil se reflétaient dans l'Hudson River qui coulait à sa droite. C'était un décor somptueux.

— Et ce spectacle n'est rien que pour vous ! dit Bob tout guilleret. Comment ça s'est passé, chez vous ?

— Bien. Tout le monde dormait. Willy m'a conduite en carriole jusqu'à la laiterie.

Bob se sentit soulagé. L'esclandre du père n'avait pas eu lieu.

Dix minutes plus tard, Lillibet arriva devant l'immeuble où travaillait Bob. L'éditeur, qui ne tenait plus en place, était venu l'attendre sur le trottoir. Il lui tendit la main pour l'aider à sortir de la voiture. Elle leva les yeux vers lui et éprouva une nouvelle fois la sensation de le connaître depuis très longtemps. Bob, après avoir admis partager cette impression, avait dit en plaisantant qu'ils s'étaient peut-être connus dans une vie antérieure. Lillibet avait répliqué que cette vie-ci lui suffisait bien, tant elle était formidable.

— Je n'en crois pas mes yeux, dit-elle.

Tout lui paraissait gigantesque, même à Tribeca, où les immeubles étaient pourtant de taille plus modeste. Alors qu'ils entraient dans le bâtiment, Lillibet glissa sa main sous le bras de Bob. Quand l'ascenseur ouvrit ses portes, la jeune femme regarda à l'intérieur.

— Qu'est-ce que c'est ?

— De la magie ! la taquina Bob. C'est un ascenseur. Celui-ci ne marche pas toujours. Il va nous hisser jusqu'à l'étage où se trouvent nos locaux. Il faut entrer dedans, appuyer sur un bouton, et un système de poulies nous permet de monter.

— C'est solide ?

Lilli se méfiait. Elle avait entendu parler des ascenseurs dans les livres, mais ce modèle était particulièrement vétuste, et cela n'était pas rassurant.

— Oui, il n'y a aucune inquiétude à avoir.

La jeune femme suivit Bob dans l'ascenseur, qui lui lança, le plus sérieusement du monde :

— Dites Abracadabra !

Lilli s'exécuta en riant de bon cœur. Au moment où elle prononça la formule magique, il appuya sur le numéro 5. La porte se referma et la machine entama son ascension en produisant un boucan du diable. Quelques instants plus tard, ils pénétraient dans les locaux de Bellagio Press. Partout, des bureaux et des néons. Pat Riley fut la première personne qu'ils aperçurent. Il semblait encore plus mal fagoté que d'habitude. Sa table était encombrée d'une vertigineuse montagne de manuscrits. Bob lui présenta Lilli. Le jeune homme la dévisagea avec intérêt. Jamais auparavant il n'avait vu de femme amish en habit traditionnel. On l'aurait crue tout droit sortie d'un film.

— Regardez, c'est ici que je vous ai trouvée, dit Bob en lui montrant la pile des refus.

Mary Paxton, le ventre proéminent, fit son entrée dans la pièce. Elle s'empressa d'aller vers la jeune femme, qu'elle serra dans ses bras.

— Bienvenue à New York !

Lillibet eut un grand sourire.

— Bonjour, Mary. Croyez-le ou pas, ma mère était encore plus imposante que vous lorsqu'elle attendait mes frères jumeaux ! Chacun pesait plus de quatre kilos et demi. Les bébés amish sont énormes.

Cela s'expliquait par le fait que les femmes de la communauté mangeaient bien et menaient une vie saine.

— Oh, ces deux-là sont déjà bien assez gros, merci ! J'ai hâte qu'ils sortent. Vous arrivez à point nommé. J'espère tenir la semaine.

— Mais oui, j'en suis sûre. Mes frères sont nés avec deux semaines de retard.

— Ne parlez pas de malheur ! s'écria Mary.

Bob avait commandé le déjeuner chez un traiteur des environs et entraîna les deux femmes dans son bureau. Il voulait se mettre au travail sur-le-champ. Chaque minute passée avec Mary était précieuse. Lillibet regarda ce qui l'entourait en ôtant sa coiffe et sa cape. Elle les posa sur une chaise. Les deux New-Yorkais l'observaient, fascinés. C'était comme si le personnage d'un tableau flamand était sorti de sa toile. Lilli se tourna vers eux. Un sourire radieux illuminait son visage.

— Je n'arrive pas à croire que je suis ici !

Pendant des semaines, elle avait dû endurer les menaces de son père. Finalement, le jeu en avait valu la chandelle. Elle ne serait ici que quelques jours, mais avait la ferme intention d'en profiter autant que possible.

— C'est exactement comme je me le représentais, enfin, en plus grand et en plus peuplé !

Lilli mangea à peine, se concentrant sur les corrections que Mary lui suggérait. Bob les laissa toutes les deux, ne les interrompant que de temps à autre pour s'assurer que tout allait bien. Visiblement, c'était le cas. A dix-sept heures, constatant avec satisfaction qu'elles avaient bien avancé, Mary et Lillibet décidèrent de s'arrêter. La future mère se leva pour s'étirer.

Bob accompagna Lilli jusqu'à l'hôtel Mercer, qui se trouvait dans le quartier de SoHo. Alors qu'ils marchaient côte à côte dans les rues de Tribeca, elle s'exclama :

— C'est incroyable, c'est comme dans mon roman !

Eblouie par le spectacle qui s'offrait à elle, elle ne savait où donner de la tête. Elle était bien trop absorbée par ce qui l'entourait pour remarquer que les gens ouvraient de grands yeux éberlués en apercevant sa tenue venue d'une autre époque. Ils devaient penser qu'elle était déguisée. Rares furent ceux à comprendre qu'elle était amish – d'ailleurs, la plupart ne connaissaient pas cette communauté. Bob était fier de marcher à ses côtés, malgré son allure anachronique. Lillibet était une très belle fille, intelligente et débordante de vie. Sa présence l'enivrait.

Dans SoHo, Lilli considéra avec émerveillement les vitrines des magasins. Prada, Chanel, Miu Miu... Elle ne connaissait aucune de ces enseignes, bien sûr. En fait, les gens à l'intérieur des boutiques l'intéressaient bien plus que les articles eux-mêmes. Les vendeurs de rue l'intriguaient également.

A l'hôtel Mercer, ils se présentèrent à la réception. Bob avait réservé une suite, afin que Lilli et Mary puissent y travailler si elles le souhaitaient. Dans l'ascenseur, la jeune Amish se sentit comme un poisson dans l'eau. Le groom les accompagna jusqu'à la chambre, ouvrit la porte et remit la clé à Lillibet. Il s'agissait en réalité d'une espèce de carte qu'on devait glisser dans une fente de la porte, puis il fallait attendre qu'une lumière verte s'allume et entrer. Bob donna un pourboire à l'employé, qui disparut.

— Eh bien, ça n'a pas l'air simple... murmura-t-elle.

— Ne vous inquiétez pas. Vous vous y ferez vite, la rassura Bob.

A l'intérieur, la jeune femme regarda autour d'elle. Un grand bouquet de roses se dressait sur la table. La suite était magnifique, et jouissait d'une vue imprenable sur Manhattan. Lilli alla du salon à la chambre. Rien à voir avec la pièce minuscule où elle dormait, et qui ressemblait tant à une cellule de prison. Ici, tout fonctionnait à l'électricité. Bob lui indiqua les interrupteurs puis lui expliqua comment utiliser la salle de bains. La baignoire et la douche la laissèrent pantoise.

— Jusqu'à mes onze ans, on se lavait dans la grange. Et puis papa a construit une salle de bains pour toute la famille. Nous avons maintenant l'eau chaude grâce aux bombonnes de gaz.

Il lui montra le fonctionnement des robinets, tira la chasse et fit l'impasse sur bidet. Lilli s'émerveillait de tout. La télévision lui plut énormément, même si elle sursauta lorsque Bob mit l'appareil en marche. Elle avait entendu parler de cette invention, précisa-t-elle.

— Vous devez être épuisée, Lillibet.

— Pas du tout, répondit-elle avec franchise. Par contre, je suis dépassée ! Il y a tant à voir, à apprendre et à découvrir. Je dois vous paraître bien stupide, dit-elle, embarrassée. Tout est si nouveau pour moi. J'ai eu beau écrire sur le monde moderne, je ne l'avais jamais vu en vrai.

Sur ce, Lillibet ouvrit le minibar et y découvrit un paquet de bonbons, qu'elle saisit avec délectation. Un appareil photo jetable l'attendait sur une table. Lorsque Bob lui en expliqua le principe, celui-ci lui parut fort ingénieux.

— Pourrai-je vous prendre en photo avant de rentrer chez moi ? lui demanda-t-elle timidement.

Bob sourit.

— D'accord, mais j'en veux une de vous aussi.

Lillibet secoua la tête.

— Impossible. L'Ordnung l'interdit formellement. On n'a pas le droit de photographier les Amish.

— Je suis désolé, s'excusa-t-il, contrit.

Expressions, règles, mots allemands... Au cours des deux derniers mois, Bob avait emmagasiné nombre d'informations au sujet des Amish. Mais ce faux pas prouvait qu'il ne savait pas encore tout.

— Ça vous dirait de sortir dîner ?

Elle hocha la tête, visiblement intriguée.

— Pourrons-nous faire un petit tour de la ville après ? J'aimerais voir un maximum de choses avant de rentrer chez moi.

— Je vous montrerai tout, Lillibet, je vous le promets. Mais nous avons une semaine pour ça.

Bob jeta un œil à sa montre. Il était presque dix-huit heures.

— Cela vous va si je reviens dans une heure ? Nous irons dîner, et puis nous nous promènerons. Cela vous laisse un peu de temps pour vous détendre, ou vous allonger, enfin, faire ce qui vous chante.

Lilli avait bien envie d'essayer cette incroyable baignoire, mais elle n'en dit rien. Elle voulait aussi se changer.

L'éditeur partit quelques minutes plus tard. Lilli ouvrit sa valise et en sortit les habits qu'elle avait apportés. Après mûre réflexion, elle opta pour la jupe noire et le chemisier blanc, le manteau bleu foncé, les ballerines et les collants couleur chair.

Premier défi pour elle : la baignoire. Dès qu'elle ouvrit les robinets, la pomme de douche commença à tournoyer de façon incontrôlable, avant de s'élancer vers elle comme un serpent en arrosant tout sur son passage. Prise d'un fou rire, Lilli s'empara de l'élément rebelle, qu'elle parvint à contrôler en tournant quelques boutons. Elle laissa ensuite l'eau s'écouler par le robinet central. Puis elle entra dans l'eau. Elle essaya tous les gels douches et savons mis à sa disposition. Lorsqu'elle sortit du bain, un sourire béat éclairait son visage. Elle se regarda dans le miroir, brossa ses cheveux et se refit une natte. Ensuite, elle s'habilla et observa le résultat dans la glace avec stupéfaction. On aurait dit une toute autre personne.

Une heure plus tard, quand Lillibet ouvrit la porte à Bob, elle sentit la timidité l'envahir. L'éditeur n'avait pu cacher son étonnement. Il resta muet un instant, la dévisageant de ses beaux yeux noisette. Il mettait quiconque au défi de deviner qu'elle était amish. Vêtue de la sorte, elle était simplement une ravissante jeune femme.

— Je me sens tellement anglaise, souffla-t-elle.

C'était la première fois qu'elle portait une jupe aussi courte. Elle lui descendait aux genoux, comme son manteau, mais elle avait l'impression d'être nue, surtout avec ces collants transparents. Au bord des larmes, elle leva les yeux vers Bob.

— J'ai l'air bête, n'est-ce pas ?

Elle avait une confiance aveugle en lui, son guide à travers les temps modernes.

— Mais non, Lillibet, vous êtes très belle. Je ne m'attendais pas à vous voir porter des vêtements « normaux », c'est tout.

— J'adore les fermetures Eclair, gloussa-t-elle, rassurée.

— C'est incroyable ce que cela marche bien ! Si seulement on en avait, chez nous. Les boutons, déjà, ça serait un progrès. Je passe mon temps à me piquer les doigts sur les épingles et à souiller mes tabliers de sang.

Bob avait du mal à imaginer qu'on puisse vivre de la sorte. Cependant, Lilli n'avait jamais évoqué la possibilité de quitter sa communauté. Et elle considérait le bannissement comme la pire chose qui puisse lui arriver. Aussi Bob en avait-il déduit qu'elle projetait de reprendre le cours de son existence amish après sa parenthèse new-yorkaise.

Il l'invita dans un restaurant italien du quartier. Elle commanda une pizza et lui raconta que, parfois, les adolescents qui faisaient leur *rumspringa* en rapportaient. Elle raffolait des pizzas. Bob, pour sa part, choisit un plat de pâtes, accompagné d'un verre de vin. Lilli n'avait jamais goûté d'alcool de sa vie et préférait ne pas essayer. Son but n'était pas d'enfreindre toutes les règles. Elle était venue ici pour travailler son texte, un point c'est tout. Elle était une personne raisonnable.

Bob avait loué une voiture avec chauffeur afin de l'emmener visiter la ville après dîner. Ils commencèrent par l'Empire State Building. De là-haut, New York s'étendait à perte de vue. Bob lui indiqua le nom de certains immeubles, et, lorsqu'il pointa le doigt vers l'endroit où s'élevaient jadis les Twin Towers, ils évoquèrent la tragédie du 11-Septembre.

Ils allèrent jusqu'à Broadway et Times Square, où les enseignes des salles de spectacle brillaient de mille feux. Puis ils continuèrent plus au nord et traversèrent Central Park. Il ignorait pourquoi, mais il avait une folle envie qu'elle connaisse cet endroit. Bob demanda ensuite au chauffeur de prendre la 5ᵉ Avenue et de se garer devant le Plaza. Lilli contempla le gigantesque hôtel. Elle remarqua ensuite les calèches et les chevaux alignés le long du trottoir.

— Au moins, je ne suis pas dépaysée ici ! s'exclama-t-elle en souriant.

Cela dit, les bêtes lui parurent vieilles et fatiguées. Quant aux carrioles ornées de fleurs en plastique et de petites décorations, elle les jugea un brin fantaisistes. Aucune n'était aussi belle que celle que son père réservait aux sorties du dimanche. Les véhicules étaient pris d'assaut par de jeunes couples en quête d'une promenade romantique dans le parc.

— Vous en faites souvent ? demanda-t-elle.

— Non ! Surtout pas. J'ai peur des chevaux.

— Ah bon, pourquoi ? Vous êtes tombé quand vous étiez enfant ?

— Non, mais j'ai peur de ces animaux depuis toujours. En fait, ils me terrifient. Je les crains comme la peste.

Le simple fait d'en parler semblait l'angoisser.

— Il a dû se passer quelque chose, dit-elle d'une voix douce.

Bob secoua la tête.

— Rien dont je me souvienne. Mais quand un cheval s'approche de moi, j'ai l'impression que je vais mourir.

Ils s'éloignèrent des attelages, traversèrent la rue et se retrouvèrent devant la fontaine en face du Plaza.

Bob avait l'air songeur, comme s'il venait de se rappeler quelque chose.

— A quoi pensez-vous ?

Le regard de l'éditeur était très loin.

— Je ne sais pas trop. C'est encore l'un de ces déjà-vu, comme si ce n'était pas la première fois que nous venions ici ensemble.

Quand il tourna les yeux vers Lilli, ce n'est pas elle qu'il vit, mais une femme dans la neige. Cette étrange image s'évanouit aussi vite qu'elle était apparue. L'espace d'un instant, il eut la sensation qu'ils s'étaient déjà retrouvés à cet endroit précis, tous les deux.

— Et maintenant, où va-t-on ? demanda Lilli, comme une petite fille impatiente d'ouvrir ses cadeaux de Noël.

Elle était bien trop occupée à jouer les touristes pour éprouver ces sentiments de déjà-vu. Et Bob se sentit un peu ridicule.

Ils longèrent la 5ᵉ Avenue vers le sud, en direction de Washington Square et Greenwich Village. Bob lui parla de l'immense sapin de Noël dressé devant l'immeuble du Rockefeller Center tous les ans. Ils passèrent devant la cathédrale Saint-Patrick, qu'elle admira bouche bée. L'éditeur l'emmena ensuite dans un salon de thé de Greenwich Village, où ils dégustèrent un gâteau accompagné d'un cappuccino. Lillibet se régala. Leur tour de Manhattan avait été parfait.

Bob la raccompagna à l'hôtel à vingt-trois heures trente, prenant soin de l'escorter jusqu'à sa chambre afin de s'assurer qu'elle n'avait aucune difficulté à ouvrir la porte avec la carte électronique. Lillibet rayonnait.

— Je ne me suis jamais autant amusée de ma vie, lui dit-elle avec des yeux pétillants.

— Moi non plus, répondit-il sincèrement. Je passerai vous chercher demain matin pour aller au bureau. Bonne nuit, Lillibet.

Il craignait que la jeune femme ne se perde. Il s'était engagé à prendre soin d'elle pendant son séjour et avait bien l'intention d'honorer sa promesse. D'autant qu'il s'agissait d'un véritable plaisir.

Après son départ, Lilli ôta ses habits anglais. Elle les suspendit dans un placard qui était plus grand que sa chambre. Elle enfila sa chemise de nuit en flanelle épaisse confectionnée par Margarethe l'année précédente et se coucha. Ce vêtement était défraîchi, mais confortable. Allongée dans son lit, elle se mit à penser à son père et à ses frères restés à la maison. Elle passait un excellent moment, mais ils lui manquaient. C'était la première fois qu'ils étaient séparés.

Tandis que ses pensées étaient à Lancaster, le téléphone sonna. Elle décrocha comme Bob le lui avait appris et lâcha un timide « allô ». C'était justement l'éditeur.

— Je voulais m'assurer que tout allait bien et qu'aucune machine bizarre ne vous avait attaquée dans la chambre.

Elle lui avait raconté l'épisode du pommeau de douche.

— Non, elles ont l'air de se tenir à carreau.

Bob ne se lassait pas d'entendre sa voix, toujours enthousiaste et joyeuse.

— Merci pour cette merveilleuse soirée, dit-elle. Je ne l'oublierai jamais.

— Et ce n'est que le début !

Il aurait tant aimé que cela dure indéfiniment. Mais ils n'avaient que quelques jours. Ensuite, elle se transformerait en citrouille, et lui aussi.

— Au fait, si vous avez un creux, vous pouvez appeler le room service ; ils vous apporteront ce que vous voudrez. Une glace, par exemple, dit-il en faisant allusion à leur première rencontre.

— Je ne peux plus rien avaler.

— Bon, alors, pour votre petit déjeuner, demain matin.

Lilli soupira.

— Je ne sais pas si c'est une bonne idée, tout ça. Après avoir vécu ainsi, je vais avoir du mal à rentrer chez moi. Là-bas, le room service, c'est moi !

Bob se mit à rire. Il adorait sa fraîcheur d'esprit.

— On se voit demain matin, Lilli. Bonne nuit !

— Merci. Faites de beaux rêves.

La jeune femme éteignit les lumières. Le clair de lune se répandit dans la chambre. Elle sombra dans le sommeil, enchantée de la soirée parfaite qu'elle venait de passer.

20

Bob arriva à l'hôtel à neuf heures. Lorsque Lillibet lui ouvrit la porte de sa chambre, elle portait une robe amish toute simple et un tablier – sa tenue de travail. Quel contraste avec la soirée précédente !

Ils discutèrent de choses et d'autres en se rendant au bureau et s'arrêtèrent à un Starbucks pour acheter un café et des viennoiseries. Ni l'un ni l'autre n'avaient petit-déjeuné. Une fois dans les locaux de Bellagio Press, Lillibet se remit immédiatement à l'œuvre sur son texte avec Mary, qui confia plus tard à Bob que la jeune romancière se montrait très à l'écoute. En ce samedi, le calme régnait dans la maison d'édition, et elles avançaient bien, pour leur plus grande satisfaction.

Ils déjeunèrent ensuite tous les trois dans un restaurant des environs, avant de remonter travailler. Au bout d'une heure, Mary, exténuée, s'excusa et rentra chez elle. Bob invita alors Lilli à mettre son manteau et l'emmena voir la statue de la Liberté. Après quoi, ils visitèrent le musée de l'immigration d'Ellis Island, qu'elle trouva passionnant. Elle étudia les pièces exposées avec une concentration extrême, semblant très émue. Lorsqu'ils retournèrent à l'hôtel, ils étaient tous les deux épuisés et se contentèrent d'un hamburger au bar du Mercer. Au cours du dîner, ils évoquèrent des milliers de choses.

— J'ai toujours été le mouton noir de la famille, lâcha Bob. Ce sont de sacrées têtes, chez moi. Avec leur volonté et leur ambition, ils écrasent tout sur leur passage. Mes plans de carrière sont bien vagues comparés aux leurs. Je n'ai pas suivi les traces de mes parents et de mon frère, respectivement médecin, avocat et banquier. Même ma belle-sœur est avocate, bien qu'elle n'ait jamais exercé. Au lieu de cela, elle est devenue une parfaite femme d'intérieur. Elle gère son foyer comme une PME. Leurs enfants ressemblent à des robots. Danse, musique, langues, informatique : ils font toutes les activités possibles et imaginables.

Rien dans ce que Bob racontait n'était familier à Lillibet. Les enfants amish quittaient l'école à quatorze ans. Leur éducation était plus informelle. Ils ne prenaient pas des cours de claquettes ou de chinois. Par contre, les garçons aimaient jouer au baseball et les filles apprenaient à cuisiner et à coudre.

— Quand j'étais gamin, je rêvais d'une vie un peu moins stricte, plus cool et détendue. On ne devrait pas avoir à se donner autant de mal tout le temps.

— Pour moi, c'était l'inverse, dit Lilli. J'ai toujours voulu plus. J'aurais aimé continuer l'école et aller plus loin. Ma mère m'a transmis tout un tas de livres qui ont élargi mon horizon. Je voulais en savoir davantage, ne pas me contenter de faire ce qu'on attend d'une femme amish. C'est ce que m'a enseigné ma mère. Elle m'a appris à aimer ce que je lisais, elle m'a encouragée à essayer d'écrire, bien que je ne me sois lancée dans cette entreprise qu'après sa mort. Et quand je m'y suis mise, j'ai senti qu'elle me poussait. J'ai eu le sentiment de le lui devoir, en quelque sorte. Malheureusement, la littérature n'est pas compatible avec notre mode de vie. Si je me mariais, aucun homme de ma communauté ne m'autoriserait à continuer. Et nous n'avons pas le droit d'épouser des Anglais. A mes yeux, le mariage est une perte de liberté, ajouta-t-elle pensivement. En tout cas chez nous. C'est l'homme qui prend toutes les décisions, et la femme doit obéir. Je ne pourrais jamais !

C'était pourtant ce qu'elle vivait avec son père, songea Bob.

— Quand on épouse la bonne personne, dit-il, les choses sont différentes. Il s'agit plus d'un travail d'équipe.

Il se mit à rire.

— Mais qu'est-ce que j'en sais, après tout ? Je n'ai pas eu de petite amie régulière depuis la fac, et la dernière en date m'a largué pour mon meilleur ami. Elle a eu raison, d'ailleurs ! A l'époque, j'étais un abruti fini. Seuls mes cours de littérature comptaient. Ils m'intéressaient bien plus que cette fille.

Ils parlèrent de leurs romans préférés. Ils s'aperçurent qu'ils en avaient de nombreux en commun, et que, plus jeunes, ils avaient eu les mêmes coups de cœur, même si leur interprétation des livres divergeait parfois légèrement. Ils discutèrent littérature pendant des heures. Bob raconta à Lillibet comment il avait monté sa maison d'édition, ne cachant rien des difficultés inhérentes à cette aventure. La jeune femme l'enviait : quelle chance de travailler avec des auteurs et de découvrir des pépites !

— Comme votre roman, lâcha-t-il avec un grand sourire.

Lillibet se rendait compte qu'elle avait eu beaucoup de chance que son manuscrit attire son attention.

— C'est grâce à votre tablier.

— C'est vrai ? Vous savez que c'est pour cela que je l'avais joint à mon envoi ? Je sentais qu'il me porterait chance.

— Il nous a porté chance à tous les deux, remarqua-t-il d'une voix douce.

Bob paya l'addition et la raccompagna jusqu'à sa chambre. Le lendemain, on serait dimanche, et Mary l'avait supplié de lui accorder une journée de repos.

— Qu'avez-vous envie de faire demain ? demanda-t-il à Lilli.

— Comme vous voulez. Une promenade dans le parc, un tour en voiture, rien de spécial.

— On verra demain, alors. Peut-être serez-vous tentée par une grasse matinée ?

Lillibet éclata de rire.

— Pour moi, être debout à six heures, c'est déjà la grasse matinée ! Je me réveille très tôt d'habitude, pour servir le petit déjeuner à mon père et à Willy avant qu'ils partent aux champs.

Sa vie était rude, mais elle ne semblait pas se rebeller contre le travail ou la dureté de son existence. Seules les règles injustes la révoltaient.

Le lendemain matin, Bob l'emmena prendre un succulent petit déjeuner au Café Cluny. Lilli portait un pull, un jean et son manteau anglais. Ils se rendirent ensuite en taxi jusqu'à Central Park, où ils flânèrent pendant des heures. Ils s'assirent sur un banc en face du bassin où petits et grands faisaient voguer leurs voiliers miniatures. Ils parlaient à bâtons rompus, comme s'ils ne s'étaient pas vus depuis une éternité.

Ce soir-là, en rentrant chez lui, Bob ne put s'empêcher de se demander à quoi ressemblerait sa vie après le départ de Lilli. Il se sentait si bien avec elle. Il se délectait de leurs discussions sans fin, de leurs confidences. En définitive, ils partageaient la même philosophie de vie. Il avait l'impression que toute son existence, sans le savoir, il avait eu faim d'elle, et que, maintenant qu'elle était enfin là, le compte à rebours avait commencé. Elle repartirait bientôt chez elle. Bien sûr, il pourrait lui rendre visite en Pennsylvanie, mais cela s'arrêterait là.

Lilli n'en dit rien à Bob, mais, quand lundi arriva, son père et ses frères lui manquaient cruellement. Elle était partie depuis trois jours et trouvait vraiment étrange de ne pas leur parler ni les voir. Il était impossible de leur téléphoner, et elle ne pouvait donc pas leur raconter ce qu'elle faisait. Au bureau, Lilli était mélancolique, et Mary, plus fatiguée que jamais. Mais toutes deux étaient lancées. Elles s'enfermèrent pendant des heures, seulement interrompues de temps à autre par Bob, qui venait s'assurer qu'elles ne manquaient de rien. Elles avancèrent si bien que Mary estima qu'une journée de plus suffirait pour tout terminer.

Le soir, Bob emmena Lilli à un match de baseball. La jeune femme s'amusa comme une folle. Ils mangèrent des hot-dogs, du popcorn, des bretzels et de la glace. Les Yankees remportèrent le match. Lillibet avait hâte de raconter cela à ses frères. Ce sport, qui était toléré au sein de leur communauté, était l'un de leurs passe-temps favoris.

Bob était un homme bon et attentionné. Il avait tout fait pour qu'elle se sente à son aise, et c'était réussi. Elle avait l'impression qu'il avait toujours été là, dans sa vie. A ses côtés, Lilli n'avait peur de rien.

— C'est la première fois que je vis cela avec quelqu'un, lui confia-t-elle tandis qu'ils rentraient à l'hôtel. Vous êtes comme mon frère et mon meilleur ami. Avec vous, je m'amuse, et je peux tout vous dire.

— C'est pareil pour moi, Lilli. En fait, je ne sais pas comment je vais faire sans vous.

— C'est étrange, n'est-ce pas ? dit-elle pensivement. J'ai l'impression qu'on a toujours été ensemble, et pourtant, on ne se connaît que depuis peu. Qui sait, ma mère est peut-être derrière notre rencontre ?

Lilli ne savait comment expliquer leur intimité, mais celle-ci existait bel et bien. Elle aussi avait du mal à imaginer sa vie sans lui, mais il venait d'un univers si différent du sien... Comme tout Anglais, il n'avait pas sa place dans son monde à elle.

— Vous allez me manquer quand je serai de retour chez moi, confessa-t-elle avec tristesse.

Pour l'heure, c'étaient les siens qui lui manquaient. Bien davantage qu'elle n'aurait pu le croire.

Bob savait qu'il était profondément amoureux d'elle, mais il ne voyait pas d'avenir possible entre eux. Elle semblait en effet vouloir retourner en Pennsylvanie. De plus, elle était jeune et innocente, et il n'avait nullement l'intention de la troubler avec ses sentiments. Il n'osait même pas l'embrasser. Non que l'envie lui en manquât. En réalité, lui avouer son amour lui brûlait les lèvres.

Lilli et Mary terminèrent de réviser le texte mardi soir, travaillant jusqu'à une heure indue. Mary remit le manuscrit édité à Bob avant de monter péniblement dans un taxi et de rentrer chez elle. Elle avait l'intention de filer directement au lit.

Lilli et Bob, en revanche, se laissèrent guider par leurs pas dans les rues de New York. Ils s'arrêtèrent pour dîner chez un traiteur avant de retourner à l'hôtel, où ils s'installèrent dans le salon de la suite de Lillibet pour discuter. La jeune romancière était satisfaite du travail accompli. Elle se sentait prête à s'atteler à son nouveau roman dès son retour. Elle avait parlé de l'intrigue à Mary, et celle-ci s'était montrée enthousiaste.

Au bout d'un moment, tous deux se turent. Bob posa sur la jeune femme des yeux ardents emplis d'amour.

— Pourquoi me regardez-vous comme cela ? demanda-t-elle tout doucement.

— Je ne sais pas. Parfois, quand je suis avec vous, je ressens des choses étranges, répondit-il en soupirant. Comme si je pouvais lire dans votre âme. Je ne sais pas d'où vient cette impression. C'est probablement sans importance.

— Je partage ce sentiment. J'ai la sensation que nos âmes, ou nos cœurs, se connaissent. C'est peut-être ça, l'amour ? lâcha-t-elle pensivement, avant de défaire sa tresse.

Tous deux fatigués à cette heure tardive, ils avaient baissé leur garde.

— Je n'ai jamais été amoureuse, dit-elle.

Elle faillit ajouter « jusqu'à présent », mais s'arrêta. Elle ne savait pas si ce qu'elle éprouvait était de l'amour. Bob, de son côté, se retint de lui demander si elle n'était pas amoureuse maintenant. Il avait peur de sa réponse. Ils restèrent donc assis sur le canapé sans rien dire pendant un long moment, puis Bob caressa délicatement ses longs cheveux blond clair.

Il préféra prendre congé avant que ne se produise quelque chose que l'un d'eux regretterait. Pieds nus, Lilli l'accompagna jusqu'à la porte. Elle tendit la main pour toucher son visage, et murmura :

— Merci, Bob. Tu comptes énormément pour moi. Je ne sais pas ce que cela signifie, mais ça me plaît d'être ici, avec toi.

— Je sais, moi aussi, répondit-il avec une sorte de tristesse dans la voix.

Il ne pouvait s'empêcher de penser à son départ imminent. Elle laisserait un grand vide derrière elle.

— Viendras-tu me voir, chez moi ? demanda-t-elle.

— Si ton père ne s'y oppose pas, oui.

Elle hocha la tête. Henryk finirait par leur pardonner pour le livre, mais cela prendrait du temps. Lilli ne regrettait rien cependant : son roman leur avait permis de se trouver et les liait aujourd'hui.

Bob déposa un baiser au sommet de sa tête et partit.

— A demain. Dors bien.

Les mots « Je t'aime » faillirent lui échapper, mais il les arrêta à la dernière seconde. Il rentra chez lui à pied, hanté par son visage. Lilli resta un long moment à la fenêtre. Elle regardait dehors, ne sachant trop comment interpréter ce qui venait de se passer. Elle avait l'impression de lui appartenir. Et elle n'avait absolument pas peur, car elle avait l'intime conviction que ce sentiment était juste.

Le lendemain matin, alors que les deux jeunes gens s'étaient retrouvés pour le petit déjeuner, le portable de Bob sonna. C'était Mary. Elle avait accouché à deux heures du matin. Elle semblait épuisée mais ravie. Lilli s'empara du téléphone pour la féliciter et proposa de venir lui rendre visite.

Bob et elle se présentèrent à l'hôpital avec un bouquet de fleurs et deux oursons en peluche. Lilli prit tour à tour dans ses bras chacun des nouveau-nés. Bob la contemplait. L'effet qu'elle produisait sur lui avait quelque chose de terrifiant. Voilà qu'il voulait avoir des enfants avec elle. Il n'avait jamais ressenti l'envie d'être père auparavant. C'était comme s'il perdait le contrôle, quoiqu'il n'en laissât rien paraître.

Trevor et Tyler étaient des bébés adorables. En les admirant, Lilli se souvint de la naissance de ses frères lorsqu'elle avait treize ans, et de son excitation à leur arrivée. Sa mère avait accouché à domicile, et l'adolescente avait assisté à leur naissance.

Sur le chemin de l'hôtel, elle confia à Bob ne pas vouloir d'enfants. Il en fut très surpris.

— Et pourquoi donc ?

Elle lui avait semblé tellement douée, tellement à l'aise avec les deux nourrissons – bien plus que leur mère, à vrai dire, visiblement dépassée par les événements.

— Je suis déjà passée par là. Quand ma mère est morte, j'ai élevé mes frères. Cela me suffit.

— Si tu tombes amoureuse, peut-être voudras-tu avoir tes propres enfants.

Elle secoua la tête.

— Je ne crois pas. Mon père pense que je devrais me marier avec l'un des veufs de notre communauté et fonder une famille. Mais je n'épouserai certainement pas quelqu'un que je n'aime pas !

Elle laissa éclater son rire espiègle.

— L'idée d'être une vieille fille râleuse qui fait ce qu'elle veut de ses journées me plaît assez.

Celà dit, elle était loin d'être libre. Elle en avait bien conscience.

— N'oublie pas de m'inviter, si jamais tu te maries, dit Bob, le cœur serré.

— Cela n'arrivera pas, rassure-toi, répondit-elle en se rapprochant de lui.

Elle mit sa main dans le creux de son bras. Bob aimait ce geste de tendresse grâce auquel il la sentait proche de lui. C'est alors qu'elle lâcha une vérité que ni l'un ni l'autre n'étaient prêts à entendre.

— Je dois bientôt rentrer chez moi, murmura-t-elle.

— Je sais...

— Vendredi ? avança-t-elle, hésitante.

On était mercredi, et elle avait promis à son père qu'elle ne partirait pas plus d'une semaine. L'éditeur hocha la tête.

— Je vais réserver une voiture. Une envie particulière pour ton dernier jour ?

— Etre avec toi me suffira, dit-elle simplement.

Bob aurait voulu passer la journée à lui faire l'amour et la garder ensuite auprès de lui à jamais. Il rougit de ses pensées, qui étaient celles d'un fou. Il aurait voulu l'implorer de rester, mais les mots ne sortaient pas.

— On pourrait se promener dans Central Park ? suggéra-t-elle.

Et ainsi firent-ils. C'était comme une journée à la campagne, sauf qu'ils étaient au beau milieu de la ville. Ils louèrent une barque et ramèrent sur le lac, ils se couchèrent dans l'herbe, pique-niquèrent. Ils traversèrent le zoo, s'arrêtèrent pour écouter le concert donné par une formation de cuivres, regardèrent les enfants qui passaient, les jongleurs...

Plus tard, ils firent une halte devant le Plaza. La même impression étrange de s'être déjà trouvé à cet endroit-là avec elle s'empara de Bob.

Le soir, tandis qu'ils dînaient à la pizzeria, Lillibet dit en souriant que son *rumspringa* touchait à sa fin. Il était temps pour elle d'être adulte.

— Tu reviendras à New York ? implora-t-il, le cœur battant.

— Je vais essayer.

Mais la jeune femme ne voulait pas trop en demander à son père. Peut-être pour le prochain livre, quand il lui aurait pardonné pour celui-ci. Et d'ici là, il leur faudrait se contenter des visites de Bob en Pennsylvanie, si toutefois Henryk donnait son accord.

C'est alors que Bob tint des propos étranges, même à ses propres oreilles :

— S'il se passe quoi que ce soit, Lilli, je veux que tu m'appelles. Ou bien contacte le loueur de voiture et reviens... Reviens ici. Je t'y attendrai. Ou alors je viendrai te chercher. Tu n'es pas obligée de rester là-bas, tu sais. Et si tu as besoin de moi, je serai là, à toute heure du jour et de la nuit. Je veux que tu saches que tu n'es pas seule. En cas de problème.

Ces mots lui venaient du fond du cœur. Lilli sourit. Elle espérait ne pas en arriver là, mais elle était extrêmement reconnaissante qu'il ait prononcé des paroles si rassurantes.

Le lendemain, la jeune femme voulut passer au bureau pour saluer et remercier tout le monde. Bob l'accompagna. A midi, elle rejoignit la voiture qui l'attendait devant les locaux de Bellagio Press. Elle le remercia de nouveau, jeta ses bras autour de son cou, et, debout sur la pointe des pieds, elle l'embrassa comme une enfant. Bob aurait aimé la tenir enlacée pour l'éternité.

— Prends soin de toi, Lilli, dit-il. Tu sais où me joindre.

Elle hocha la tête. Ses yeux étaient emplis de larmes. Elle se détacha finalement de lui. En le regardant, elle se demanda pourquoi elle partait.

— Toi aussi, prends soin de toi. Viens me voir.

Il acquiesça. Lilli monta dans la voiture et mit sa ceinture. Elle lui fit un signe de la main tandis qu'elle s'éloignait. Bob resta sur le trottoir, à regarder le fantôme de son véhicule. Jamais il ne s'était senti aussi seul.

21

A cause des embouteillages du vendredi après-midi, le retour à Lancaster fut plus long que prévu. Bob appela Lillibet deux fois, et tous deux s'efforcèrent de paraître enjoués. Mais la jeune femme avait l'impression de se trouver à bord d'une navette spatiale à destination d'une autre planète – ce qui n'était pas si éloigné que cela de la réalité. Pour rentrer chez elle, elle faisait un bond de quatre cents ans en arrière.

Ils n'arrivèrent pas dans le comté de Bart avant dix-huit heures. Le chauffeur ne pouvait pas la déposer à la laiterie, car elle n'avait aucun moyen de joindre son frère pour qu'il vienne la chercher. Et il n'y avait personne sur place non plus : à cette heure-là, tout le monde était parti en week-end. Lillibet demanda donc à être conduite chez elle directement. Elle eut envie de téléphoner à Bob pour lui dire une dernière fois au revoir, mais elle se retint. Elle était rentrée maintenant, inutile de fuir cette réalité. Sa place était ici.

Certes, elle savait que son père lui en voudrait encore pendant quelques semaines. Mais peut-être lui avait-elle manqué au point qu'il était disposé à lui pardonner et à l'accueillir à bras ouverts ? Lilli, elle, était prête à reprendre sa place et à s'occuper du foyer. Et impatiente d'écrire son prochain livre la nuit, à la lueur d'une bougie.

Une fois à destination, Lillibet remercia le chauffeur et récupéra sa valise. Elle resta un moment à regarder la maison tandis que la voiture s'éloignait. Puis elle se décida enfin à franchir le seuil, heureuse d'être de retour chez elle.

Le silence régnait, ce qui la surprit. Il était presque dix-neuf heures. Normalement, son père et les garçons auraient dû être en plein dîner. Peut-être étaient-ils allés chez un de ses frères aînés ? Soudain, Henryk sortit du petit salon, ce qui la fit sursauter. Il se planta devant elle et la fixa.

— Bonsoir, papa, dit-elle en lui souriant. Me revoilà. Vous m'avez tous manqué. Où sont les garçons ?

Henryk, sentant qu'elle rentrerait ce soir-là, les avait envoyés chez leur aîné. Il voulait la voir seul à seul.

Quand il s'approcha d'elle, son visage était de marbre. Il pointa son index dans sa direction, puis vers la porte. Il s'adressa ensuite à elle dans leur dialecte allemand, d'une voix enragée :

— Sors de ma maison. Tu n'es plus ma fille. Tu n'habites plus ici. Tu es maintenant une étrangère pour nous. Ne remets plus jamais les pieds ici.

Lilli le regardait, sidérée. Elle essaya de passer ses bras autour de lui, mais il la repoussa. Elle ne comprenait pas. Il l'aimait, comment pouvait-il la bannir ? L'obéissance et l'Ordnung pouvaient-ils compter plus à ses yeux que sa propre fille ?

— Tu veux vivre avec les Anglais à New York ? Eh bien, vas-y ! cria-t-il. Si tu penses que tu peux partir comme ça et revenir quand ça te chante ! Tu m'as désobéi, Lillibet Petersen, tu es bannie !

Il marcha à grands pas vers la porte, l'ouvrit brutalement et lui indiqua la sortie.

— Va-t'en !

Lilli ne pouvait en croire ses oreilles. Elle voulut se précipiter à l'étage, dans sa chambre, mais il l'arrêta et la traîna jusqu'à la porte, son bagage dans l'autre main. Il jeta la valise dehors et poussa sa fille à l'extérieur. La jeune femme tomba dans la boue. Elle leva les yeux vers lui en sanglotant :

— Non, papa !

Henryk claqua la porte, qu'il verrouilla de l'intérieur avec une barre métallique. Elle comprenait mieux à présent pourquoi il avait envoyé ses frères ailleurs. Tous savaient qu'elle avait été exclue. Henryk attendait qu'elle arrive pour lui annoncer la nouvelle. Lilli resta par terre à sangloter. Dans sa chute, elle s'était écorché les genoux et avait déchiré ses collants en laine. Puis elle tenta de se ressaisir. Elle se rendit en pleurant jusqu'à la maison de Margarethe. Là, elle fut accueillie par une autre porte close, à laquelle elle tambourina. Margarethe finit par la prendre en pitié et lui répondit, sans pour autant lui ouvrir :

— Je ne peux pas te laisser entrer, Lilli. Tu as été bannie.

— C'est une décision des anciens ou bien seulement de mon père ? demanda-t-elle à travers ses larmes.

— Je l'ignore. Mais il m'a formellement interdit de t'accueillir chez moi. Il ne reviendra pas sur sa décision, Lilli. Il faut que tu partes. Tu as de l'argent. Retourne à New York. Tu ne peux pas rester ici.

— Mon Dieu, ce n'est pas possible, il ne peut pas me faire une chose pareille !

— Bien sûr qu'il le peut, affirma Margarethe. Personne ne t'aidera. Pars, maintenant, l'exhorta-t-elle en sanglotant. Je t'aime ! Adieu !

Lilli était sous le choc. Elle se mit à marcher en titubant jusqu'à la laiterie. Elle dut s'arrêter à plusieurs reprises pour s'asseoir sur le bord de la route. Elle pleurait. Son père n'avait pas de cœur, et le sien souffrait plus qu'elle n'aurait pu le concevoir. Elle se mit à prier, invoquant l'aide de sa mère

Il lui fallut une heure pour arriver jusqu'à la cabine téléphonique. Il était alors vingt heures. Elle avait quelques pièces dans sa poche, et la carte avec les coordonnées du chauffeur. Elle ne voulait pas appeler Bob, pas dans son état. Elle se sentait si pitoyable. Elle avait profondément honte, honte d'elle-même et honte de Henryk. Elle refusait d'admettre que son père l'avait exclue, qu'il était un homme cruel. Son pire cauchemar devenait réalité.

Elle appela le chauffeur, le suppliant de revenir la chercher. Il était déjà arrivé au péage du New Jersey, et il lui faudrait une heure pour faire le trajet en sens inverse. Il accepta néanmoins de rebrousser chemin.

Elle attendit sur le banc où elle était restée assise avec Bob cet été. Le banc où elle avait trouvé le livre. Lilli ignorait ce qu'elle allait devenir. Elle ne voulait pas vivre à New York. Sa vie était ici. Elle était amish. Elle pensa à sa mère. Jamais elle n'aurait laissé une telle chose se produire.

Lorsque le chauffeur arriva, Lilli pleurait toujours. Son visage était maculé de larmes et de boue, et son tablier était sale et déchiré. Elle se drapa dans sa cape et entra dans la voiture. Il y avait des sacs de courses sur la banquette arrière, aussi l'homme l'invita-t-il à voyager à l'avant du véhicule. Ce n'est que lorsqu'elle s'assit à ses côtés qu'il put voir l'état lamentable dans lequel elle se trouvait.

— Ça va, mademoiselle ? Que s'est-il passé ?

— Je suis tombée, mentit-elle.

Lilli n'avait aucune envie de lui raconter sa mésaventure. Elle appellerait Bob en arrivant. Elle ne voyait pas où aller, à part à New York. Pendant tout le trajet qui les menait là-bas, la jeune femme ne prononça pas un seul mot. Elle émit quelques sanglots et se servit à maintes reprises des mouchoirs qui se trouvaient à l'avant du véhicule. Ils franchirent le péage et roulèrent vers le nord. Elle remarqua que la voiture faisait de nombreux écarts.

— Ça va ? demanda-t-elle au chauffeur.

— Oui...

— Vous êtes fatigué ?

— Non, je vous assure, tout va bien.

Lillibet regarda par la fenêtre. La scène qui venait de se dérouler chez elle passait et repassait devant ses yeux. Son père l'avait littéralement jetée dehors, avec une force telle qu'elle avait volé dans les airs comme une poupée de chiffon.

Ils roulaient depuis deux heures. Soudain, la voiture dévia de sa trajectoire. La jeune femme se tourna rapidement vers le chauffeur. Il s'était assoupi et avait franchi la ligne. En face d'eux, la lumière des phares aveugla Lilli. Un camion arrivait vers eux à pleine vitesse. Lillibet poussa un cri. Le chauffeur ne comprit ce qui se passait que trop tard, et donna un brusque coup de volant. Le véhicule fit un tonneau, et le camion les frappa de plein fouet. La voiture vola dans les airs avant d'être broyée par le semi-remorque dans un grincement de tôle atroce. Lilli entendit le son d'un klaxon et s'évanouit. Elle sombra dans le sommeil en souriant.

Il fallut barrer la route, ce qui bloqua totalement la circulation. Mais il était minuit passé, et les véhicules étaient peu nombreux. Les pompiers et plusieurs ambulances furent mobilisés. La police des autoroutes mit trois heures pour dégager la carcasse. On dut recourir à des pinces de désincarcération et à une grue pour soulever le camion et libérer la voiture coincée dessous. L'homme au volant de cette dernière, le chauffeur routier et la personne qui voyageait avec lui dans la cabine trouvèrent la mort. La seule survivante fut la passagère de la voiture. Elle n'avait sur elle aucun document permettant de l'identifier, et on la transporta en urgence dans un hôpital du New Jersey. Son état était critique. Elle allait selon toute vraisemblance mourir. Elle souffrait de traumatismes crâniens graves et ses bras étaient fracturés. Lorsqu'elles découpèrent ses vêtements pour les lui ôter, les infirmières déduisirent d'après sa tenue qu'elle était amish.

Le lendemain matin, la police contacta Jack Williams, le propriétaire de la société de location de véhicules, pour lui annoncer la mort de son employé et l'informer de la destruction de la voiture dans l'accident. Une autopsie permettrait de vérifier si le chauffeur était sous l'empire de la drogue ou de l'alcool. La police signala la présence d'une passagère, mais M. Williams déclara que son employé avait terminé sa journée de travail à l'heure du drame. Peut-être avait-il pris une auto-stoppeuse ?

— Formidable ! lança tristement Jack Williams à sa secrétaire lorsqu'il raccrocha. Grayson est mort. Ils sont en train de procéder à des examens pour voir s'il avait bu. Heureusement, il n'y avait aucun client à nous avec lui. Une fille était dans la voiture, mais il a dû la prendre en stop, car nous ne l'avons envoyé récupérer personne.

— Pauvre homme, murmura-t-elle.

A leur connaissance, Grayson n'avait ni femme, ni enfants, ni quelque famille que ce soit. Ils ne savaient pas qui prévenir. Le jour suivant, ils apprirent qu'on avait retrouvé des traces d'alcool dans son sang.

La police des autoroutes demanda aux autorités locales de se mettre en relation avec les différentes communautés amish dans un rayon de cent cinquante kilomètres. Mais aucune disparition n'avait été signalée. La rescapée, dans le coma, demeurait une énigme. Six jours plus tard, Jack Williams reçut un colis contenant ce qui avait été extrait de la voiture : des outils, une couverture, des papiers, une petite valise que la police avait fouillée sans y trouver la moindre pièce d'identité. Rien qui permette de percer le mystère. Jack Williams ouvrit le bagage. Il était rempli de vêtements appartenant apparemment à une femme de très petit gabarit. Dans la poche de l'un d'eux, il trouva une enveloppe sur laquelle figuraient le nom de Lilli et l'adresse de la laiterie. Elle avait échappé à l'attention de la police. A l'intérieur, il y avait un mot écrit par Bob Bellagio. La mémoire revint alors à Jack.

— Ce n'est pas vrai ! C'est la fille que nous sommes allés récupérer pour Robert Bellagio la semaine dernière, dit Jack à sa secrétaire, de toute évidence inquiet. Grayson l'a ramenée à Lancaster vendredi.

Il ajouta, sans trop y croire :

— Peut-être a-t-elle oublié sa valise dans la voiture ?

313

Etait-il possible que le chauffeur soit passé la reprendre sans les en informer ? Jack savait que son employé rentrait à New York quand il avait eu l'accident. Il avait appelé la centrale après avoir déposé Lilli. Pourtant, Jack avait un mauvais pressentiment. Il décida d'appeler la police des autoroutes afin de leur parler de la valise, et pour en savoir plus sur la victime.

— Elle est vivante, mais dans le coma, l'informa-t-on. On n'a toujours pas réussi à l'identifier. L'hôpital pense qu'elle est amish, mais aucune des communautés que nous avons contactées n'a déploré de disparition. Pour l'instant, nous n'avons aucun indice. Savez-vous à quoi ressemblait cette Lillibet dont vous me parlez ? Notre survivante a entre vingt et vingt-cinq ans, mesure un mètre cinquante-cinq, pèse une quarantaine de kilos, et est blonde aux yeux verts.

Jack ne savait pas à quoi ressemblait Lilli. Il ne l'avait jamais vue. Très inquiet, il contacta Bob Bellagio quelques minutes après avoir raccroché.

— Il s'est passé quelque chose, commença-t-il prudemment. M. Grayson, le chauffeur qui a ramené Mlle Petersen à Lancaster vendredi dernier, a eu un accident sur le chemin du retour. Choc frontal avec un semi-remorque au niveau du péage du New Jersey. Malheureusement, il était ivre. Il est mort sur le coup. Grayson nous a appelés après avoir déposé Mlle Petersen, et il n'avait donc, à notre connaissance, aucun passager sur le chemin du retour. Mais la police des autoroutes nous a signalé la présence d'une autre personne dans la voiture. Nous avons d'abord cru qu'il avait pris un auto-stoppeur. Nos employés ne sont pas censés le faire, mais parfois, ça leur arrive. La personne en question n'a toujours pas été identifiée. Je viens de recevoir les affaires qui étaient dans le véhicule, et notamment une valise. S'y trouvait une enveloppe sur laquelle figurait le nom de Mlle Petersen, et, à l'intérieur, une lettre écrite par vous. Soit elle a oublié son bagage dans la voiture, soit Grayson est passé la rechercher et a omis de nous dire qu'il la ramenait à New York.

Lorsqu'il avait décroché, Bob était assis à son bureau et pensait à Lilli, comme il n'avait cessé de le faire depuis une semaine. Elle ne lui avait pas donné de nouvelles, et il ne lui avait pas écrit depuis son départ.

— Est-elle morte ? lâcha-t-il, sous le choc.

— Non, elle est dans le coma. L'hôpital dit qu'elle est amish. Une blonde aux yeux verts, âgée d'une vingtaine d'années, un mètre cinquante-cinq, une quarantaine de kilos.

— Oh mon Dieu ! Mon Dieu ! s'écria Bob, désespéré.

Son cœur battait si fort qu'il résonnait dans ses oreilles.

— Où est-elle ?

Jack lui donna le nom de l'hôpital. Bob raccrocha et appela immédiatement l'établissement. On lui confirma que l'inconnue était dans le coma et que son état était critique. Il promit d'arriver au plus vite afin de confirmer son identité. Il ne voulait pas contacter sa famille avant d'en avoir la certitude. Ils devaient se faire un sang d'encre. Mais personne n'avait essayé de le joindre.

Les deux heures qui suivirent furent les pires de la vie de Bob Bellagio. Il dépassa toutes les limitations de vitesse sans se soucier d'être arrêté par la police. Par miracle, cela n'arriva pas. Il se gara devant l'hôpital et se précipita aux urgences. On l'envoya à l'étage, au service réanimation. Il s'agissait d'un établissement ultra-moderne, avec une unité de soins intensifs très perfectionnée. On le conduisit jusqu'à une chambre où la jeune femme était allongée, au milieu de tubes et d'écrans. Une infirmière la veillait, et un médecin était en train de l'examiner quand Bob entra.

C'était bien Lilli. Elle était presque méconnaissable avec son visage contusionné, ses coquards, ses bras fracturés, et son crâne recouvert d'un bandage. Mais c'était bien elle. Aucun doute n'était possible. Il se pencha vers elle et toucha sa joue. Elle semblait loin, très loin. Ses traits paraissaient sereins. Le médecin dit à Bob que son cerveau émettait des signaux. Elle luttait pour rester en vie depuis six jours, et le combat n'était pas encore gagné. L'hématome cérébral s'était résorbé de lui-même, sans recours à la chirurgie. Elle n'avait cependant manifesté aucun signe de conscience depuis qu'elle avait été admise dans le service.

Bob quitta la pièce en larmes. Il fallait qu'il prévienne Henryk, mais il ne voulait pas la laisser seule. Et dire que, pendant six jours, il avait cru qu'elle était chez elle, alors qu'elle était ici !

Il appela Joe Lattimer pour lui raconter ce qui était arrivé.

— Je ne comprends pas ce qui s'est passé, dit Bob, ébranlé.

Il se sentait responsable du drame. Le chauffeur était en état d'ébriété au moment de l'accident.

— D'après la centrale, leur employé l'a déposée chez elle. Mais il a dû repasser la chercher sans en avertir quiconque.

— Son père l'a bannie, lui apprit Joe d'une voix faible, comme assommé par la nouvelle. Il ne voulait pas qu'elle remette les pieds dans leur maison. Ses frères me l'ont appris il y a quelques jours. Ils sont effondrés. Je suppose que Lillibet a téléphoné au chauffeur et est repartie avec lui.

Le récit que Bob et Joe étaient en train de reconstituer était bouleversant. Bob éprouvait un sentiment de rage contre Henryk. Comment avait-il pu la bannir ? Sans cet acte, déjà incompréhensible en soi, la catastrophe ne serait pas arrivée. A présent, la vie de Lilli ne tenait plus qu'à un fil. Et Bob craignait de ne jamais pouvoir lui dire à quel point il l'aimait.

— Il faut que vous alliez l'annoncer à son père, l'implora Bob. Il faut qu'il vienne ici. Bannie ou pas, elle reste sa fille. Si elle meurt, il s'en voudra toute sa vie.

Lui aussi s'en voudrait toute sa vie...

— Elle va mourir ? demanda Joe.

— Malheureusement, la situation ne laisse que peu de place à l'espoir, répondit Bob avec honnêteté. Elle est dans le coma depuis six jours.

Bob lui expliqua où se trouvait l'hôpital, puis suggéra :

— Peut-être pourriez-vous le conduire jusqu'ici ? En carriole, ça lui prendra une éternité.

— Détrompez-vous, elles sont rapides. Je ne sais pas s'il acceptera de monter dans une voiture. Je vais tout de même lui proposer. Je ne pourrai pas faire plus.

Bob le remercia avant de raccrocher. Il retourna au chevet de Lilli. Elle était restée seule pendant quelques minutes. Il s'assit à côté d'elle, lui prit la main et commença à lui parler :

— S'il te plaît, ma chérie... Reviens ! Je t'aime tellement ! J'aurais dû te le dire à New York, mais je ne voulais pas te faire peur... S'il te plaît... Tout va bien... Je t'aime, Lilli, je t'aime.

Il répétait ces « je t'aime » encore et encore, regardant Lilli fixement.

— Je t'ai attendue toute ma vie, poursuivit-il. Tu ne peux pas me quitter maintenant. Je t'aime jusqu'à la fin des temps.

Ces mots, qui étaient sortis tout seuls, le surprirent. Il ne savait pas d'où ils venaient, mais, en y réfléchissant, il sut qu'ils disaient vrai.

22

Lilli errait dans un beau jardin. C'était un endroit paisible. Il lui arrivait de croiser des gens, même si, la plupart du temps, elle dormait à l'ombre d'un arbre au feuillage vert clair. Un jour, elle trouva sa mère assise à ses côtés. Rebekah était très heureuse qu'elle ait décidé de publier son livre et éprouvait une immense fierté à son égard.

— Je savais que tu réagirais comme ça, maman ! s'exclama Lilli, qui se sentit plus légère que jamais.

Elle s'assoupit encore. Elle était épuisée. Puis quelqu'un l'appela. Quelqu'un qui tentait de la tirer de son sommeil. Mais Lilli voulait dormir. Elle voulait rester dans le jardin et revoir sa mère, qui lui avait tant manqué. Elle ouvrit les yeux et, cette fois-ci, il y avait deux personnes à ses côtés, un homme et une femme. La femme était très belle et avait des cheveux noirs. Lilli la prit à tort pour Rebekah. Elle riait et marchait à côté d'un homme à cheval. Ils s'arrêtèrent pour lui parler. Elle leur dit qu'elle voulait partir avec eux et retrouver sa mère.

— C'est impossible, lui répondit l'inconnue avec douceur. Il faut que tu rentres.

— Je ne veux pas, lâcha Lilli, saisie de nouveau d'une intense fatigue. C'est trop loin.

— Tu ne peux pas venir avec nous, répéta la femme. Il faut rentrer, Lillibet. Pour nous.

Elle regardait la jeune Amish en face. Ses yeux bleus étaient magnifiques.

— Je vous reverrai ? demanda Lilli.

La femme se contenta de sourire et de secouer la tête.

— Rentre, Lillibet.

Et tandis que Lilli les voyait s'éloigner, elle entendit la voix, au loin, qui l'appelait. L'homme sur son cheval aida sa compagne à monter en croupe. Ils riaient, et il l'embrassa avant de partir au galop. Ils allaient vers la lumière. Lilli voulait les suivre. Mais ils avaient déjà disparu. Elle entendit l'écho de la voix de l'inconnue, qui répétait « Rentre, Lillibet, rentre… ». Sa mère elle aussi lui disait ces mêmes mots. Puis la voix changea, et cette voix la supplia de revenir. Mais elle n'en avait pas envie. Elle était trop fatiguée, et s'éloigner de cette lumière était beaucoup plus difficile que de se laisser aimanter par elle. Il fallait marcher longtemps, bien trop longtemps, et elle était épuisée.

Bob était assis à côté de Lilli. Alors qu'il lui serrait la main un peu plus fort, elle laissa échapper un discret gémissement et esquissa un mouvement. Il appela immédiatement l'infirmière. Il était minuit. Bob la veillait nuit et jour. Son père était également dans la chambre, tout comme Margarethe. Henryk arborait une mine sévère mais semblait surtout dévasté. Quant à son amie, elle pleurait en silence.

— Reviens, Lilli, chuchota Bob une nouvelle fois.

La jeune femme ouvrit les yeux quelques secondes, le temps de voir les trois personnes présentes dans la pièce, puis les referma. Bob étouffa un sanglot de soulagement. Elle était en train de se réveiller. Elle était revenue. Elle l'avait entendu.

Le médecin entra dans la chambre et l'examina. Lilli ouvrit encore les yeux et regarda Bob d'un air incrédule. Elle ne comprenait pas ce qu'il faisait là. Et pourquoi son père était-il présent lui aussi ? Elle venait juste de voir sa mère et ce couple à cheval. Tout cela était troublant...

— Il faut que j'aille à l'hôpital, dit-elle faiblement. Lucy va avoir un bébé...

Bob lui caressa la joue.

— Qui est Lucy, ma chérie ?

— Je ne sais pas.

Une larme coula le long de sa joue.

— Tout va bien, Lilli. Tu vas bien. Nous sommes tous là. Nous t'attendions.

— Je sais, dit-elle.

Elle était tellement heureuse de voir Bob. Elle voulait lui parler de sa mère et du couple, mais elle n'en avait pas la force. Elle s'assoupit une nouvelle fois. Elle dormit un certain temps, puis ouvrit les yeux et regarda son père :

— Je suis désolée, papa.

Henryk s'approcha de sa fille et s'adressa à elle dans leur dialecte. Il la rassura : il ne fallait pas qu'elle s'en fasse. Ses lèvres tremblaient, et Bob et Margarethe, qui échangèrent un regard, ne purent s'empêcher d'être émus.

Puis Lilli se tourna vers Bob.

— Ce sont eux qui m'ont poussée à revenir, dit-elle.

Bob ne chercha pas à en savoir davantage.

— Ils ont bien fait. Je t'attendais. Je t'ai attendue si longtemps, Lilli. Je t'aime.

Bob dit tout cela à voix haute. Il se moquait bien de qui pouvait l'entendre. Plus jamais il ne laisserait quelqu'un lui faire de mal.

— Moi aussi, je t'attendais. Il t'en a fallu du temps pour venir.

— Je suis désolé, répondit-il en souriant. Je vais essayer de me rattraper.

Lilli ferma alors les yeux, et ils quittèrent la pièce pour la laisser dormir en paix.

Dans le couloir, Henryk jeta un regard dur à Bob. Les deux hommes semblaient à la fois soulagés et terrifiés. Ils avaient failli la perdre, et ils en avaient pleinement conscience. Deux heures plus tôt, son corps avait commencé à fléchir, sa tension artérielle avait chuté. Et puis elle était revenue.

— Vous aimez ma fille ? lui demanda Henryk tout à trac.

Bob ne cilla pas.

— Oui, monsieur, je l'aime. Je l'ai attendue toute ma vie.

— Va-t-elle rentrer à New York avec vous ?

— Je ne sais pas. Son intention était de retourner vivre avec vous, à Lancaster. Elle n'a jamais parlé de rester à New York.

Henryk hocha la tête.

— Elle est avant tout amish, continua Bob. Si cela vous convient, je la ramènerai chez vous lorsqu'elle quittera l'hôpital. Je pense qu'elle devrait rester chez vous le temps de se remettre.

— Oui, je le pense aussi.

Lillibet n'était donc plus exclue. Bob en ressentit un profond soulagement.

— Viendrez-vous la voir ? demanda Henryk.

— Avec votre permission, oui. Si elle le souhaite.

— Elle aura mon aval. Vous êtes quelqu'un de bien, monsieur. L'emmènerez-vous à New York lorsqu'elle ira mieux ?

— Si c'est ce qu'elle veut, oui. Et quand elle sera prête, répondit Bob avec respect.

Cette décision appartenait à Lilli, et à personne d'autre.

— Je pense qu'elle devrait rester avec vous, dit Henryk doucement.

Le vieil homme avait compris à quel point Bob l'aimait ; il l'avait entendu la supplier de revenir.

Henryk et Margarethe partirent ce soir-là. L'accident les avait rapprochés. Joe Lattimer, qui les avait conduits jusqu'à l'hôpital, les attendait pour les ramener chez eux. Il avait patienté toute la soirée dans la salle d'attente.

Bob veilla au chevet de Lilli les deux semaines qui suivirent, jusqu'à ce qu'elle aille suffisamment bien pour sortir. Il resta assis à ses côtés en permanence, discutant avec elle lorsqu'elle le souhaitait et se faisant discret quand elle avait besoin de dormir. Il ne la quitta jamais, dormant sur un lit d'appoint installé dans sa chambre. Elle lui parlait beaucoup de sa mère et du couple à cheval qu'elle avait vus dans son coma.

— Ils m'ont dit de rentrer. Je sais que ça paraît fou, mais j'avais le sentiment étrange que ces deux personnes, c'était nous, à ceci près qu'elles ne nous ressemblaient pas.

— Si le type était à cheval, cela ne pouvait pas être moi, remarqua Bob en souriant. Tu connais ma phobie.

— Tu crois, toi, que les gens ont des vies antérieures ? Je n'y avais jamais cru auparavant, mais maintenant je me demande. En tout cas, je savais que je les connaissais. J'avais vraiment l'impression que cette femme, c'était moi.

— Tout est possible, Lilli. Moi, je suis juste content que tu sois ici, dans cette vie.

Elle n'avait aucun mal à le croire. Chaque fois qu'elle le regardait, son amour lui sautait aux yeux.

— Moi aussi, je t'aime.

Quand elle fut autorisée à quitter l'hôpital, Bob la conduisit à Lancaster. Sa rémission était remarquable, même si ses bras cassés la handicapaient beaucoup. Margarethe viendrait vivre chez les Petersen afin de l'aider. Bob et elle avaient beaucoup communiqué *via* Joe Lattimer, qui était plus que ravi de servir de messager.

Henryk, les garçons et Margarethe les attendaient. Ses frères la serrèrent dans leurs bras, dansèrent autour d'elle et lui dirent qu'elle avait l'air vraiment bête avec ses deux bras dans le plâtre.

— On dirait Frankenstein, dit Markus, qui l'imita en adoptant la démarche d'un monstre.

— Très drôle ! Attends qu'on me les retire, et alors, tu le regretteras, réplique-t-elle en riant.

Les garçons avaient une surprise pour elle : un beau chiot labrador blanc.

Henryk invita Bob à passer la nuit chez eux. Ou plus, s'il le souhaitait. Willy proposa de lui laisser sa chambre ; il camperait dans celle des jumeaux. Margarethe dormirait dans un lit d'appoint à côté de Lilli, afin de pouvoir l'aider pendant la nuit si nécessaire. Les médecins avaient recommandé une convalescence de six semaines, jusqu'à Thanksgiving.

Après le dîner, Henryk proposa à Bob d'aller faire un tour dehors. Le temps s'était rafraîchi. Ils marchèrent vers la grange.

— Vous avez quelque chose à me demander, Bob ?

Henryk le regardait d'un air facétieux.

— En effet. Je me disais que, peut-être, aux alentours de Noël... si Lilli le souhaite... Si vous pensez... bredouilla Bob.

— Vous voulez épouser ma fille, lâcha Henryk en se moquant gentiment de lui.

— Oui, répondit Bob avec un sourire de gamin. Mais il faut d'abord que je lui pose la question.

— Non, il faut d'abord me poser la question à moi, c'est chose faite. Vous avez ma bénédiction. Si on m'avait dit qu'un jour je tiendrais de tels propos avec un Anglais ! s'étonna Henryk. Vous ne pourrez pas l'épouser ici. Il faudra que le mariage ait lieu dans une église anglaise. Par contre, nous organiserons un banquet à la maison. Et puis vous pourrez l'emmener à New York. Néanmoins, vous avez intérêt à la ramener souvent ici. Car nous n'irons pas vous voir là-bas, dit-il sévèrement.

Et puis, la voix rauque, il ajouta :

— Margarethe et moi allons nous marier bientôt. Nous aimerions que vous soyez des nôtres.

Bob le remercia. Il était reconnaissant de tous les miracles qui se produisaient dans sa vie ces derniers temps.

Henryk et lui se dirigèrent lentement vers la maison en parlant de la ferme. Les deux femmes et les garçons les regardaient depuis la fenêtre. Lilli était inquiète.

— Selon toi, que lui a dit papa ? demanda-t-elle à Margarethe.

— Je crois qu'il essaie encore de se débarrasser de toi, dit Josiah en pouffant. Mais cette fois, il demande à l'Anglais de s'en charger.

Markus ricana de conserve, tandis que Willy roulait des yeux.

Henryk et Bob firent leur apparition dans la pièce, semblant satisfaits. Margarethe chassa les garçons dans leur chambre, et Bob invita Lilli à venir s'asseoir un instant avec lui dehors. Henryk et Margarethe échangèrent un regard complice. Le vieil homme hocha légèrement la tête, et son amie parut rassurée. Elle savait qu'il s'était tempéré. Avant le drame, jamais un Anglais n'aurait été le bienvenu. Il avait fallu que Lilli frôle la mort pour que son père écoute enfin son cœur.

Dans la fraîcheur automnale, les amoureux s'installèrent sur une vieille balançoire, comme de nombreux couples avant eux probablement.

— Que t'a dit mon père ? demanda-t-elle avec curiosité.

— Que j'ai intérêt à te ramener souvent ici, parce que Margarethe et lui ne viendront pas à New York.

Lilli se mit à rire.

— Ils vont se marier, dit-elle.

— Oui, il vient de me l'annoncer.

Bob se tourna alors vers elle avec une expression d'une infinie tendresse.

— Et nous, Lilli ? On se marie ?

— Je crois que nous l'avons déjà fait, dans une autre vie.

— Peut-être devrions-nous recommencer, dans celle-ci ?

Il comprenait néanmoins ce qu'elle voulait dire. Depuis le début, il avait eu l'impression de la connaître.

— Tu as raison, nous pourrions nous marier, lâcha Lilli avec un petit sourire. Qu'en pense mon père ?

A en juger par l'expression qu'arborait Bob, il était évident qu'ils en avaient parlé.

— Il m'a dit qu'il faudra que nous nous mariions dans une église anglaise, mais qu'ils organiseraient un banquet ici, chez vous.

— Jamais je n'aurais pu imaginer que mon père me laisserait épouser un Anglais, fit-elle remarquer, stupéfaite.

— Il n'en revient pas lui-même ! plaisanta Bob. Mais dis-moi, à quoi ressemblent les mariages amish ?

Cette idée lui plaisait follement, c'était excitant.

— Bruyants, mouvementés, heureux, avec des enfants dans tous les coins et de la nourriture à profusion. Je porterai une robe bleue. Et nous devrons passer la nuit de noces ici afin de nettoyer la maison le lendemain matin.

Bob avait déjà décidé d'inviter ses parents et son frère à une petite célébration à New York. Il ne voulait pas qu'ils viennent ici. Ils gâcheraient tout. Et rien ne devait lui voler cet instant. Il embrassa alors Lilli, et ils restèrent sur la balançoire un bon moment, à regarder les étoiles.

— Quand les gens meurent, ils vont au ciel et deviennent des étoiles, murmura la jeune femme. C'est ça, le paradis. Je suis convaincue que ma mère est là-haut et qu'elle m'attend.

Bob passa un bras autour de Lilli et la serra contre lui, en dépit des plâtres qui rendaient la chose malcommode.

— J'ignore où vont les gens lorsqu'ils meurent, répondit-il. Et je ne veux pas que l'un de nous deux le découvre avant très longtemps. Je ne veux pas avoir à te ramener une nouvelle fois jusqu'ici. Peut-être avons-nous déjà vécu ensemble dans une vie antérieure, mais celle-ci me suffit amplement. Je t'aime, Lilli, et je t'aimerai jusqu'à la fin des temps.

Elle hocha la tête. Un profond sentiment de quiétude l'envahit.

— Je le sais... Moi aussi, je t'aimerai jusqu'à la fin des temps.

A ce moment précis, deux étoiles filantes passèrent au-dessus de leurs têtes avant de disparaître dans le ciel nocturne. Bob et Lilli les regardèrent en souriant.

Vous avez aimé ce livre ?
Vous souhaitez en savoir plus sur Danielle STEEL ?
Devenez, gratuitement et sans engagement, membre du
CLUB DES AMIS DE DANIELLE STEEL
et recevez une photo en couleur dédicacée.

Pour cela il suffit de vous inscrire sur le site
www.danielle-steel.fr
ou de nous renvoyer ce bon accompagné d'une enveloppe
timbrée à vos noms et adresse au
Club des Amis de Danielle Steel
– 12, avenue d'Italie – 75627 PARIS CEDEX 13

Monsieur – Madame – Mademoiselle

NOM :
PRÉNOM :
ADRESSE :

CODE POSTAL :
VILLE :
Pays :

E-mail :
Téléphone :
Date de naissance :
Profession :

La liste de tous les romans de Danielle Steel publiés aux Presses de la Cité se trouve au début de cet ouvrage. Si un ou plusieurs titres vous manquent, commandez-les à votre libraire. Au cas où celui-ci ne pourrait obtenir le ou les livres que vous désirez, si vous résidez en France métropolitaine, écrivez-nous pour le ou les acquérir par l'intermédiaire du Club.

Composition et mise en pages
Nord Compo à Villeneuve-d'Ascq

MARQUIS

Québec, Canada

N° d'impression : 3006067
Dépôt légal : septembre 2014

Imprimé au Canada